D0280080

Les sens oubliés

DU MÊME AUTEUR

aux éditions Albin Michel

✶

LA GRANDE LEÇON SEXUELLE
DES ANIMAUX

DONALD E. CARR

Les sens oubliés

Traduit de l'américain
par
PAUL VERVISCH

Albin Michel
PARIS

Édition originale américaine :
THE FORGOTTEN SENSES

Doubleday & Company, New York.

22, rue Huyghens, 75014 Paris

ISBN 2-226-00044-5

A Michelle
et
Angela

INTRODUCTION

Au cœur de toutes les philosophies, anciennes ou modernes, a existé une brûlante question : Percevons-nous l'univers *tel qu'il est ?* Il n'est évidemment pas de réponse possible, et il n'y en aura jamais. En tant qu'animaux évolués nous possédons une vue développée, sans approcher toutefois celle des oiseaux. Nous avons une ouïe subtile et capable de discrimination — nous n'aurions sans cela jamais été capables de l'étonnante invention que constitue le langage symbolique — mais le dauphin nous dépasse certainement dans la complexité des sons interceptés (bien que nous ne possédions aucune preuve de ce qu'il puisse utiliser des signaux *symboliques*). Nos autres sens sont médiocres, comparés à ceux d'un grand nombre de créatures. Beaucoup d'animaux perçoivent un univers sensoriel qu'il nous est difficile même d'imaginer. C'est le cas de certains poissons qui ressentent électriquement et de certains serpents qui, à distance, peuvent percevoir des différences de température de 1/1 000e de degré. Il apparaît également évident que l'instinct *directionnel* de nombreux poissons, oiseaux, tortues, etc. provient d'une connaissance du monde « héritée » à des fins de survie et que l'homme, espèce très jeune, tente seulement d'imiter par des appareillages grossiers.

Le but de cet ouvrage est d'étudier en profondeur les différents sens des animaux, de comparer leur monde sensoriel au nôtre, de spéculer sur la possibilité d'élargir le répertoire de nos sensations, et, le plus important, de voir comment il serait possible de développer en nous une meilleure appréciation de l'univers. Cet étonnant univers, émettant des signaux qui, pour l'instant, soit demeurent sans signification, soit ne peuvent être retranscrits en stratégie d'action.

En examinant les sens des animaux nous allons découvrir un schéma persistant : ces sens ont été conçus afin de percevoir seulement *ce qui importe à la survie de l'animal.*

Si un oiseau distingue une étoile, il peut l'inclure dans le pattern qui lui permet de l'aider à retrouver son nid la nuit tombée. Il n'aura aucun autre intérêt pour l'étoile, il ne se pique pas d'astronomie. Le remarquable œil automatique de la grenouille peut instantanément distinguer et identifier un insecte *en mouvement*, mais elle peut être jonchée de mouches mortes et mourir de faim sans les distinguer. Un moustique peut nonchalamment traverser une salve d'artillerie à la poursuite du minuscule et spécifique bourdonnement de sa femelle, un son si ténu qu'il nous faut un appareillage spécial pour l'enregistrer.

Il est donc raisonnable de penser que les humains perçoivent également de cette manière. L'évolution n'a pas conçu l'homme en tant qu'astronome ou créateur de désintégration nucléaire, mais en tant qu'animal prédateur extrêmement intéressé, non seulement par sa nourriture, mais aussi par la découverte d'une compagne. En terme d'activité optique, la mini-jupe a fait beaucoup plus pour la gymnastique oculaire que l'observation de l'espace et ses merveilles. Aussi passionné par sa mission qu'il puisse être un astronaute sera toujours davantage soucieux de sa femme et de ses enfants que du relief lunaire.

Ce qui en fait, pour moi, se révèle le plus fascinant dans tout ce qui a concerné les astronautes, est qu'à plus de cent cinquante kilomètres de la terre des hommes tournant sur des orbites diverses ont été capables de voir à *l'œil nu* les routes de poussière au Mexique, les sillages laissés par les skieurs nautiques sur le lac Salton en Californie, la fumée s'élevant de huttes dans les Himalayas, la lumière des réverbères de petites villes perdues d'Australie et autres signes et traces de l'existence des hommes.

J'ai développé une théorie à ce sujet dans les pages qui vont suivre. Il est possible que la découverte d'un accroissement de la vue en état d'apesanteur soit le bénéfice majeur que nous puissions retirer de l'aventure de l'espace. Mais nous avons besoin d'autres aventures, concernant d'autres sens. La plus extraordinaire serait bien sûr l'exploitation des sens que nous pressentons et ne pouvons pas comprendre ou décrire anatomiquement. Qu'ils existent et soient utilisés par certains animaux me paraît indéniable. Et que nous les possédions sous une forme résiduelle ou potentielle me paraît possible. J'ai donc consacré, ce qui pour certains paraîtra une scandaleuse perte de temps, une partie de cet ouvrage aux perceptions « extra-sensorielles », un terme qui me gêne beaucoup. Je pense que nous avons à expliquer des phénomènes non « au-delà » des sens mais, simplement des modes de perceptions et communications inconnus ou oubliés, que l'évolution a eu tendance à éliminer quand nous avons atteint le niveau critique de la pensée symbolique.

Je crois qu'avant peu il nous sera possible d'aller à volonté plus loin, soit au-dessus, soit en dessous de ce niveau. Quand nous aurons appris à le faire, nous découvririons avec surprise que nous sommes devenus une nouvelle espèce animale, pourvue de plus de lucidité et de raison. N'attendons pas qu'il soit trop tard!

1. LES YEUX ET LE VOYANT

Il existe sur notre planète deux sortes de réactions chimiques liées à la lumière, dont l'une, la photosynthèse, est absolument indispensable à toute vie animale se nourrissant d'autres vies pour assurer son existence. L'autre réaction photochimique n'est pas essentielle à la vie : mais, sans elle, des classes animales entières seraient éliminées (les oiseaux par exemple). Il s'agit de la transformation chimique qui donne à un animal la possibilité de voir. Il est intéressant d'observer que dès que l'évolution eut mis au point ce simple procédé, elle conçut une grande variété d'yeux. Ce procédé est si subtil et si spécifique qu'il est très difficile à expliquer à quelqu'un ayant peu de connaissances en chimie et, d'ailleurs, jusqu'à 1967 (1) ces transformations ultimes du processus photochimique demeuraient inconnues.

L'évolution instaura il y a plus d'un billion d'années un processus permettant au flux lumineux de se transformer en impression sensorielle. En effet, le pourpre rétinien se décompose sous l'effet de la lumière, en deux corps différents : l'*opsine* et le *transrétinal*. La transformation est infime, et il y a un siècle il n'eût pas été possible de la déceler. Pourtant cette simple, apparemment négligeable, caractéristique de la molécule rétinienne est le pivot sur lequel repose le principe de toutes les formes de vision de notre planète. L'homme a dépensé énormément d'énergie à mettre au point des systèmes de photoréaction de toutes sortes, à commencer par l'appareil photographique et le film à émulsion, reposant sur le principe enfantin de la

(1) George Wald, professeur à Harvard, a partagé cette année-là un prix Nobel pour les recherches qu'il avait effectuées sur ce problème.

décomposition du chlorure d'argent en argent et chlore sous l'action de la lumière.

L'homme, le voyant, pour pouvoir effectuer le développement de ses photographies rétiniennes dépend du système borné — la transformation de l'opsine en transrétinal — inventé par l'évolution. Les biochimistes ne cessent de se creuser la tête à essayer de découvrir pourquoi ce processus, et ce processus seul, arcane de toutes les formes de vision, fut élu par l'évolution pour être le lien entre les créatures vivantes (d'un puceron à Picasso) et le monde visuel extérieur des vibrations électromagnétiques. Mais il en est ainsi. Tant que nous ne serons pas devenus d'aussi subtils chimistes que l'évolution, ce qui demandera au moins plusieurs millénaires, nous pourrons seulement nous interroger sur cette étonnante spécificité et nous efforcer de résoudre quelque autre problème. Par exemple comment une telle réaction peut provoquer la sensation que l'on nomme la vue?

Il nous faut ici parler de quelques notions de chimie supplémentaires. La structure moléculaire appelée rétinal est une forme de pigment caroténoïde qui est invariablement associée à une grosse molécule protéinique : l'opsine. L'opsine possède des structures variées selon les classes animales, tout comme l'hémoglobine du sang. Chez les humains la combinaison du pigment et de l'opsine s'appelle rhodopsine. Sous l'action de la lumière la rhodopsine développe une incompatibilité à l'opsine qui se détache. La molécule pourpre devient alors incolore et est appelée transrétinal. Cette opsine doit pourtant être récupérée pour que la rhodopsine puisse se reformer et que le processus photochimique se produise à nouveau. Ceci est réalisable de deux façons. D'abord l'isomérisation (changement de structure d'une cellule mais non de son contenu atomique) du transrétinal sous l'action de la lumière, il devient rétinal forme *cis* en 11, qui a la propriété de se combiner avec la molécule d'opsine et reformer la rhodopsine initiale. Ensuite, l'oxydation de la vitamine A contenue dans le sang — le rétinal étant en fait de la vitamine A légèrement altérée (c'est un aldéhyde et la vitamine A un alcool) — cette oxydation aboutit également au 11-*cis* rétinal, permettant le recommencement du cycle. Ceci explique le rapport existant entre les déficiences en vitamine A et les difficultés de vision en lumière atténuée.

L'une des raisons de la variante de la molécule opsine est que, une lumière d'une certaine couleur devient primordiale pour le mode de vie d'un certain animal. Il doit donc absorber cette couleur plus facilement que les autres dans son opsine rétinal, mais cette couleur diffère d'une espèce à l'autre. Ainsi, comme nous allons l'expliquer plus loin, le bleu est particulièrement important pour une grenouille, son opsine doit donc être construite de telle façon que l'absorption du bleu soit parfaitement assurée.

Après avoir résolu le problème essentiel de savoir comment la lumière pouvait transmettre un effet dont l'animal puisse être conscient, ou tout au moins auquel il puisse réagir, l'évolution se mit à inventer toutes sortes d' yeux, dont certains étaient à peine davantage qu'un repli de membrane pigmentée, accompagné de quelques cils (ce qui n'a rien d'étonnant car l'évolution a déjà testé l'utilité des cils vibratiles dans des formes aussi anciennes que les infusoires).

La réaction à la lumière ne nécessite pas des yeux dans la tête. Dans les vers planaires, des photorécepteurs d'une forme assez indéfinie sont répartis tout le long du corps. Quelquefois les yeux sont simplement des taches de pigments sur la peau. Particulièrement chez les vers ce sont souvent des points pigmentés (ocelles) se trouvant profondément enfouis dans les tissus sous-cutanés ou dans le cerveau. Certains vers ont six paires de ces yeux en taches pigmentaires, certaines variétés plusieurs centaines. Chez les vers planaires terrestres il peut exister jusqu'à plus d'un millier d'ocelles. Ces ocelles primitifs possèdent de une à quatre fibres sensorielles nerveuses se terminant en un bouton élargi à l'intérieur d'une coupe possédant une ou plusieurs cellules pigmentaires. Bien entendu, même dans ces yeux frustes, pouvant à la rigueur distinguer le jour de la nuit et au maximum la direction de la lumière, l'élément actif est le 11-*cis* rétinal.

Les yeux à lentilles constituent une catégorie de luxe. On en trouve néanmoins certains chez les annélides. Capables de performances égales, mais moins élégants, sont les « yeux-caméras » de beaucoup de créatures primitives. Ils fonctionnent sur le principe bien connu qu'un petit rond percé dans une boîte obscure réfléchit la lumière, à peu de chose près comme une lentille.

Il nous faut confesser ici que nous ignorons exactement comment l'antique et infaillible processus rétinal se transforme en impulsion nerveuse. Néanmoins, nous constatons que cette isomérisation constitue l'unique exemple d'un mécanisme moléculaire par lequel des cellules sensorielles peuvent détecter les caractéristiques de ce qui les environne. Nous savons pourtant beaucoup plus de choses sur la vue que sur des organes beaucoup plus anciens comme l'odorat et le toucher. Nous possédons, en particulier plus de renseignements sur l'œil du limule — animal marin déjà très ancien à l'époque du dinosaure — que sur n'importe quel autre œil vivant. Cet arthropode de trente à quarante centimètres de long possède en effet un œil composé se prêtant parfaitement à l'expérimentation. L'œil composé, comme son nom le laisse entendre, est une colonie d' yeux séparés. Il existe beaucoup plus d'animaux dotés d' yeux composés (peut-être cent millions de fois plus) que d'animaux ayant des yeux « simples » comme nous. La notion d' yeux composés semble être apparue deux fois à l'évolution, à des époques bien distinctes. Les insectes, en effet, ne semblent pas les avoir hérités des crustacés mais avoir commencé avec des ocelles multiples (la sorte d'yeux composés possédés par le mille-pattes dans sa forme larvaire).

Les yeux composés complexes, avec leurs milliers de facettes (ommatidies) et leur savante organisation nerveuse, peuvent paraître peu justifiés. Mais l'évolution ne complique jamais gratuitement les êtres vivants. C'est une économe. Nous pouvons imaginer qu'elle s'est tenu le raisonnement suivant : « Pour développer un petit animal, prédateur ou nécrophage, apte à survivre, il faut qu'il possède une bonne vision afin de trouver une femelle, de reconnaître ses ennemis et de se déplacer rapidement. Il lui faut donc pouvoir disposer simultanément de plusieurs angles de vision. Mais, une si petite créature ne peut pas posséder un grand nombre de muscles susceptibles de faire tourner les yeux et d'accommoder le cristallin. Il me reste donc le choix entre enrichir les capacités des nerfs moteurs ou multiplier des yeux partiellement coordonnés entre eux. Essayons donc les yeux fixes multiples et voyons les résultats! »

Ces résultats peuvent être facilement étudiés dans les yeux du limule par des méthodes mises au point par H. K. Hartline qui, pour ce travail, a partagé le prix Nobel de Georges Wald. Le limule a un millier d'ommatidies, possédant chacune douze cellules visuelles servant de récepteurs, grâce aux pigments réagissant à la lumière qu'elles contiennent. Ces récepteurs sont disposés en segments, comme des quartiers d'orange, autour de la dendrite, ou arborisation de la cellule nerveuse.

Le nucleus occupe une position décentrée, caractéristique qui ne paraît pas faciliter la vision. (Beaucoup de neurologues pensent que cette position excentrique des neurones signifie que l'œil du limule a été développé indépendamment par l'évolution.) Quand la lumière agit, c'est-à-dire que le 11-*cis* rétinal remplit son office, il se passe un phénomène mystérieux que nous ne sommes pas encore à même d'appréhender, et qui agit sur la dendrite de la cellule nerveuse. La cellule nerveuse étant une sorte de générateur potentiel pouvant produire une énergie électrique. Si la stimulation est suffisante, un message est transmis.

Dans l'œil du limule, comme dans tous les yeux composés, l'activité de chaque facette est affectée par l'activation des facettes voisines. (Ce fut la principale découverte de Hartline). Une inhibition mutuelle peut être provoquée par les synapses, ceinture de minuscules connections nerveuses se trouvant derrière les facettes. Quand deux facettes voisines sont éclairées en même temps, elles envoient moins d'impulsions nerveuses qu'une seule facette recevant la même quantité de lumière. Ceci s'applique aux groupes de facettes. Une région de cellules visuelles fortement éclairée aura, sur une région faiblement éclairée, une action inhibitrice plus forte que la seconde sur la première. Le but de ce fonctionnement est l'accroissement des contrastes, donc l'accentuation de certains traits de l'image rétinale — traits importants pour le possesseur des yeux — au dépend de la fidélité de la représentation. Cette propriété de l'œil a une énorme importance et prouve que l'œil n'est pas un instrument optique passif, mais un organe biologique orienté vers une réalisation particulière. L'œil animal n'a pas été conçu comme une fenêtre impersonnelle ouverte sur l'univers, mais pour découvrir la proie, la femelle et le danger. (En nous reportant à notre propre vue, nous pouvons nous rendre compte de l'importance de cette exagération des contrastes. Sans le phénomène d'inhibition que nous partageons avec le limule, il ne nous serait pas possible d'apprécier un dessin animé ou de trouver la signification d'un dessin au trait. Le phénomène a d'ailleurs orienté la recherche de nombreux peintres dont, notamment, Rouault).

Les yeux composés varient en dimension et en organisation. Il y a deux groupes principaux. Les yeux donnant une vision par *accolement* et ceux donnant une vision par *superposition*. Dans les yeux à accolement, le cristallin est directement entouré de cellules pigmentaires, tandis que dans les yeux à superposition, les cellules pigmentaires se trouvent éloignées du cristallin bien qu'y étant reliées par un filet optique.

Chez plusieurs crustacés, comme le crabe et le homard qui ont des yeux à images superposées, une migration des pigments se produit sous l'influence de la lumière (action hormonale) et les facettes sont alors isolées optiquement les unes des autres, ce qui leur permet d'avoir durant le jour une vision à images accolées. L'image provenant d'une seule facette, dans les yeux à accolement, est sans signification et l'animal ne pourrait même pas en déduire la présence ou l'absence de lumière.

Les curieuses « tranches » des cellules rétiniennes, formant des tubes lumineux, n'ont aucune raison évidente d'être construites de cette façon. C'est pourtant une constante dans de nombreuses classes animales dont celle, immense, des insectes. Aussi certains en ont déduit que cette structure caractéristique permettait à l'œil composé d'enregistrer la *polarisation* de la lumière. Mais peut-être est-il nécessaire d'expliquer ce qu'est la polarisation.

Quand un rayon de soleil est reflété par une surface brillante, sa réfraction ne comporte que des vibrations lumineuses égales, il s'agit d'une *polarisation plane*. Les reflets de la surface de l'eau sont ainsi polarisés. Mais les rayons du soleil dispersés par les molécules de l'air sont, eux-mêmes, partiellement polarisés, selon l'état du ciel. Ces schémas différents, mais prévisibles de la lumière solaire sont perçus par des animaux possédant certaines qualifications optiques. Si vous prenez un filtre polaroïd par exemple et que vous regardiez au travers en faisant tourner le filtre par rapport à votre corps, vous remarquerez un obscurcissement lorsque vous serez à angle droit du soleil. Ceci est important pour un insecte fureteur comme l'abeille ou la fourmi. Grâce à la possibilité de percevoir la lumière polarisée, il est en effet en possession d'une sorte de boussole à l'échelle de son univers et également d'une montre. L'abeille peut se rendre compte de l'heure du jour et s'orienter par rapport à sa ruche, même en n'apercevant qu'une petite portion de ciel. Les mammifères sont privés de cet avantage et il est probable que les oiseaux le sont également, malgré leur vue perçante. Dans les océans, certains arthropodes marins se guident par la lumière polarisée filtrant à travers les eaux. La puce de mer se guide elle, sur la lumière du couchant, avant d'utiliser celle de la lune, durant ses déplacements à travers les dunes. En plus de la perception de la lumière polarisée, beaucoup d'insectes prouvent, par leur comportement, qu'ils sont dotés de vision colorée. Les fourmis évitent la lumière violette mais ne semblent pas faire de différence entre l'orange, le rouge et le noir. Par contre fourmis et abeilles sont très sensibles aux rayons ultraviolets.

Thomas Eisner, de l'université de Cornell, a réussi à recréer le monde tel qu'il est vu par une abeille. Il s'est servi pour cela d'une caméra de télévision ordinaire (qui par son aménagement interne enregistre les rayons ultraviolets) sur laquelle était fixée une lentille captant les ultraviolets. En observant, grâce à cette caméra, une prairie en été, on découvre soudain la puissance radiante des fleurs. Certaines, banales et effacées, se découvrent être d'éclatantes signalisations de nectar. Le pré est un immense appel aux pollinisateurs, chaque fleur devenue semblable aux néons qui, le soir aux alentours de la place Pigalle, s'efforcent d'attirer les touristes. Seules, les quelques fleurs dont la pollinisation est assurée par les oiseaux ou les chauves-souris, n'ont pas recours à cette séduction, ces animaux n'y étant pas plus sensibles que nous.

Un dilemme stratégique se présente à certains animaux. Vaut-il mieux porter un camouflage conçu pour échapper aux prédateurs ne percevant pas les ultraviolets, ou, au contraire, porter des couleurs vous rendant invisibles aux yeux des proies qui y sont sensibles ?

L'araignée-crabe, elle, a décidé de se cacher des oiseaux et lézards plutôt que de porter une livrée la dissimulant aux abeilles qui sont sa principale nourriture. Ses couleurs visibles se confondent avec les têtes florales dans lesquelles elle se tient, mais son aspect est effrayant aux yeux d'un petit insecte. Ainsi, elle a compensé ce qu'elle a perdu dans la possibilité d'approche de la proie, par une silhouette redoutable et paralysante pour les insectes percevant les ultraviolets.

L'apparence d'un insecte peut complètement se transformer lorsqu'on peut le voir à la lumière ultraviolette. Certains papillons mâles et femelles sont pour nous d'apparence semblable. Mais observés par la caméra de télévision, les différences deviennent surprenantes et, comme toujours, c'est le mâle qui porte les couleurs les plus voyantes.

Notons brièvement quelques autres faits concernant les yeux composés du gigantesque groupe des arthropodes. Ils ne fournissent pas tous une vision précise. Les yeux de la plupart des mouches mâles sont différents de ceux des femelles (et cela est normal, la brève mission du mâle étant seulement de localiser la femelle et de la féconder). Ses yeux sont élargis et dans certaines espèces bipartites, c'est-à-dire que l'insecte a quatre yeux au lieu de deux, appelés « yeux-turbans ». Ils ne leur procurent pas une vision très nette mais leur permettent de repérer instantanément tout déplacement rapide, même dans la pénombre. Le mâle est vaguement conscient de son entourage et de la masse des autres mâles volant autour de lui, mais, même en lumière atténuée, il détecte immédiatement le vol d'une femelle. La caractéristique de la femelle est son vol zigzagant. Comme les « yeux-turbans » enregistrent seulement le mouvement, sans donner une claire image de sa source, le mâle peut commettre des erreurs et s'efforcer de s'accoupler à un autre mâle au vol hésitant, ou même à un insecte volant d'une autre espèce.

La splendide et très antique libellule est un des seuls insectes à posséder des yeux composés *rotatifs*. Sa tête est une sorte de cockpit d'où jaillissent des yeux lui permettant de voir dans toutes les directions. Son sens de la vision est si riche qu'elle peut lâcher la victime qu'elle consomme en plein vol, pour foncer vers une proie nouvelle. L'œil composé de la libellule possède vingt-huit mille facettes, les supérieures adaptées à la vision éloignée et les inférieures à la vision proche.

Les spécialistes en bionique (science des processus biologiques pouvant être utilisés à des fins militaires ou industrielles), cherchant à créer de nouveaux appareils d'optique, se sont beaucoup intéressés, aux États-Unis, aux yeux de la libellule. Ils se sont révélés, malgré tout un peu trop compliqués mais un radar a été réalisé par la compagnie R. C. A. sur le principe de l'œil composé de la mouche. Cet instrument possède une rangée d'éléments multiphasés lui permettant de « voir » simultanément dans plusieurs directions à la fois. Deux ou trois radars conventionnels fonctionnant en même temps, pour renforcer leur action, ne peuvent de loin approcher des résultats de ce radar multidirectionnel. Chaque appareil ne peut signaler la présence d'objets que dans un étroit segment à la fois. Il lui faut continuellement chercher par balayages de l'antenne et successifs changements d'azimut et de déflections verticales. Tandis que le nouveau radar explore simultanément toutes les directions et peut fournir en même temps plusieurs informations différentes.

Dans un autre domaine également l'œil de la mouche possède des capacités plus grandes que l'œil humain. Le cinéma et la télévision sont basés sur le phénomène de la « persistance rétinienne » permettant aux images, à une vitesse de projection donnée, de ne plus être vues en succession, mais de se « fondre » en une image immobile. Le même phénomène de persistance rétinienne existe chez la mouche, mais pour qu'il se produise, la vitesse de déroulement des images doit être beaucoup plus grande. En supposant qu'une mouche veuille regarder la projection d'un film, elle ne verrait qu'une suite d'images distinctes, semblables aux projections de diapositives accompagnant les retours de vacances et les images étant tellement semblables les unes aux autres, elle ne tarderait pas à mourir d'ennui.

Le nombre des couleurs perçues par les insectes est important pour l'évolution des plantes. Originellement les fleurs champêtres européennes étaient rarement rouges, les abeilles d'Europe ne percevant pas cette couleur. Par contre les colibris sont particulièrement sensibles aux vibrations du rouge, et la plupart des fleurs pollinisées par eux, spécialement dans les parties tropicales des Amériques, sont de cette couleur. Comme la plupart des insectes volants ne sont pas particulièrement attirés par le jaune, des ampoules de cette couleur sont utilisées pour l'éclairage extérieur avec succès.

Certains insectes voient de façon fort différente selon les régions de l'œil utilisées. Un taon par exemple se comporte comme un humain portant des verres de lunette à doubles foyers. Chez le gyrin aquatique le haut et le bas de l'œil composés sont séparés. La partie supérieure est destinée à la vision au-dessus de l'eau tandis que la partie inférieure est destinée à la vision aquatique. Les parties latérales de l'œil sont dominantes chez beaucoup d'insectes mais pas chez l'impressionnante mante religieuse. La mante suit les déplacements d'une mouche qu'elle s'apprête à saisir, par deux sortes de mouvements de tête : rapides secousses ou lente rotation continue, selon la distance à laquelle se trouve la mouche. Dans les deux cas, elle s'efforce de maintenir l'image de sa proie au centre de l'œil.

Le crabe ne peut pas mieux qu'un insecte nous expliquer ce qu'il voit, aussi les zoologistes sont-ils obligés de se baser sur le comportement des animaux pour effectuer leurs observations. Par exemple, les crustacés balancent leurs antennes quand ils ont repéré quelque chose, en général quelque chose qui s'est déplacé. La vision des formes étant malgré tout suffisamment développée pour que la différence entre un comportement social et une provocation puisse être facilement reconnue (autrement dit, ils font la différence entre le message « bonjour » et le message « je vais te casser une patte »). L'un des procédés de laboratoire les plus répandus est d'enfermer un crustacé ou un insecte dans un cylindre clos, ensuite de faire tourner un tambour rayé autour de lui. Dans la plupart des cas l'animal suit de tout son corps la rotation de la figure. Comme il ne réagit pas simplement au blanc et noir mais à une succession de couleurs, il est possible, selon les réactions, de savoir si les sujets possèdent ou non une vision colorée. Il faut bien entendu s'assurer que les cylindres ne reçoivent aucune lumière polarisée en rayons ultraviolets, ce qui fausserait tous les résultats. Certains insectes très évolués comme l'abeille, arrivent à détecter un changement de phase dans le passage des tambours rotatifs — par exemple quand une séquence bleu — vert — noir — jaune, est changée en bleu — noir — jaune — vert. Chez le faux-bourdon (mâle) les cellules sensorielles ont toutes la même sensibilité, trouvant leur apogée dans la partie bleue du spectre. Chez l'ouvrière (femelle stérile) créature beaucoup plus subtile, il y en a au moins deux, une dans l'ultraviolet, l'autre dans le vert.

Une des performances les plus stupéfiantes de la vue est celle de l'ouvrière transmettant les informations concernant la distance et la direction d'une source de nourriture par le truchement de la « danse frétillante » effectuée lors du retour à la ruche. Sur un rayon de miel l'angle du corps, par rapport à la verticale, est la transposition de l'angle de déviation, par rapport au soleil, de la source de nourriture. La distance, elle, est indiquée par la fréquence des « frétillements » et certaines figures de la danse, qui devient donc presque un langage. Cette danse, étudiée tout d'abord par l'Autrichien Karl von Frisch, est un des phénomènes les plus remarquables et le plus commentés du monde animal. Néanmoins, certains signes ont peut-être été mal interprétés. Deux entomologistes américains ont en effet avancé que parfums et sons pouvaient être les transmetteurs du message.

Examinons le comportement de l'ouvrière retournant à la ruche richement approvisionnée de pollen et de nectar.

Elle avance, à peu près de deux fois sa longueur, en secouant fortement l'abdomen, puis elle tourne et revient en demi-cercle vers son point de départ pour repartir en frétillant toujours. Le nombre de tours est en relation avec la distance de la source de nourriture. Si le déplacement est effectué vers le bas, la nourriture est dans la direction opposée au soleil, s'il est effectué vers le haut, la nourriture se trouve dans la direction du soleil. Si le déplacement est à un angle de 60 degrés à gauche de la verticale, la nourriture se trouvera à 60 degrés à gauche du soleil.

En lisant cela dans un livre, on imagine un cercle d'ouvrières attentives, observant soigneusement les frétillements de l'abdomen de leur compagne et prenant des notes. La réalité est, bien entendu, fort différente. Une ruche représente un grand désordre d'abeilles, elle est traditionnellement encombrée et de plus, très obscure. La danse a lieu, mais elle n'est perçue que par les abeilles étant suffisamment proches pour pouvoir suivre de leurs antennes les frétillements de la messagère. La théorie affirmant que le message était transmis principalement par les odeurs et les sons semblait assez logique. Nous discuterons de cette possibilité au chapitre 2 (1).

Bien entendu cette affirmation ne diminuerait en rien la performance accomplie par les abeilles, bien au contraire cela la rendrait encore plus surprenante. Parce qu'il n'y a aucun doute que l'abeille, lorsqu'elle butine, enregistre dans sa mémoire visuelle la localisation de la nourriture. Si ensuite elle transmet cette connaissance en terme de fréquence vibratoire, elle *dit* effectivement ce qu'elle a vu, utilisant une modalité — le son — pour transmettre numériquement une autre modalité — la vue. Aucun autre animal, excepté l'homme la boussole à la main, ne peut accomplir cela. Il est exact que le chien de l'aveugle tombé dans un trou, en sort et va demander du secours par ses aboiements, mais en tant que message cela n'a pas plus de sens que le cheval rentrant sans son cavalier. Supposons que, par suite d'une incapacité soudaine, le chien ne puisse pas retourner vers son maître? L'abeille, elle — en supposant, ce qui est fort improbable, qu'elle puisse s'intéresser au sort d'un aveugle — pourrait indiquer qu'il se trouve à cinq cent trente mètres dans une direction de vingt-six degrés à droite du soleil et, si ce malheureux aveugle avait une odeur tant soit peu mellifère, toutes les ouvrières ayant entendu (ou vu) ce message, se trouveraient en moins d'une minute auprès de lui.

En tant que mécanisme, l'abeille dépasse nos possibilités de compré-

(1) Nous verrons d'ailleurs dans ce chapitre qu'en dernier ressort l'hypothèse de la communication sonore a été abandonnée. L'histoire de la biologie est ainsi pleine de théories brillantes que de nouvelles découvertes réduisent à néant.

hension. Les ingénieurs de bionique qui se sont penchés sur le système optique des arthropodes, ont dû se contenter des animaux moins complexes. En plus du nouveau système de radar, qui simplement enregistre davantage, le processus d'intensification des contrastes possédé par l'œil composé, a été utilisé par une société d'électronique. Un appareil a été créé, dont les cellules photoréceptrices s'influencent l'une l'autre exactement comme dans l'œil du limule. En Allemagne, un groupe de chercheurs a, pendant des années, étudié les réactions des scarabées à des projections lumineuses mobiles. Ils sont arrivés à la conclusion que les scarabées, en vol, déterminent leur vitesse selon certains schémas perçus autour d'eux. Dans ce phénomène, seulement deux facettes de l'œil sont nécessaires et un indicateur de vitesse à deux éléments optiques fut inventé à la suite de cette découverte.

Certains arthropodes possèdent non seulement des yeux composés mais également des yeux accessoires plus simples accomplissant des tâches spécifiques. L'écrevisse possède des ocelles cupuliformes, dans la queue, lui permettant de s'orienter lorsqu'elle pénètre à reculons dans une crevasse obscure. (La manière dont fonctionne cet organe a été l'objet de recherches par la compagnie I. B. M.) Seule la fourmi ailée mâle, à la vie si brève, possède des ocelles et beaucoup d'insectes diurnes ailés en sont dépourvus. Le rythme de vie des blattes, tellement strict, est déterminé apparemment par les cellules pigmentaires servant de déclencheur du système neuro-glandulaire. L'œil composé de ce mystérieux insecte, est accordé sur les objets mobiles et voltigeants, tandis que ses ocelles mesurent automatiquement le temps passé dans l'obscurité. Beaucoup d'arthropodes ont, dans leur forme larvaire, de simples taches pigmentaires sur les côtés du corps, qui ensuite disparaissent ou émigrent — en général vers l'arrière — durant leur métamorphose. L'œil primitif du *nauplius* (forme larvaire) de nombreux crustacés, est souvent conservé en tant qu'œil accessoire chez l'adulte, même lorsque se révèlent soudain de magnifiques yeux composés.

L'évolution dans sa sagesse a décidé que, dans tout le royaume animal, les animaux sans défense ne devraient pas seulement avoir la possibilité de voir leurs ennemis, mais devraient aussi bénéficier du moyen de n'être pas vus par eux. Une extension subtile de ce principe est que si, malgré tout, l'animal n'a pas échappé à son prédateur, celui-ci s'en souvienne comme d'une horrible expérience qu'il n'ait plus jamais envie de renouveler. Observons d'un peu plus près ces techniques d'évasion et de contrition forcée.

Beaucoup de crustacés changent de couleur par un acte de volonté (si cela semble un anthropomorphisme exagéré, appelons-le réflexe conditionné). La crevette *Hippolyte varians* se reposera sur des algues vertes ou rouges et sera invisible dans les deux cas. (On prétend que toutes les crevettes, qu'elles soient jeunes ou vieilles et quelle que puisse être leur couleur diurne, deviennent bleues durant la nuit.) Sur les feuilles de certaines algues, on peut, avec un peu de soin, découvrir crevettes et isopodes dont le corps suit l'évolution saisonnière de l'algue. Passant comme elle du vert au brun. Dans le cas des isopodes, il nous faut signaler une exception à la loi affirmant que l'œil de l'animal décide de ses changements de couleur. Même si les yeux sont recouverts ou détruits, les pigments foncés s'étendent si l'animal se trouve sur un fond sombre et se contractent s'il est sur un fond clair. Ceci semble donc être un mimétisme particulier, requis avant l'apparition des yeux et même du cerveau. Le petit amphipode *Hyperia galba* voyage attaché à l'ombrelle des méduses. Étant transparent, il est invisible, mais s'il n'a pas la possibilité de trouver une méduse, il devient jaunâtre ou brun selon la couleur du fond sous-marin. Dans un aquarium équipé de bandes colorées, le crabe choisira toujours de se tenir près de la bande de la couleur la plus proche de la sienne. Les couleurs de la célonée franche, tortue marine, ressemblent à celles des poissons des profondeurs, sombre sur le dessus et blanc en dessous. Aperçues d'en bas il est difficile de les distinguer de la brillance de la surface et vues d'en haut, leur forme sombre se confond avec les fonds, leur permettant d'échapper aux oiseaux marins carnivores.

Les animaux les plus évolués conservant cette faculté de changer de couleur sont la pieuvre et la seiche. Les couleurs sont vives, les changements instantanés mais complexes. Ils sont provoqués par une extension, ou contraction musculaire des cellules pigmentaires épidermiques déclenchée par le cerveau après interprétation des messages oculaires. Le changement de couleur mimétique est donc un réflexe interne. Malheureusement ces animaux sont extrêmement émotifs et, comme les hommes, ils expriment leurs émotions par des changements de couleur. Ils deviennent pâles quand ils sont effrayés, et s'assombrissent quand ils sont en colère. Ces transformations brutales détruisent les bienfaits du camouflage et souvent au moment où ils en ont le plus besoin. Une pieuvre constituerait un très mauvais joueur de poker.

Les poissons, surtout ceux recherchés par des poissons plus gros, possèdent également des systèmes de changement de couleur très élaborés. Les poissons plats surtout, et il n'est pas exclu que cela soit en rapport avec la topographie curieuse de leurs yeux. Les poissons pleuronectes sont appelés *sinistra* ou *dextra* selon le côté sur lequel se trouvent les yeux. Le turbot ayant les yeux du côté gauche quand il nage est sinistra. Le flétan, le carrelet et la plie, ayant les yeux du côté droit sont dextra. Mais les alevins de ces poissons possèdent tous des yeux de chaque côté de la tête. Un des yeux, toujours le même dans chaque espèce, voyage tout autour de la tête pendant le développement du poisson pour aller rejoindre son compagnon. Chez les poissons plats, le mimétisme ou plus exactement l'homochromie varie selon les saisons et l'environnement. Ce n'est pas une transformation de la couleur proprement dite en fonction des fonds sous-marins, mais plutôt une *adaptation des valeurs* telle qu'on la conçoit en peinture. Ce changement de tonalité est particulièrement remarquable chez le turbot. Le biologiste Georges Pouchet a démontré qu'un turbot aveugle n'a plus de transformation de couleur et devient d'un gris uniforme. En sectionnant certains filets nerveux du sympathique, les régions correspondantes deviennent grises.

Les cellules pigmentaires animales sont appelées chromatophores. Les pigments sont concentrés au centre de la cellule, mais ils peuvent, lorsque la cellule est stimulée, se répandre dans tout le protoplasme. Ce sont les pigments eux-mêmes qui s'étalent ainsi sous l'influence d'une sorte de mystérieuse force centrifuge déclenchant peut-être la formation d'un courant protoplasmique. La manière dont le système du grand sympathique contrôle ce processus demeure inconnue. (Il est certainement beaucoup plus mystérieux que le mécanisme nous faisant rougir où le message est transmis non aux chromatophores mais aux vaisseaux capillaires.)

Placée dans un réservoir dont le fond est recouvert d'une moitié de craie et une moitié de charbon, une plie développera une moitié blanche et l'autre noire. Quand le fond est recouvert de galets, la peau imite l'aspect de ces galets. Cette homochromie est exclusivement protectrice, les poissons plats cherchant à ne pas être reconnus par un congre, une raie ou une baudroie. Néanmoins dans beaucoup de cas similaires, ce sont les prédateurs qui ont recours au camouflage pour pouvoir approcher leur proie. Par exemple, des poissons agressifs comme le labre, le diable des mers et l'épinéphèle.

Certains poissons changent spectaculairement de couleurs en mourant. Les anciens Romains aimaient se stimuler l'appétit au spectacle de l'agonie multicolore des rougets. Au début d'un banquet raffiné, des vasques de cristal pleines de rougets étaient apportées. On vidait l'eau et les rougets demeuraient à grouiller dans les convulsions de l'asphyxie. Les invités se bousculaient alors pour observer les taches rouges, ocres ou vertes, irisées se formant sous la peau nacrée, jusqu'au moment où, pâles et morts, ils étaient ramenés aux cuisines. Même Sénèque désapprouva cette mode. « A présent les orgies de langue, de palais et de ventre sont insuffisantes, il faut y ajouter la gloutonnerie des yeux. »

Un des exemples les plus concrets d'adaptation évolutive que nous connaissions est ce qui fut appelé, assez pompeusement le « mélanisme industriel ». Ce phénomène concerne les petits insectes, comme les phalènes, qui deviennent noirs pour pouvoir être assortis à la pollution de leur habitat. Comme conséquence de la révolution industrielle en Angleterre de grandes quantités de suies se sont amoncelées dans les parties boisées entourant les villes, détruisant les lichens poussant sur les écorces, et donc rendant les arbres noirs. A l'époque de Darwin, quelques phalènes vivant dans ces zones commencèrent à avoir des ailes noires mais à présent, pratiquement elles le sont toutes. Des expériences ont démontré que lorsque les arbres ont conservé leur lichen les oiseaux trouvent et mangent trois fois plus de phalènes à forme mélanique que de phalènes ordinaires. Dans les bois où les troncs sont noirs, les résultats sont exactement inversés. La forme à ailes noires provient d'une mutation des gènes, merveilleux et actif exemple de sélection naturelle dans une séquence de cinquante générations à peu près.

Mais il existe un autre mécanisme par lequel les insectes (surtout les papillons) peuvent protéger leur espèce sinon leur propre vie. C'est de développer une couleur très voyante, habituellement le blanc qui est perçu même par les prédateurs ne possédant pas de vision colorée, et ensuite de se rendre si impropre à devenir nourriture que la créature qui malgré tout l'avalera n'oubliera jamais cette malheureuse expérience. Habituellement son goût épouvantable est dû à un alcaloïde végétal, mais ce peut être une histamine sécrétée par l'animal. Ces espèces ont été distribuées à des canards. Le souvenir de ce goût détestable leur a fait par la suite éviter tous les papillons blancs pour le reste de leur vie. (Le papillon blanc de la piéride du chou ne possède pratiquement plus de prédateurs.) D'autres insectes cherchent à profiter de la mauvaise réputation de leurs congénères et copient leurs couleurs (mimétisme batésien). Cette évolution des papillons blancs, dont une partie doit perdre la vie pour faire découvrir qu'ils ne sont pas comestibles, est semblable à celle de l'abeille qui meurt en enfonçant son dard, mais apprend à celui qui l'attaque qu'une abeille n'est jamais molestée impunément. Malheureusement pour elles, quelques animaux comme les ours n'en sont pas le moins du monde impressionnés.

Souvent la couleur des animaux semble avoir peu de signification en dehors du domaine de l'attraction sexuelle ou l'intimidation des rivaux de même espèce. Quand vous voyez un poisson de couleur unie ou un autre, d'un même genre, mais bariolé comme une affiche de course de taureau, il y a de fortes chances pour que le poisson uni soit un poisson timoré vivant en bancs et le bariolé un féroce propriétaire prêt à défendre son territoire. Le poisson clown, poisson corallien qui, comme son nom le laisse entendre est un poisson bariolé, ne l'est que jeune ; il devient uni en atteignant l'âge adulte. Curieuse inversion qui ne se justifie que par son comportement. Les jeunes, qu'ils soient mâles ou femelles, sont de féroces partisans de la « défense territoriale » et soudain se séparent en même temps que leur parure bariolée, de leur tempérament agressif en prévision des contacts entre poissons des deux sexes.

Ce n'est nullement exceptionnel chez les animaux et nous pousse à réfléchir avant d'accepter la règle accordant à tous un instinct implacable les poussant à acquérir ou défendre un territoire. Mais que penser des couleurs — parmi les plus rares du monde animal — des mollusques ? Quelle est l'utilité des merveilleux filigranes ou dentelles aux teintes délicates décorant certains bivalves ? Pourquoi n'ont-ils pas une coquille unie, couleur sable comme les clams ? Est-il significatif que les coquilles Saint-Jacques, ourlées de leur rang d'yeux bleus, possédent une coquille profondément travaillée ? Ou plus étrange encore, considérons l'arc-en-ciel mouvant du côté interne de la valve de certains mollusques, aperçue seulement lorsqu'un brutal prédateur brise la coquille ou lorsqu'un malacologiste blasé creuse dans tant de beauté cachée.

Ces questions demeurent pour l'instant sans réponse. Mais il est probable qu'elles doivent plutôt être d'ordre chimique que d'ordre esthétique. Peut-être que tout comme une huître sécrète la perle — consistant en carbonate de chaux nacré — pour guérir une lésion interne, les autres teintes ravissantes ne sont là que parce que le mollusque requiert pour son métabolisme des molécules contenant fer, cuivre ou vanadium. Cette tendance vers la beauté est aussi hasardeuse à attribuer que la tendance de la lumière, traversant d'inorganique aérosols à parachever la gloire d'un coucher de soleil.

Il nous faut admettre en tout cas que la plupart des membres de cette immense classe des mollusques possèdent des yeux et se reconnaissent entre eux. Nous sommes ici très loin des arthropodes et l'œil composé n'est même pas envisagé comme possible. Probablement tous les bivalves (huîtres, moules, etc.) possèdent au moins des cellules sensibles à la lumière à la fin de leur siphon. Les yeux des coquilles Saint-Jacques (*Pecten maximus*) sont au nombre de soixante, chacun d'un millimètre de diamètre dépassant légèrement en bordure de la coquille. Chaque œil possède un cristallin et une rétine, mais derrière la rétine il y a une surface exactement ronde et extrêmement réfléchissante, l'argenteum. Celui-ci réfléchit l'image sur la couche extérieure rétinienne qui est concentrique au miroir, et se compose de cellules et fibres reliées au nerf optique et il existe en plus une couche intérieure de cellules rétiniennes. Ce système optique est donc la combinaison complexe d'un miroir concave et d'une lentille à longue focale (comme les lunettes astronomiques) pouvant percevoir à trois cents degrés ce qui l'entoure. Il est significatif que la rétine de la coquille Saint-Jacques soit inversée (c'est-à-dire que les structures sensibles à la lumière se trouvent du côté opposé à la source de la lumière) ce qui est le cas de tous les vertébrés y compris l'homme. Qu'un mollusque pratiquement immobile puisse développer un œil aussi semblable au nôtre est un des cas d' « évolution convergente » qui fut longtemps un argument très commenté des livres et conférences de nombreux philosophes, dont Henri Bergson.

Bergson, comme George Bernard Shaw croyait en l' « évolution créatrice », c'est-à-dire la notion que les animaux *créent*, par une sorte de désir intérieur, les organes dont ils ont besoin, plutôt qu'ils ne les héritent en tant que résultat d'un hasardeux mélange des gènes. Comme il n'y a qu'un certain nombre de moyens de capter la lumière et d'en rendre compte, Bergson prétend que la coquille Saint-Jacques a ressenti une urgence plus puissante que d'autres espèces et atteint ainsi son système de soixante yeux. Il nous faut relever ici que le pecten n'utilise pas ses yeux de manière très satisfaisante et ne constitue donc pas un exemple particulièrement brillant de l'évolution des mollusques. Il est bien sûr possible qu'il y a des centaines de millions d'années, le pecten ait été un observateur extraordinaire, que la vision soit devenue pour lui une activité si facile que ses yeux parfaits aient commencé à dégénérer. Toutefois la manière capricieuse dont l'évolution a attribué des yeux perfectionnés à certaines espèces, tout en les refusant à d'autres, leur étant proches (et capables probablement tout autant de les avoir souhaités pendant un billion d'années) nous paraît s'opposer aux doctrines de Bergson et de Shaw. Il est probable qu'il n'existe qu'un nombre fini de possibilités biologiques de capter la lumière. Nous ne connaissons bien que celles dont nous venons de parler et il existe encore bien des façons de provoquer des réactions sensorielles sur les organismes vivants.

La double rétine de la coquille Saint-Jacques est particulièrement intéressante. Les nerfs provenant de la couche interne transmettent les impulsions provenant de la lumière tandis que la rétine extérieure ne réagit que dans l'obscurité. Ces récepteurs sensibles uniquement à l'*absence* de lumière, n'existent en dehors de ce mollusque, que chez les vertébrés. Ils sont très sensibles et peuvent réagir à 0,3 % de diminution de l'intensité lumineuse, ce qui est beaucoup plus que nous ne pouvons faire. Le nerf optique de la coquille Saint-Jacques se dirige vers le « cerveau stomacal », plutôt que ce qui est appelé « ganglion cérébral », ce qui explique pourquoi elle demeure la plupart du temps attentive à un changement de luminosité lui indiquant que c'est le moment de manger ou déféquer. Mais pecten est une excellente nageuse et certains de ses yeux doivent certainement l'aider dans ses manœuvres nautiques.

A ce sujet on a pu déceler expérimentalement un effet semblable à l'inhibition latérale des yeux composés. Une coquille Saint-Jacques placée dans ce tambour rotatif, qui nous a tellement appris sur les yeux des arthropodes, réagira en déplaçant *certains* de ses yeux pour suivre le motif rayé mobile. Mais pour obtenir cette réaction, il est nécessaire de masquer la plus grande partie des yeux par un écran. Ce qui semble signifier que, face à un mouvement sans aucune signification sociale, certains des yeux commandent aux autres de ne pas prendre en considération cette giration bizarre et les mouvements du tambour sont ignorés.

Les yeux des mollusques évolués tels que les pieuvres et les calmars sont sur beaucoup de points, similaires et même supérieurs à ceux des vertébrés. Ils possèdent en avant une cornée transparente, un iris pigmenté et un cristallin sphérique, derrière un logement pour l'humeur vitrée et ensuite la rétine. Ils ont même une couche protectrice cartilagineuse comme les oiseaux. L'accommodation à la distance est réglée par le jeu complexe d'un système musculaire. La seule différence appréciable est que la rétine n'est pas inversée. Avec cette créature à deux yeux capable d'apprendre et de retenir, nous nous trouvons encore une fois devant une énigme. Il s'agit du croisement des nerfs optiques, de l'œil gauche au lobe droit du cerveau, et vice versa. Chez la pieuvre et le calmar ce croisement est seulement partiel comme chez les mammifères. La discrimination effectuée par un œil est néanmoins promptement transmise aux deux lobes du cerveau, car le renseignement est conservé même après l'abolition du lobe correspondant à l'œil ayant effectué l'expérience.

En nous élevant à travers les différents niveaux d'évolution de la famille des vertébrés, nous ne découvrons, des poissons à l'homme, que des transformations mineures de l'appareil optique, mais nous trouvons une distinction fondamentale dans la façon dont les informations sont transmises et utilisées par le cerveau.

Les poissons sont plutôt myopes, ce qui se conçoit facilement les eaux n'étant pas souvent limpides. Si nous vivions dans un univers continuellement brumeux, nous aurions aussi une vision de myope et nous la possédons d'ailleurs, mais pour une autre raison. La myopie, en termes de physiologie, est la sclérose du cristallin de l'œil, n'arrivant plus à s'aplatir pour faire la mise au point de l'image sur la rétine. Certains poissons possèdent des paupières adipeuses dans lesquelles se trouve un cartilage qui recouvre partiellement l'œil et possédant une petite ouverture circulaire permettant l'entrée de la lumière.

Certaines espèces plus primitives comme les requins, ont le même genre de paupières que les grenouilles. Une membrane mobile s'élevant du dessous de l'œil vers le haut comme un rideau. Dans les profondeurs abyssales de l'océan on trouve des poissons possédant des sortes de rainures lumineuses pour éclairer leur chemin, mais les macroures ou grenadiers, se nourrissant de poissons lumineux, se reposent entièrement sur la vue. Ils suivent les lumières mobiles et les avalent. Les yeux des giganturides sont télescopiques, attachés à l'extrémité de cylindres protubérants qui peuvent monter ou descendre comme les yeux pédonculés du crabe. Les yeux des poissons amphibies, passant une partie de leur vie à l'air libre, sont naturellement assez ambigus. Les gobies par exemple ont même réussi à acquérir la vision aérienne, et l'un d'eux le periophthalmus a certainement les yeux les plus extraordinaires et versatiles du monde animal. Avec un œil il regarde en haut tandis qu'avec l'autre il étudie le terrain en faisant tourner le globe oculaire sur lui-même, comme un périscope pivotant dans sa tourelle. Les gobies ont seulement oublié d'adapter leur audition et il est possible de tirer un coup de feu à côté d'eux sans interrompre un instant leurs gambades dans la vase.

Deux poissons, *Dialommus fuscus* de la famille des blennies et *Anableps*, sont appelés couramment « à quatre yeux ». Ils en ont en fait une seule paire mais chaque œil est divisé en deux unités distinctes, l'un pour voir dans l'air et l'autre dans l'eau (en surface, ils fonctionnent simultanément). La pupille inférieure est protégée par la double protubérance formée par l'iris et qui peut se contracter ou s'étendre de façon à supprimer les réflexions du ciel qui pourraient aveugler le poisson ou empêcher sa vision aquatique (1).

Il est certain que beaucoup de poissons possèdent une vision colorée et que tous sont attirés par la lumière. Les pêcheurs de la mer de Galilée emploient des torches enflammées pour attirer la nuit des poissons dans leurs filets. Les pêcheurs de harengs de la baie de Puget Sound, sur l'océan Pacifique, emploient des lampes aux vapeurs de mercure. Les pêcheurs au « lamparo » de la Méditerranée française emploient des lampes à acétylène. Beaucoup de poissons dorment sur le fond pendant la journée, la nuit ils se dirigent vers la surface pour se nourrir et... ne résistent pas à la fascination des terribles lumières. Un leurre nouveau a été manufacturé aux U. S. A. Il s'agit d'un ver phosphorescent en matière plastique. Les résultats sont

(1) Certains oiseaux comme le pingouin ont presque régressé vers la vision des poissons. Ils passent tant de temps sous l'eau qu'ils sont d'une myopie notoire lorsqu'ils leur faut retourner vers leur nid.

tellement étonnants que son emploi en a été interdit en de nombreux États.

Le poisson rouge réagit très bien aux couleurs, aussi s'est-on servi de lui pour étudier l'action des cellules nerveuses séparées se trouvant dans le ganglion rétinien. Certaines cellules réagissent au contraste entre rouge et vert dans le champ de vision. Mais d'autres réagissent quand le champ de vision est entièrement rouge et ensuite occupé par du vert ou vice versa. Comme les réactions des cellules *individuelles* aux contrastes simultanés de rouge et vert sont aussi enregistrées chez le singe, il apparaît que ces cellules visuelles sont communes à tous les vertébrés dotés de vision colorée.

Il nous faut insister ici sur le fait que chez tous les vertébrés, les yeux possèdent une caractéristique essentielle (déjà démontrée dans les yeux composés), le principe de l'inhibition latérale. Dans la rétine des vertébrés il y a des fibres se prolongeant autour du nerf optique pour modifier le stimulus. L'avantage de ce processus est immense pour obtenir des contrastes et concentrer l'attention. Un changement de sensibilité visuelle peut activer l'organisme entier dans la préparation de l'attaque ou de la fuite. Mais pour un animal qui désire connaître le monde qui l'entoure, la précision des stimuli enregistrés par le système nerveux central, dépend de la connaissance de *combien* sa sensibilité a été modifiée. Sans cette information un homme peut évoluer au milieu de fantômes et la grenouille mourir d'inanition au milieu de mouches mortes.

La grenouille est un cas fameux. Son appareil optique a été, non seulement étudié mais imité en électronique. Le docteur Jérome Y. Lettvin a, depuis 1959, étudié les nerfs optiques de la grenouille *Rana pipiens*. Les impulsions nerveuses purent être « enregistrées » et les réponses de la grenouille à diverses images, projetées sur un écran et étudiées dans leurs moindres détails. Les chercheurs conclurent que l'œil de la grenouille fonctionne sur un schème de classification. Certaines cellules détectent les silhouettes, certains détecteurs convexes réagissent seulement au déplacement des points sombres. Autrement dit : des yeux qui cherchent la petite bête! La grenouille attrapera en effet un insecte uniquement s'il bouge. Un certain type de fibres optiques réagit seulement lorsque le champ de vision entier est obscurci, ce qui se produit lorsque par exemple un faucon veut s'emparer de la grenouille. Dans le tectum (ou cerveau optique) de la grenouille les images sont projetées sur quatre couches minces de cellules nerveuses. La couche supérieure est la zone de contraste et de silhouette, la suivante la couche détectant les insectes, suivie de la couche détectant les déplacements et enfin de la couche réagissant à l'obscurité.

Il nous faut souligner que dans l'œil de la grenouille comme dans ceux de tous les vertébrés, il existe un processus de relais. Les fibres nerveuses des cellules rétiniennes se dirigent vers un niveau de jonction constitué de cellules bipolaires puis vers un nombre plus réduit de cellules ganglionnaires qui se mêlent ensuite au nerf optique dans leur cheminement vers les centres du système nerveux supérieur. La rétine est davantage un filtre qu'une pellicule photographique. Chez la grenouille (et autres vertébrés inférieurs comme le pigeon, le lapin ou le spermophile) la discrimination et le tri sont davantage réalisés dans le système optique que dans le cerveau. C'est l'œil lui-même qui décide de ce qui est important ; de ce qui doit être souligné ou au contraire abandonné. Chaque filet nerveux ne transmet pas seulement l'intensité lumineuse ressentie, mais indique également si une situation complexe — telle que l'approche d'un insecte — existe ou non dans une zone donnée du champ visuel. En atteignant le niveau cérébral antérieur, les fibres optiques reproduisent un plan *sélectif* de la réalité (il est peut-être possible d'imaginer la réalité mais certainement pas de la « voir »).

Mais toutes les fibres optiques ne se dirigent pas vers le cerveau antérieur, certaines se dirigent vers le centre visuel secondaire avant d'être relayées vers le cortex. Ce centre secondaire, situé à l'arrière du thalamus est le stade avant-coureur du processus visuel interne qui se développera chez les animaux plus évolués, et surtout chez l'homme.

En réalisant un radar qui est une réplique de l'œil de la grenouille, les ingénieurs de la compagnie R. C. A. furent surtout impressionnés par une certaine caractéristique de cet œil. L'étonnante propriété d'abstraction de la rétine et du buisson nerveux qui la prolonge, permettant à la grenouille de concentrer son attention sur les mouvements d'un insecte. C'est exactement le genre de sentinelle que le Département de la Défense des États-Unis recherche. Un œil automatique dont la vigilance ne faiblisse jamais et qui demeure en attente d'une catégorie d'objets donnée. Le grand radar multidirectionnel (comprenant plus de trente-deux mille circuits individuels) constitue une réplique grossière des différentes couches optiques de l'œil de la grenouille. Comme les cellules ganglionnaires sont sensibles simultanément aux dimensions et à la vitesse de l'image cette qualité a été acquise par le radar.

Une nouvelle particularité est à étudier. Une mouche approchant est importante pour la grenouille, mais une mouche s'éloignant d'elle, ne l'est pas. L'œil automatiquement élimine cette information et le cerveau de la grenouille n'a jamais enregistré le vol d'une mouche s'éloignant de lui. Une ombre soudaine aussi peut être importante. La rétine la transmet au cerveau. Mais la grenouille n'apprendra rien de l'ombre d'un nuage masquant peu à peu le soleil aussi, bien que ses yeux la voient, cette image ne sera pas transmise et demeurera ignorée du cerveau.

Le nouveau radar inspiré de l'œil de la grenouille possède également cette possibilité d'abstraction se manifestant dès la première couche des mille six cents cellules photo-électriques. La lumière rouge atteignant le tableau inférieur, après avoir traversé cinq écrans de cellules et de circuits, donne les contours. La lumière verte montre les convexités ou les angles de cet objet mobile, lorsque l' « œil » a décidé qu'il se déplaçait dans une direction demandant attention. La lumière jaune montre ce qui le précède et le suit et la lumière blanche indique l'effet de plongée soit d'un faucon, soit d'un missile ennemi. Au lieu de la logique conventionnelle cybernétique, ce radar use d'une logique « neuronique », c'est-à-dire qu'il prend des décisions. Une majorité de circuits optiques expriment leur opinion sur ce qu'ils perçoivent, et décident ensuite s'il est nécessaire de déclencher l'alarme.

C'est également le premier instrument d'optique électronique fonctionnant par processus parallèle et non processus sériel. C'est une différence importante distinguant par exemple le principe de la télévision de la manière dont, biologiquement, l'œil perçoit. Une caméra de télévision brise l'image en une série de lignes qu'elle parcourt, l'une après l'autre, de bout en bout. Ce n'est que parce que tout ceci a lieu très rapidement que l'impression de voir simultanément le tout est ressentie. De ce point de vue le terme d'une émission « en direct » est faux. Il s'agit d'un processus sériel. D'un autre côté si vous regardez un carré dessiné sur du papier, les informations concernant la couleur, la dimension, les angles, l'épaisseur, éventuellement, les déplacements du papier arriveront simultanément au cerveau par différents récepteurs et fibres nerveux. Il n'y aura ni décalage, ni attente. C'est le processus parallèle.

Bien que les reptiles soient considérés comme plus évolués que les amphibies, le reptile dont les yeux ont été le plus étudiés, la tortue marine, est un animal terrestre qui est retourné vers la mer. Aussi, — comme le pingouin — il ne possède pas une vue particulièrement développée, surtout en comparaison des oiseaux. Des recherches malgré tout ont été effectuées dans l'espoir d'en apprendre davantage sur l'extraordinaire don d'orientation possédé par ces animaux et qui leur permet, dès la sortie de l'œuf, de se précipiter sans hésitation vers la mer. Cette réaction immédiate vers les eaux est la même pour les tortues d'eau douce et les tortues marines et toutes les recherches arrivent à la conclusion que le sens déterminant le phénomène est la vue.

Une certaine qualité de la lumière au-dessus des eaux est donc instantanément captée par les tortues. Il leur est possible de trouver l'eau aussi bien de jour que de nuit, quel que soit le temps (excepté d'énormes chutes de pluies), avec le soleil ou la lune cachés ou éclairant brillamment dans n'importe quelle partie du ciel.

On pense immédiatement à la lumière polarisée. (En effet l'eau polarise aussi bien les rayons lunaires que solaires.) Cette possibilité fut testée en mettant aux tortues des lunettes à filtres dépolarisants. Cela ne produisit aucune différence, ce n'est donc pas en captant la lumière polarisée qu'elles se dirigent vers les eaux. On varia les filtres des lunettes pour voir quelle couleur était la plus efficace. Apparemment ce fut le vert. Des filtres ne permettant de percevoir que le bleu causèrent une légère perturbation. Mais quand on ne permit qu'à la lumière rouge de traverser les filtres, les tortues tournèrent de façon confuse et il leur fallut beaucoup de temps pour arriver jusqu'à l'eau. D'autres spécialistes travaillèrent à l'aide de forts projecteurs colorés donnant aux bébés tortues le choix entre se diriger vers la mer ou à angle droit, vers les projecteurs. Le bleu et le vert purent rivaliser en attraction avec les eaux. Maigre résultat. Ce qui guide ces nouveau-nés, quoi que cela puisse être, se trouve en tout cas, au ras de l'horizon. Il a été prouvé, en effet, qu'ils ne peuvent pas lever les yeux vers le ciel.

Une étude approfondie des tortues de mer et d'eau douce et même des tortues de terre, a prouvé que la vue ne joue aucun rôle dans l'étonnante précision avec laquelle, par exemple, les chélonées franches retournent, des côtes du Brésil aux îles de l'Ascension, pour être fécondées. Les émydes, possédant iris et muscles ciliaires très développés et une particulière flexibilité du cristallin, ont la possibilité d'accommoder à des distances très variées et ils voient aussi bien dans l'air que sous l'eau. Les tortues de terre comme les humains, bien que possédant à l'air libre une vue excellente, ne peuvent arriver sous l'eau à compenser l'absence de réfraction cornéenne. Les grands reptiles marins — chélonée franche, caouanne — ont de grandes difficultés à voir hors de l'eau. Leurs muscles ciliaires ne sont même pas reliés au corps du cristallin et il ne semble pas que l'iris possède aucune possibilité d'accommodation. Naviguer en se dirigeant grâce aux étoiles semble donc être une impossibilité. En théorie, lorsqu'elles sont immergées, les tortues pourraient distinguer les étoiles mais cela exigerait une mer particulièrement limpide et calme, conditions qui pratiquement ne se présentent jamais, tout au moins à la période de cette odyssée annuelle de trois mille kilomètres. Nous examinerons à nouveau cet étrange problème en étudiant quelques autres navigateurs du royaume animal au chapitre cinq.

Les yeux des autres reptiles n'ont d'intérêt que dans la mesure où ils préfigurent les yeux remarquables de leurs descendants, les oiseaux. Les serpents peuvent vous fixer sans ciller des paupières pour l'excellente raison qu'ils n'en possèdent pas. L'œil est protégé par une écaille transparente qui mue périodiquement comme le reste de la peau. (La fixité du regard, en l'absence de tout battement de paupière, a probablement donné naissance à cette légende du « pouvoir hypnotique » des serpents.)

A la différence du regard nu et glacé des serpents, les lézards possèdent différents types de rideaux protecteurs. Deux paupières bien développées tout d'abord, l'inférieure seule étant mobile. Ils peuvent observer, à travers un disque transparent inséré dans une paupière inférieure non mobile, ou, chez les lézards fouisseurs, au travers d'une écaille battante qui diminue la luminosité.

L'organisation générale de l'œil de l'oiseau ressemble à celle du lézard, comme il se doit, mais ses performances sont uniques.

Un oiseau percheur de même poids qu'un lézard possédera un cerveau dix fois plus gros que ce dernier, cerveau adapté aux besoins de l'oiseau, voir et voler. L'appareil optique des oiseaux ne varie guère bien que cette classe soit gigantesque. Chez tous les oiseaux, sans exception, il y a croisement complet des nerfs optiques ce qui empêche la plupart des oiseaux de posséder une vision stéréoscopique, il est vrai, qu'ils n'en ont pas besoin. Les oiseaux ont de très grands yeux. Faucons, aigles et chouettes possèdent des yeux plus grands que les humains. Le rapport entre le poids des yeux et le poids général de la tête est de moins de 1 % chez l'homme, mais de 15 % chez le sansonnet. Les yeux sont tellement volumineux que les globes oculaires se touchent. La plupart des oiseaux disposent d'un pouvoir d'accommodation exceptionnel, sans que l'on puisse découvrir son fonctionnement exact. Les muscles ciliaires agissent apparemment sur la sclérotique enveloppant la cornée et l'anneau entourant le cristallin qui peut modifier sa courbure. (Dans l'œil humain, l'action des muscles ciliaires diminue simplement la tension du cristallin et c'est à sa seule élasticité qu'est laissé le soin de prendre la courbure adéquate. Mécanisme au fonctionnement très inégal, comme le savent tous les porteurs de lunettes.)

Les animaux nocturnes comme la chouette ont en général des yeux tubulaires dont la rétine est plus abondamment fournie en bâtonnets (cellules pigmentaires sensibles à la lumière) qu'en cônes (cellules spécialisées, sensibles aux couleurs en vision diurne). Les chouettes ont une grande difficulté à distinguer les objets proches, il leur faut reculer de quelques pas pour étudier une nourriture avant de s'en rassasier.

Deux caractéristiques notables de l'œil de la plupart des oiseaux sont à signaler. La tache jaune ou fovea (centre de la rétine) et le « peigne » dont nous allons parler plus loin. Les parois de la dépression de la rétine appelée tache jaune, intensifient les plus légers déplacements de l'image, à ce point l'acuité visuelle est à son maximum. Mais pour que la lumière extérieure tombe dans cette étroite dépression l'œil doit être dirigé *exactement* vers sa source. La fovea est une caractéristique de l'œil du faucon, condor et autres oiseaux de proie. La densité des cônes dans la rétine des oiseaux diurnes est beaucoup plus élevée que celle de l'homme. Le faucon ou le busard d'Europe possèdent dans la tache jaune le nombre incroyable de un million de cônes par millimètre carré (c'est l'espace circonscrit par un petit o dans le texte imprimé d'un quotidien). Les condors et vautours, et d'ailleurs presque tous les oiseaux, sont dépourvus du sens de l'odorat aussi leur perception d'un corps mort est-elle une pure déduction optique (1).

(1) Les ornithologues, professionnels ou amateurs, désireux d'observer le condor en Californie, rapace qui devient de plus en plus rare, se livrent à une comédie exagé-

Certains oiseaux se nourrissant d'insectes en vol (comme les martinets) ont besoin d'une vue particulièrement perçante. Ils possèdent une seconde tache jaune temporaire dans chaque œil leur procurant une vision binoculaire. Beaucoup d'oiseaux (aigles, faucons, canards, oiseaux de rivage) ont une barre horizontale ou zone centrale, traversant la rétine avec en général une tache jaune à chaque extrémité. Ceci permet de fouiller l'horizon sans exiger de mouvements de cou. Chez beaucoup de rapaces, les cellules visuelles sont plus nombreuses dans l'hémisphère supérieur de l'œil (qui perçoit les images du sol) que dans l'hémisphère inférieur (qui voit le ciel). Lorsque l'épervier veut inspecter le ciel pour savoir si un ennemi ou une femelle est en vue, il inverse sa tête au-dessus de l'épaule ou par en bas vers sa poitrine pour utiliser la portion de sa rétine la plus efficace. Même les oiseaux n'ayant pas de fovea prononcé, comme les poules de basse-cour et les tourterelles, font l'effort, afin de posséder un ensemble d'informations visuelles suffisant, d'accompagner chaque pas d'un brusque mouvement de tête en avant. La tête demeure ainsi temporairement immobile dans l'espace pendant que le corps avance jusqu'à la fin du pas. Cela leur procure une vision plus nette, la tête en mouvement décelant plus difficilement les objets mobiles, tel que l'approche d'un renard. En observant les oiseaux perchés sur un fil télégraphique, vous remarquerez qu'ils balancent leur corps selon les oscillations du fil, pour que leur tête, et donc leur vue, demeure relativement stable.

Beaucoup d'oiseaux de rivage, dont les yeux de côté rendent impossible toute vision binoculaire, arrivent à se procurer une évaluation des distances en balançant la tête. C'est la raison pour laquelle la maubèche et la poule d'eau secouent continuellement la tête de haut en bas. Ce mouvement rapide change la position relative de l'objet par rapport à l'horizon, permettant une évaluation de sa distance. Le perroquet obtient un certain effet stéréoscopique en hochant la tête et donc observant un objet de deux angles légèrement différents. Hocher la tête est certainement une des manifestations les plus anciennes des vertébrés puisque même chez l'homme, pourtant doué d'une vue stéréoscopique, ce mouvement est demeuré. Il n'exprime plus,

rée — bras agités et chute sur le sol — de la crise cardiaque. Si un condor se trouve dans les parages il ne manque pas en effet de s'approcher pour étudier les suites de cette prometteuse pantomime.

chez lui, le besoin de mieux voir mais en général de mieux comprendre ce qui a été vu ou entendu.

Chez les animaux nidifuges (prêts à l'action dès la naissance) telles les poules domestiques, on s'aperçoit que non seulement la vision de la forme est très développée, mais aussi la préférence pour ce qui peut être becqueté. Robert Fantz, réfutant la naïve théorie qu'à la naissance le cerveau est vierge de toute connaissance, a découvert que des poussins nouveau-nés mis en présence de huit objets de formes différentes, becquèteront dix fois plus souvent un objet plus ou moins sphérique et de la dimension d'une graine qu'une forme présentant moins de ressemblance avec ce qui constitue la nourriture des poussins depuis l'origine de l'espèce. (Fantz a également découvert chez les bébés une préférence pour certains objets, nous en parlerons plus loin.) Un réflexe à certaines formes se manifeste aussi chez les poussins juste sortis de l'œuf. Une simple cocotte en papier que l'on fait voler *à l'envers* provoque une panique instantanée (la tête de la cocotte en papier volant à l'envers ressemble à la queue d'un faucon ; quand cette même cocotte vole à l'endroit, le poussin ne lui prête aucune attention).

Nous avons parlé du « peigne » de l'œil de l'oiseau comme d'une nouveauté optique. Il s'agit d'une membrane vasculaire pigmentée repliée sur elle-même en saillie de la rétine dans l'humeur vitrée, à l'endroit où le nerf optique quitte l'œil. Ce « peigne » a donné lieu à de multiples et contradictoires hypothèses mais pour l'instant son rôle demeure inconnu. Son utilité la plus plausible, à mon avis du moins, est que le « peigne » d'une façon ou d'une autre permet à l'œil la détection des plus infimes mouvements dans son champ de vision. Ceci expliquerait l'extraordinaire performance du faucon, qui de trois ou quatre cents mètres de haut perçoit le déplacement d'une souris rampant furtivement sous les herbes, son « peigne » oculaire étant particulièrement développé. L'ornithologue Joël C. Welty néanmoins estime que dans la trentaine de théories dont il a eu connaissance, la seule lui paraissant justifiée est celle affirmant que le « peigne » contribue à la nourriture de l'œil en diffusant des substances dans l'humeur vitrée.

Les oiseaux plongeurs, canards, grèbes, pingouins, ont une troisième paupière, appelée nictitante, qui possède en son centre une fenêtre en forme de lentille à indice de réflexion très élevé. Elle sert à l'oiseau de « verre de contact ». Cette membrane possède sur les côtés un repli en biseau qui nettoie le dessous des paupières à la remontée de chaque plongeon comme un essuie-glace, cette paupière se déplace horizontalement.

La plupart des oiseaux ferment les yeux, comme les lézards, en faisant remonter la paupière inférieure. Mais certains dissidents, comme la chouette, le roitelet, le perroquet et l'autruche, emploient la paupière supérieure. La chouette, plus exactement, bat des paupières supérieures et utilise les inférieures pour fermer les yeux dans le sommeil.

L'acuité de la vision nocturne de la chouette peut être évaluée lorsque l'on sait qu'elle peut apercevoir sa proie à deux mètres dans une illumination de seulement sept dix millionièmes de lux. Il faut à un humain cent fois plus de lumière pour parvenir à seulement distinguer sa main levée devant les yeux. Mais aucun oiseau ne peut, comme certains serpents, distinguer les rayons infrarouges (radiations de la chaleur).

Une autre surprenante nouveauté de l'œil des oiseaux sont les gouttelettes pigmentaires, une pour chaque cône de la rétine. Les oiseaux diurnes ont des gouttelettes de diverses couleurs (rouge, orange, vert, etc.). Les oiseaux nocturnes ou crépusculaires eux ont des gouttelettes jaunâtres ou incolores. Probablement ces gouttelettes jouent le rôle de filtre et intensifient les contrastes et les contours. Par exemple si un insecte rouge sur un feuillage vert est remarqué par un oiseau possédant des gouttelettes rouges dans certains cônes rétiniens, l'image de l'insecte va apparaître et disparaître selon que les cônes recevant son image possèdent ou non des gouttelettes rouges, rendant ainsi le message « insecte rouge » particulièrement évident. Les gouttelettes peuvent également jouer le rôle des filtres anti-brouillard des objectifs photographiques en conservant les radiations brillantes des ondes courtes lumineuses. En adoptant dans la rétine, une sorte de damier de filtres rouges, les oiseaux peuvent voir même dans la brume. Bien sûr la majorité de tout ceci est spéculation pure, nous sommes encore loin, en effet, d'avoir résolu tous les problèmes de la vue remarquable des oiseaux.

On s'est efforcé d'imiter l'œil d'un des oiseaux les plus ordinaires : le pigeon. (Nous verrons plus tard que cet animal est loin d'être aussi simple qu'on le pense.) Les experts en bionique du Laboratoire Astropower Douglas aux États-Unis ont été intéressés par le pigeon parce que son œil, comme celui de la grenouille, est « pré-organisé ». Mais là où la grenouille rejette les déplacements s'éloignant d'elle, le pigeon lui, suit attentivement tous mouvements directionnels. Transformé en récepteur de radar, cette catégorie d'œil serait remarquable pour détecter tous les appareils volant dans une certaine direction (pouvant être celle de leur base).

Dans l'appareil « œil de pigeon » créé par Douglas, les trois premières couches représentant la rétine, consistent d'abord en une couche extérieure de photodiodes simulant les cônes. Ceux-ci, comme dans l'œil, transforment l'intensité lumineuse en potentiel électrochimique qui alimente la couche intermédiaire de cellules bipolaires, alimentant à son tour la troisième couche de cellules ganglionnaires, puis le nerf optique artificiel et enfin le cerveau de l'appareil. Les circuits électroniques sont beaucoup trop compliqués pour que je m'efforce de les expliquer ici, mais on peut imaginer la frustration de l'équipe bionique des Laboratoires Douglas lorsqu'un groupe de jeunes chercheurs a découvert que loin de se spécialiser dans la détection des mouvements, les pigeons peuvent reconnaître les humains.

Par le procédé classique de récompense en nourriture contre effort fourni, des pigeons ont pu être dressés à différencier des photographies contenant des hommes de celles du même décor mais vide d'êtres humains. Quelquefois les pigeons se trompent, mais c'est lorsque la photographie comprend au lieu d'hommes ce que l'on pourrait appeler des « objets humains », automobiles, bateaux, maisons. Il est évident que dans ces tests décisifs, les pigeons ont été à même de conceptualiser. En d'autres termes, ils savent lire. Habituellement il est admis que la conceptualisation est une caractéristique animale. Mais effectuer la discrimination entre une photographie représentant des arbres et diverses autres représentant également des arbres mais avec des hommes en différentes tenues, postures, sexes, âges et dimensions, représente quelque chose de nouveau. Ici pas de mouvements, les images sont statiques. L'homme a été conceptualisé par l'oiseau en un élément complexe et versatile, même en robe, même en miniature et nu, même en manteau et portant la barbe, il a été reconnu pour ce qu'il est : il s'agit ici d'une performance intelligente comparable à celle qui permet à l'homme de reconnaître un ami dans la foule. Il est impossible d'apprendre à un chat ou un chien à reconnaître une photographie ou autre symbole. Il ne s'agit pas ici de critiquer ces deux compagnons des hommes mais de souligner l'intelligence de ce banal habitué de nos toits et de nos jardins.

Ce que l'on retient généralement de la vision des oiseaux est la manière précise dont les espèces se reconnaissent entre elles, ce qui est essentiel au moment de la pariade. Chez les mouettes par exemple, plusieurs espèces vivant sur une même plage apparaissent absolument identiques à un amateur. Elles diffèrent seulement par la couleur du cercle entourant la pupille. Une femelle n'acceptera qu'un mâle ayant le cercle adéquat, c'est-à-dire de même couleur que le sien. Mais comment peut-elle le connaître ? Comme elle ne va pas se mirer dans les flaques d'eau de mer il faut bien qu'il s'agisse d'une « empreinte » des parents. La mouette reconnaît donc un époux éventuel au fait qu'il est mâle et ressemble à ses parents. La fixation de ces couleurs explique pourquoi les oiseaux s'hybrident si difficilement et pourquoi la différenciation des espèces et leur évolution proprement dite est si rigoureuse.

Certains oiseaux diurnes ont un sens des couleurs tellement développé qu'ils ont su l'adapter à leur sauvegarde. Ils choisissent pour vivre des sols assortis à leur plumage, ou pondent des œufs qui ont l'apparence de ce sol. Le vanneau si largement disséminé sur plusieurs continents pond, seulement sur les côtes du Malabar, des œufs rougeâtres à taches brunes imitant la terre rouge, riche en latérite. Certains oiseaux ont une préférence frénétique pour certaines couleurs. Le paradisier bleu du Pacifique sud volera tout objet de couleur bleue. Il entrera en cambrioleur dans le nid-charmille d'un de ses congénères pour lui voler son butin. S'il est dérangé par le retour du propriétaire, il prendra une large becquée de plumes ou de morceaux de verre bleu avant de se réfugier dans son logis.

Les mammifères diffèrent de tous les autres vertébrés — du gardon à l'aigle royal — en ce qui concerne le croisement du nerf optique ou chiasma. En dehors des mammifères le croisement des nerfs est complet, c'est-à-dire que toutes les fibres nerveuses du niveau du ganglion rétinal de l'œil droit, se dirigent vers le côté gauche du cerveau, et toutes les fibres nerveuses de l'œil gauche se dirigent vers le côté droit. Chez les mammifères, croisent seules les fibres rétiniennes se trouvant près du nez. Donc chez l'homme les fibres de la moitié droite de chaque rétine rejoignent le tectum du lobe optique gauche. Les objets se trouvant dans la gauche du champ de vision (comme ils projettent la lumière sur la moitié gauche de chaque rétine) stimulent le centre visuel du lobe optique droit et vice versa. Une des nombreuses curiosités des neurologues est de savoir pourquoi ce croisement partiel a été adopté par les mammifères ? La corrélation avec la vision binoculaire paraît indiquée par le fait que de plus en plus de fibres se croisent quand cette forme de vision devient importante pour un animal. Chez le lapin, le champ de vision des deux yeux ne se chevauche que partiellement et un nombre réduit de fibres optiques effectue le croisement. Les oiseaux à vue perçante néanmoins telle la chouette, possèdent une vision binoculaire, certains poissons également et chez tous ces animaux le croisement est total. Peut-être nous faut-il simplement admettre que le mammifère est un animal particulier. Au début de son histoire, il possédait un cerveau-odorat, et l'œil était seulement un grossier accessoire du nez. Avant de parvenir aux primates très peu d'animaux sont doués de la vision des couleurs, un taureau par exemple, ne fait aucune différence entre le rouge et le bleu.

Chez certains mammifères, les yeux sont devenus des organes résiduels. La taupe par exemple est presque aveugle. Les paupières se sont développées sur un globe oculaire dégénéré qui peut tout juste distinguer la lumière de l'obscurité. Les chauves-souris par contre n'ont pas toutes la vue faible comme on le croit généralement. Les chauves-souris semi-tropicales de Trinidad utilisent l'écholocation dans les territoires qui leur sont familiers, mais lors des migrations, après mille kilomètres de vol, c'est la vision qui leur permet d'étudier les lieux qu'elles survolent et elles s'orientent peut-être d'après le soleil, la lune ou les étoiles comme certains oiseaux.

Même avant de parvenir aux primates nous trouvons des mammifères possédant une vue remarquable. Le cerf peut ne pas se rendre compte de la nature d'un objet immobile, mais le plus léger déplacement est immédiatement repéré. Leurs grands yeux émouvants sont efficaces plus tôt le matin et plus tardivement le soir, que l'œil humain. Leurs parentes, les antilopes ont une manière très intéressante d'indiquer la présence d'un danger à un troupeau éparpillé. Quand ils sont effrayés, deux disques blancs jumeaux servent de panneaux de signalisation. Le réflexe de peur contracte un groupe de muscles de la croupe et une multitude de poils blancs se dressent instantanément. En même temps, les mâles répandent une forte odeur musquée. Les autres antilopes peuvent percevoir ces signaux optiques et olfactifs jusqu'à trois kilomètres de distance, et répètent elles-mêmes le signal d'alarme qui peut, ainsi, être transmis très rapidement. Même les faons âgés de quelques heures dressent les poils de leur croupe encore brunâtre. Les grandes antilopes des Prairies de l'ouest des États-Unis ont également un signal de la croupe. Les poils se hérissent reflétant la lumière et, durant leur fuite zigzagante, on ne voit que l'éclat blanc de ces croupes contrastant avec les queues noires.

Certains félins possèdent une vue perçante, principalement les lynx. Durant le jour la pupille est tout juste un point et l'iris jaune semble couvrir l'œil entier. Le *tapetum* (réflecteur se trouvant à l'arrière de l'œil et le rendant lumineux quand il est éclairé dans l'obscurité) absorbant la lumière lui donne un avantage considérable sur les animaux qu'il chasse. Le nom de « lynx » dérive d'ailleurs d'un terme grec signifiant « celui qui peut voir dans la pénombre ». Le *Lynx rufus* chasse davantage par la vue que par l'odorat. Certains rongeurs possèdent une vue remarquable, bien que ce ne soit pas le cas des rats et souris communs. Le rat-kangourou a de grands yeux noirs, ronds comme ceux de la chouette et rouges et brillants lorsqu'ils sont éclairés la nuit.

Dans les grands mammifères, le mouton des Montagnes Rocheuses est probablement celui qui possède la meilleure vision à distance. S'il possédait des ailes, il pourrait rivaliser avec les plus grands rapaces. Les ours ont une vue très faible, l'ours polaire étant une exception. Il prête peu d'attention aux sons, probablement parce que la mer polaire est terriblement bruyante, les icebergs écrasant les banquises, elles-mêmes craquantes et cassantes. Les buffles ont une vue faible qui les rend plus bêtes qu'ils ne sont. Leurs ouïe et odorat sont excellents mais dépendent beaucoup du vent.

Contrairement à ce qu'écrivit Rudyard Kipling, un phoque albinos invariablement est doté de mauvaise vue et vit rarement assez longtemps pour être père. La baleine est une invalide en ce qui concerne la vue, non que sa rétine soit particulièrement pauvre, mais parce que le globe oculaire est fixe. Il lui faut déplacer tout le corps pour modifier son angle de vision. De plus son cristallin est incapable d'accommodation. Au-delà ou en deçà d'une certaine distance, tout est brouillé. Elle pleure des larmes huileuses (des larmes aqueuses ne lui seraient d'aucune utilité dans le milieu où elle vit).

Achevons ici notre tour d'horizon visuel. Nous allons maintenant passer aux choses sérieuses. Une des plus importantes constatations de la zoologie moderne est que le même appareillage rétinal prédigérant les informations visuelles avant de les signaler au cerveau (que nous avons vu en action chez le pigeon et la grenouille) existe également chez le lapin et le spermophile.

Deux chercheurs de l'université de Berkeley ont découvert que les cellules multipolaires (la troisième couche rétinienne, suivant les cellules bipolaires et les récepteurs de la lumière, cônes et bâtonnets) accomplissent un travail de « montage » sur les perceptions du monde extérieur enregistrées par les cellules pigmentaires de la première couche rétinienne. Certaines cellules ganglionnaires (troisième couche rétinienne) de l'œil du lapin signalent la présence d'un pattern dans le temps et l'espace doué de signification. Ces cellules réagissent lorsqu'une image se déplace latéralement sur la rétine dans un certain sens et à une certaine vitesse. Quand cette sorte d'image est perçue, un remarquable système de « poursuite » automatique se déclenche. L'œil du lapin tourne afin de ralentir la vitesse de déplacement de l'image sur la rétine. Ce servo-mécanisme se met en marche sans intervention du cerveau. Le mouvement de l'œil correcteur a besoin évidemment d'un élément indiquant dans quelle direction l'image se dirige et va quitter le champ de vision. Ce sont les cellules ganglionnaires, devenues sélecteur directionnel, et appelées pour cela « on-off » (marche-arrêt), qui probablement remplissent cette fonction. Si l'œil du lapin pouvait être reproduit avec la même organisation musculaire et cette possibilité de poursuite d'image automatique, on serait en possession d'un radar qui non seulement perçoit un objet mobile se dirigeant à une vitesse connue dans une direction connue, mais encore suit l'objet avec exactitude permettant un agrandissement télescopique et donc une identification. Ce qui constituerait un avantage décisif sur les systèmes dérivés de l'œil de la grenouille ou du pigeon. (On ne peut s'empêcher de déplorer que l'intérêt suscité par la vue animale ne soit inspiré que par l'espoir d'y découvrir de nouvelles applications militaires.)

La rétine du spermophile (sorte d'écureuil se nourrissant de graines) n'est constituée que de cônes, ce qui convient parfaitement à ses activités strictement diurnes. Il réagit fortement aux mouvements orientés dans une direction. Une fibre unique du nerf optique possède maintenant un « champ récepteur », c'est-à-dire un champ constitué par tous les cônes de la couche pigmentaire rétinienne de cette fibre se prolongeant dans le nerf optique. Chez le spermophile, la fibre réagit fortement aux stimuli traversant le centre du champ mais seulement dans une direction. Elle ne réagit nullement lorsque le sens du déplacement est inversé (une autre fibre et son champ de cônes prend alors le relais). Cette curieuse propriété directionnelle est réalisée comme la plupart des perceptions nerveuses d'ailleurs, par une inhibition rendant impossible la réaction aux mouvements inversés. En fait, le centre du champ est entouré d'une zone concentrique antagoniste dont la seule activité est inhibitrice. Bien que ceci se rapproche des inhibitions que nous avons étudiées dans l'œil composé et qui procure de meilleurs contrastes il s'agit ici d'un mécanisme de « temps en déplacement ». Cela permet au spermophile, comme au lapin, d'obtenir une image mobile super-nette de ce qui peut être un renard.

Quand nous en arrivons à un animal aussi évolué que le chat, nous nous découvrons dans un univers où l'œil automatique est dépassé. Ici, le cerveau exige une communication complète et non expurgée de tout ce qui peut être perçu. Nous ne trouvons pas chez le chat d'éléments nerveux directement excités par la vision, et réagissant de manière conditionnée, en dehors du cortex cérébral. Le résultat consiste en une diminution de la fidélité. En effet, en envoyant toutes les sensations visuelles directement au cerveau, les convergences et relais sont innombrables. Quand et pourquoi cette référence directe au cerveau a-t-elle eu lieu ? Ce n'est certainement pas par coïncidence que le chat comme l'homme possède une vision binoculaire complète, tandis que la grenouille, le pigeon et le lapin en sont dépourvus. Quand le champ de vision de chaque œil se superpose, l'effet stéréoscopique d'un monde à trois dimensions ne peut être atteint que lorsque les nerfs optiques des deux yeux délivrent leur message séparément au cerveau. Donc toute la responsabilité du triage, inhibition, exploration et interprétation est laissée au cerveau.

Il est un fait curieux, récemment découvert. Si on entaille chirurgicalement le chiasma optique d'un chat (le point où les nerfs optiques se croisent), il conserve une vision partiellement binoculaire. Il apparaît donc que certaines cellules visuelles du cortex correspondant à un œil, continuent à être en rapport avec les cellules de l'autre œil à travers le corps calleux. Le sens visuel des mammifères bénéficie de possibilités étonnantes de compensation.

Les personnes ayant perdu un œil par accident n'ont aucune difficulté à continuer de percevoir un monde à trois dimensions. On a fait expérimenter des lunettes inversant les images. Les sujets après quelques jours de nausées et de maladresses se sont parfaitement adaptés à un univers la tête en bas. De toute façon, au départ et sans aucune lunette, l'œil est ainsi fait qu'il ne peut apercevoir le monde qu'à l'envers et inversé comme reflété dans un miroir. C'est le cerveau qui rétablit le tout dès le plus jeune âge (1).

Les tenants de la théorie de Lockean, si populaire dans les années trente, affirmant que le cerveau humain est à la naissance vide et vierge de notions, et qu'il nous faut « apprendre à voir » se sont vus désabusés par les résultats d'expériences récentes.

Dans ses recherches sur les formes primitives de perception, Robert Fantz a remarqué que, si les poussins fraîchement sortis de leurs coquilles savent distinguer une graine d'un grain de sable, les bébés humains ou les petits chimpanzés n'ont besoin d'aucun conseil pour être spontanément attirés par des formes intéressantes. La technique de Fantz consiste à pendre de nombreuses cartes au-dessus des bébés et, par une lentille située sur le dessus du berceau clos, observer les images reflétées par les yeux des sujets. Il a remarqué, aussi bien chez les petits chimpanzés que chez les petits humains, une préférence pour les figures élaborées, bien que les bébés se soient fatigués et aient dormi plus rapidement que les chimpanzés. Tout le long de leurs six premiers mois d'existence, les bébés ont préféré s'intéresser à la représentation schématique d'un visage qu'au dessin imbriqué de drapeaux bicolores. Les formes unies deviennent intéressantes à partir d'un mois et semblent procurer au bébé les bases nécessaires à la perception de la profondeur. L'aspect général du visage permet à l'enfant d'identifier un humain. A un âge plus avancé une personne est reconnue grâce à une perception plus détaillée de l'agencement des traits. Encore plus tard, les détails plus subtils de l'expression sont perçus par l'enfant et lui apprennent si la personne est joyeuse ou triste, contente ou fâchée, amicale ou inamicale. Quand un bébé vous regarde, soyez sûr qu'il vous perçoit avec une grande

(1) J'ai développé dans un livre précédent le fait que nous percevons le monde actuellement dans une géométrie hyperbolique non euclidienne. L'esprit prétend percevoir un monde euclidien parce qu'il est plus simple à concevoir dans une optique d'ingénieurs et, bien que cela soit aussi arbitraire qu'un conte de fées, c'est un conte de fées pragmatique.

Il se pourrait que cette conception ne soit plus très utile pour des esprits un peu plus avancés que les nôtres.

acuité. Pour le chimpanzé, c'est la seule possibilité qu'il aura jamais de communiquer. L'impossibilité de parler des primates est compensée en partie par une gamme étendue d'expressions faciales.

L'expression faciale est surtout l'apanage des vertébrés (du moins le supposons-nous. Il n'est pas facile d'étudier les changements de physionomie d'une araignée ou d'une sauterelle). Il est des comportements de base communs à beaucoup de mammifères. Tous, par exemple, de la souris au gorille, aplatissent les oreilles et plissent les yeux quand ils sont surpris par un cri étranger à leur espèce ou un bruit désagréable. C'est un réflexe de protection tendant à diminuer la réception d'une insulte. Cette attitude d'aplatir les oreilles est tellement spontanée qu'elle peut s'étendre à d'autres situations. Un mâle en rut d'une famille de mammifères se préparant à approcher une femelle manifeste en général son manque de confiance (la méfiance profonde de cet univers féroce où même une femelle de sa propre race peut mordre traîtreusement) en couchant ses oreilles au début de l'approche. Ce réflexe originel de protection — « si tu touches à mes oreilles gare à toi »! — devient un élément de communication, une manifestation d'intention plutôt qu'une défense. Considérez vos propres rapports avec les chiens et les chevaux. N'ont-ils pas été associés à l'aplatissement ou au dressage si expressif des oreilles?

Chez les primates plus évolués, les oreilles couchées deviennent moins fréquentes et le mouvement moins prononcé, principalement parce que les oreilles sont moins bien contrôlées. Ce qui subsiste est une rétraction significative du cuir chevelu faisant partie de l'ensemble des déplacements musculaires nécessaire au mouvement des oreilles. Chez les macaques et les babouins la rétraction de la peau du crâne est très développée. Ces singes sont très démonstratifs. Sous le coup d'une émotion, ils couchent la touffe de poils qu'ils possèdent sur le haut de la tête et étalent un repli de couleur vive placé sous les sourcils les faisant ressembler à un clown en colère.

D'où le froncement de sourcils nous vient-il? Le chien, le singe capucin et beaucoup d'autres animaux froncent typiquement les sourcils. Cette réaction a-t-elle une motivation biologique? Que les hommes froncent les sourcils lorsqu'ils sont ennuyés ou hostiles n'explique pas grand-chose. Le froncement peut partiellement constituer une protection de l'œil ou aider à concentrer la vision. Chez la plupart des mammifères le froncement de sourcils est associé à un regard fixe et intense, démontrant l'intérêt, peut-être l'agressivité mais rarement la peur. Un animal fronçant les sourcils est un animal préoccupé et se préparant à l'action, mieux vaut ne pas le déranger.

Et que dire des rictus? On peut envisager primitivement une double origine. Retrousser les babines constitue les préliminaires à la morsure ou au crachat. Le rictus peut être un signal de gêne. Beaucoup de mammifères, de l'opossum aux primates, affichent cette réaction lorsqu'ils sont brusquement effrayés. Un de mes amis plus courageux que moi et grand voyageur, ayant une longue expérience des docks et des ports de nombreux pays, m'a confié que le visage le plus effrayant qu'il ait jamais rencontré, au cours d'une rixe, était un visage souriant.

Ce mouvement curieux des muscles faciaux dégageant les gencives mérite d'être observé également du point de vue humain. En général les hommes trouvent agréable une légère transformation de leurs stimuli et désagréables les grands changements. Il est évident que les vertébrés les plus évolués recherchent le stimulant d'un renouvellement continuel des impacts reçus par le système nerveux central. Les premiers rires des bébés sont en général produits par des chatouilles, ensuite par les « houp-la », simulation de chute dans les bras ou le giron, où l'élément essentiel est une certaine frayeur ou surprise. L'essence même de toute plaisanterie n'est-elle pas d'être pris au dépourvu?

Tous les singes évolués, surtout le chimpanzé, font la moue, comme le font les enfants sur le point de pleurer. Chez beaucoup de primates cet allongement des lèvres — surtout lorsqu'il s'accompagne d'une puissante expiration — signifie « tu l'auras voulu, j'arrive! » Cette même moue d'ailleurs nous l'apercevons bien souvent sur le visage des hommes politiques et même des chefs d'État.

Le langage humain peut être une évolution des mouvements simiesques du visage et des lèvres. Chez les babouins une forme de communication courante est le claquement, mouvement de la langue et des lèvres, dérivation des moments d'abandon lorsqu'ils se cherchent mutuellement les puces. Ces claquements des lèvres sont donc un message de sympathie et il est plus fréquent que le retroussis. Souvent il s'accompagne d'un grondement profond et bienveillant. Ce sont ses voyelles, et c'est à ce moment que le babouin s'approche le plus de la communication vocale. Le développement d'attitudes visuelles dépend du plus ou moins grand degré de sociabilité de l'animal. Dans le cas du loup — animal hautement social — une gamme énorme d'expressions s'est développée, tandis que l'ours solitaire en est presque privé.

Les babouins les plus démonstratifs sont ceux vivant en troupes dans les plaines. C'est un destin hasardeux. Pour cette espèce, la communication mutuelle est en fait une nécessité vitale. La hiérarchie est de style militaire. Le général en chef et ses lieutenants sont impitoyables en réprimant les disputes au sein des troupes ou des femelles. Il est significatif que le mandrill et le drill d'Afrique, vivant dans les forêts, font beaucoup moins usage de froncements de sourcils et de moues. Il est probable que la vie dans les plaines et les savanes fut décisive pour l'évolution de l'ancêtre de l'homme. Elle développa la chasse, le besoin d'outils et surtout l'évolution du sourire, du rire et du langage lui-même.

Les chimpanzés peuvent communiquer entre eux, aussi bien que nous avec une personne dont nous ignorons la langue. En plus de ce que les primatologues nomment communication « photique », certains chimpanzés emploient des « signes iconiques » pour communiquer avec les humains. Par exemple le chimpanzé Vicky de Mme et M. Hayes, primato logues américains, apporte une serviette en papier pour suggérer le départ en promenade, bien évidemment se référant aux couches en cellulose toujours prudemment emportées en déplacement.

Le groupe de recherche Gardner a éduqué un petit chimpanzé femelle, dénommé Ouachou, par une méthode plus directe : le langage des sourds-muets. Alors que Vicky au bout de six années d'étude avec ses parents adoptifs n'a pu apprendre que quatre sons se rapprochant de mots anglais, Ouachou sait employer un nombre respectable de signaux et de concepts et probablement continue à développer son vocabulaire. (Malheureusement quand un chimpanzé devient adulte — à peu près à treize ans, pesant cinquante kilos — il est plus fort qu'un gigantesque athlète de deux cents kilos. Comme les Gardner enseignent Ouachou en lui mettant les mains dans la position voulue pour former un signal, le moindre geste d'impatience ou de nervosité de sa part peut signifier fracture ou blessure pour ses malheureux professeurs.)

Le langage des sourds-muets est une combinaison de signes iconiques (imitant quelque chose), signes arbitraires et signes alphabétiques faits avec les doigts. Comme les signes alphabétiques supposent une connaissance au moins élémentaire du langage humain, les Gardner ne se sont pas donné la peine de les apprendre à Ouachou.

Un exemple de signe iconique est celui signifiant « fleur ». Les extrémités des cinq doigts sont réunies et touchent les deux narines l'une après l'autre. Le signe pour « toujours » est arbitrairement configuré par les deux mains serrées, index tendus en faisant pivoter les avant-bras au niveau du coude.

Les jeunes chimpanzés aiment passionnément que l'on joue avec eux, aussi quand Ouachou apprit le signe correspondant à « plus, encore » elle l'employa généralement dans le sens « encore des chatouilles ». Mais le terme correspondit également aux choses qu'elle n'avait pas encore appris à nommer (une sorte de : « Comment dit-on ça ? »). D'après les parents de sourds-muets apprenant le même langage, certaines difficultés rencontrées par Ouachou correspondaient au « langage bébé », simplifications incorrectes utilisées par leurs propres enfants.

Dans le cas de « chien » et « chat », Ouachou apprit ces termes d'après des photographies, les jeunes chimpanzés sont tellement excitables qu'il n'était pas envisageable de lui faire connaître encore ces animaux en chair et en os. Ce qui est étonnant est qu'elle put *transférer* cette notion d'une modalité à une autre. Quand elle entendit pour la première fois aboyer un chien invisible, elle fit le signe : « chien ». Ceci est beaucoup plus extraordinaire qu'il ne paraît au premier abord. Ouachou a deviné par déduction, processus impliquant intelligence et logique. Comment Ouachou a-t-elle pu être sûre que ce n'était pas l'élément « chat » qui aboyait hors de sa vue ?

Ouachou déjà à quelques mois (plus tôt qu'un enfant), avait appris à *généraliser*. Par exemple à associer le signe « ouvert » non seulement à toutes les portes de la maison, mais aussi au réfrigérateur, armoires, tiroirs, sacs, boîtes et bocaux. Et même quelquefois quand elle souhaitait qu'on ouvre un robinet. Il est indiscutable que Ouachou est sur le chemin de la maîtrise du langage symbolique. Autrement dit, il est possible aux chimpanzés d'acquérir un langage auquel ils sont physiquement adaptés. Pourquoi donc l'homme a-t-il prévalu sur la terre ? Ce n'est pas seulement la faculté de communiquer symboliquement qui fit de l'homme le maître de notre planète, mais une incitation profonde à employer et *développer* cette faculté.

Les émotions peuvent être communiquées par des signes innés. L'œil est un organe essentiel à l'expression de la tristesse et il est dans ce but utilisé par l'oie comme Konrad Lorenz l'a démontré. L'abaissement du tonus des nerfs sympathiques fait enfoncer l'œil dans son orbite et en même temps, diminue la tension des muscles de la tête. Ces deux facteurs contribuent à la formation d'un pli de peau distendue sous chaque œil, pli qui, depuis les masques tragiques de l'ancienne Grèce, est devenu la plus conventionnelle expression de la tristesse. Bien que notre répertoire d'expressions de visage soit à présent plus limité que celui des singes, au fur et à mesure du développement de notre don de langage comprenant pleurs et sanglots, nous avons continué à réagir aux rires et aux pleurs aperçus sur les visages qui nous entourent et surtout à l'ennui. Bâiller est universellement contagieux. Quelquefois même nos jambes nous trahissent. Si vous constatez qu'un visiteur assis sur une chaise n'arrive pas à garder ses jambes immobiles ses jambes transmettent le message : « Je veux rentrer chez moi. »

L'idée courante qu'un bébé apprend à voir en coordonnant la vue et le toucher a été complètement réfutée à l'issue de diverses expérimentations effectuées sur des bébés et des petits chats. Le sens de la vue n'est pas seulement prédominant, il éduque également le toucher. Les jeunes mammifères, tout comme les bébés, possèdent un sens de la profondeur qui n'a pu se développer que grâce à la vision.

Un adulte regardant au travers d'une lentille réductrice en touchant en même temps un objet ne ressent aucun conflit au niveau des informations sensorielles. La sensibilité tactile a été automatiquement réajustée et il lui semble toucher un petit objet. Dans un autre de ces tests, des verres spéciaux faisaient paraître rectangulaire un cube tenu par le sujet. La vue est à ce point prépondérante que le sujet perçut ce qu'il voyait : un rectangle. Ce n'est que les yeux fermés qu'il put rétablir la sensation authentique d'un cube.

Quand les deux sens divergent au point de vue interprétation, c'est toujours le toucher, après un certain laps de temps, qui se soumet et transmet des informations conformes à ce qui est vu. Cette énorme suprématie de l'œil n'a pas échappé aux spécialistes. Dans la formation des astronautes, les moniteurs s'attachent en priorité à développer les exercices rendant l'action dépendante des réactions oculaires. Le nerf optique de l'homme est infiniment supérieur à tous les appareils physiques imaginables. Il peut détecter une forme et suivre une trajectoire tandis que les mains, relativement lentes et maladroites, constituent un pitoyable moyen d'intervention.

Les surprenantes capacités de l'œil scrutateur humain ont été encore enrichies grâce à Gordon Cooper, à bord de Mercury 9, signalant des constructions, routes, véhicules et fermes aperçues dans les Himalayas. Édouard White à bord de Gemini 4 a également aperçu de cent cinquante mille mètres de haut les lumières d'une petite ville et la fumée d'un train en marche. Il fut prouvé que ces observations n'étaient pas imaginaires. Des vols Gemini spéciaux furent organisés en connexion avec des cibles placées à divers endroits. Comment l'œil humain peut-il distinguer des objets de si loin et aussi bien ? On peut devenir romantique, et conclure que l'homme a atteint enfin le point de son évolution dans le temps et l'espace auquel il s'est préparé depuis trois billions d'années ! Pour ma part, il me semble que pour bien comprendre le splendide achèvement que constitue cette vision perçante il nous faut revenir sur quelques faits de base du système optique humain.

La cornée de l'œil et le cristallin ont pour but de réfléchir la lumière afin qu'elle tombe sur les récepteurs de la rétine (1). C'est le système réfringent. La cornée est arrondie en arc convexe de telle manière que les ondes lumineuses sont déjà partiellement réfractées avant de traverser le cristallin. Après la cornée, la lumière traverse l'humeur aqueuse (liquide isolant le cristallin et se renouvelant grâce à la circulation sanguine, comme le liquide céphalo-rachidien), puis la pupille contractile de l'iris. Ensuite le dioptre du cristallin rassemble les rayons avant qu'ils ne tombent à travers l'humeur vitrée sur la rétine.

La rétine elle-même est constituée de différents niveaux de fibres nerveuses constituant les récepteurs : cellules visuelles multipolaires et bipolaires, cônes et bâtonnets interprètes de la lumière. Le cristallin inverse les images non seulement comme un miroir, mais également de haut en bas (2).

(1) Dans la transplantation oculaire il s'agit toujours du remplacement d'une portion de cornée et non de l'œil entier comme le nom de l'opération paraît l'indiquer.

(2) Nous ignorons pourquoi tous les vertébrés possèdent ce type de rétine. Embryologiquement la rétine est une extension du cerveau. Elle possède quatre couches de cellules nerveuses comme le cortex cérébral et comme lui des synapses indépendantes. Pendant le développement de l'embryon, la vésicule optique surgit du cerveau, puis se replie sur elle-même pour former le globe oculaire. Ceci explique pourquoi, anatomiquement, les cellules bipolaires et ganglionnaires se trouvent entre la source de lumière et les cônes et bâtonnets mais n'indique d'aucune façon pourquoi tous les yeux des vertébrés sont construits de cette manière.

L'humeur vitrée derrière le cristallin demeure la même sans renouvellement de sa substance. Quand les muscles ciliés se contractent, les surfaces antérieures et postérieures du cristallin s'arrondissent pour rendre nettes les images rapprochées. Quand les muscles se relâchent le cristallin s'aplatit et ce sont les images éloignées qui se présentent avec netteté. Ce réflexe atteint son plein développement quelques mois après la naissance. Le réflexe d'accommodation est déclenché par le cortex occipital percevant une image déficiente, le centre moteur reçoit des instructions qui sont ensuite relayées aux muscles ciliaires ; ce processus est connu, mais nous ignorons la forme sous laquelle ces messages sont codés.

On a découvert récemment que le cristallin continue à grandir, bien qu'en proportions infimes, jusqu'à notre mort, c'est-à-dire qu'il poursuit l'élaboration de couches cellulaires, comme les peaux transparentes d'un oignon. L'accommodation à la longue en souffre, le cristallin compressé perdant de sa flexibilité. Le cristallin du cheval, du lapin et du rat arrête de se développer à dix-huit mois. Le régulateur de croissance est une fraction de protéine appelée « chalone ». On a pensé, chez l'homme, à stimuler la production de chalone (l'œil humain en possède moins que la plupart des vertébrés) ou d'en introduire artificiellement afin de retarder le vieillissement de l'œil.

Comme pour l'accommodation, les modifications de la pupille sont automatiquement déclenchées par l'insuffisance ou l'excès de lumière. Ce réflexe fonctionne dès la naissance et probablement avant. La pigmentation du muscle radial de la pupille donne à l'œil sa couleur, bleue, verte ou noire. Il n'est pas surprenant de découvrir que la majorité des mammifères, homme inclus, ont les yeux noirs, cette pigmentation assurant à l'œil le maximum de protection, spécialement sous les tropiques.

La rétine possède dix millions de cônes et cent vingt millions de bâtonnets à peu près, comme le nombre de fibres dans chaque nerf optique est autour d'un million, il existe bien entendu un travail de rassemblement des informations, dont nous avons parlé précédemment à propos des champs récepteurs. De nombreux cônes et bâtonnets se terminent dans la même cellule bipolaire et ganglionnaire, les fibres ou axones des cellules ganglionnaires formant le nerf optique. Le point où le nerf optique quitte la rétine — à proximité du nez pour chaque œil — devient un point aveugle.

Il existe une très importante exception qui est la tache jaune (fovea), le point central de vision optimum qui ne contient que des cônes, chacun directement relié à une fibre du nerf optique. Ici les cellules bipolaires et ganglionnaires sont laissées de côté ; les cônes sont exposés plus directement à la lumière et les inconvénients de la rétine inversée sont ainsi évités. La plupart des neurologues sont persuadés que la fovea est la base sensorielle de l'attention et de la concentration humaines. Seuls les primates les plus évolués sont possesseurs de foveas, comme probablement seuls les anthropoïdes bénéficient de la vision colorée. Quelles en sont les conséquences et quels sont les principes de la vision colorée ?

La vision des couleurs est une propriété des cônes. Les zones rétiniennes où les bâtonnets prédominent, à la périphérie, sont très sensibles en lumière atténuée, mais leurs réactions concernant les couleurs sont faibles. Thomas Young, physicien anglais, suggéra au début du XIXe siècle que la capacité de distinguer les couleurs pouvait être liée à la présence de trois différents pigments dans les cônes. En mélangeant la lumière rouge verte et bleue, la lumière blanche est perçue. Donc des pigments spéciaux, sensibles à trois longueurs d'ondes semblaient une explication raisonnable de ce phénomène. Un pigment absorbant le rouge et un autre absorbant le vert sont connus depuis assez longtemps, mais ce n'est qu'en 1964 — un siècle et demi après la découverte de Young — que l'existence de deux pigments absorbant la région des bleus fut démontrée grâce au microspectromètre, capable de mesurer la quantité de lumière absorbée par un seul cône. Il est actuellement généralement admis que la sensation des couleurs provient des trois types de cônes, et du taux de stimulation de chacun d'eux. Bien qu'il y ait dix fois plus de bâtonnets que de cônes dans la rétine de l'homme, les bâtonnets n'interviennent pas dans la vision des couleurs, probablement parce qu'ils ne fonctionnent pas en lumière brillante. Dans le cas des daltoniens les longueurs d'ondes lumineuses du rouge ne stimulent pas uniquement les cônes sensibles au rouge, mais également ceux sensibles au vert, et la lumière verte provoque la stimulation des cônes verts et rouges. Le daltonien voit le bleu et le violet normalement, mais le rouge et le vert sont déformés en différentes nuances d'un gris jaunâtre.

Suivons à présent le cheminement de l'impulsion lumineuse vers le cerveau. Le processus commence par la réponse des cent trente millions de cellules sensorielles — bâtonnets et cônes — de chaque œil. De subtiles différences entre les deux images rétiniennes naîtra l'image à trois dimensions. De la rétine de chaque œil, les différents messages ayant traversé les cellules bipolaires et ganglionnaires, voyagent le long du nerf optique qui comprend un million de fibres à peu près. Au point de jonction appelé « chiasma » la moitié des fibres nerveuses se dirige vers l'autre hémisphère cérébral. La première station cérébrale est le corps latéral réticulé dans le thalamus. Il faut nous représenter le cheminement de la vision par six différents types de cellules nerveuses (trois dans la rétine, une dans le corps réticulé et deux dans le cortex).

Les cellules rétinales ganglionnaires fournissent des indications rapides même en l'absence de stimulation. Les signalisations négatives de ces cellules au repos sont augmentées ou diminuées par la lumière dans une petite et plus ou moins circulaire partie de la rétine. Cette zone est le champ de réception de la cellule. Le taux d'activité d'une cellule ganglionnaire particulière peut être *diminué* par la lumière, donc renforçant le contour et les contrastes de cette image comme dans le cas des yeux composés. Illuminer de façon diffuse l'ensemble de la rétine affecte moins une cellule ganglionnaire que ne le fait une petite lumière circulaire couvrant le champ récepteur de cette même cellule. Dans la substance réticulée du cerveau moyen, ce contraste sera même encore plus spécialisé. Il a la fonction d'augmenter encore la disparité entre les réponses au petit cercle lumineux et la lumière diffuse. Ces messages contrastés sont alors transmis à l'extraordinaire complexité du cortex visuel.

En expérimentant sur le chat on est arrivé à posséder quelques indications sur ce qu'il se passe alors. Il n'existe pas de cellules corticales possédant de champ récepteur concentrique; il existe à leur place plusieurs types de cellules distinctes à champs, différant de tout ce que nous avons vu dans la rétine ou le corps réticulé. On peut les classer en deux groupes, les simples et les complexes. Les cellules simples réagissent aux stimulants linéaires et aux contours. Elles ne réagiront pas si la ligne n'est pas orientée dans une certaine direction ou si elle se déplace. Les cellules complexes également ne réagiront que si la ligne a une orientation donnée mais elles continueront à transmettre si la ligne se déplace. Il est bien évident que chaque cellule complexe répond à un certain nombre de cellules simples. Le nombre de cellules concernées quand un œil regarde simplement tourner une roue, est inimaginable.

Nous n'avons qu'une idée vague de ce que font les cellules complexes de *leurs* réponses. Chaque cellule du cortex visuel est reliée par un réseau complexe et obscur au reste des cellules cervicales. En explorant ce cortex avec un microélectrode, on découvre qu'il se subdivise, comme les alvéoles créés par les abeilles, en minuscules colonnes ou segments s'enfonçant jusqu'à la matière blanche dans les couches profondes du cerveau. Une telle colonne se définit par le fait que les centaines de milliers de cellules la constituant possèdent un champ de réception identiquement orienté. Les cellules d'une colonne particulière tendent à se différencier, certaines sont simples, d'autres complexes, certaines réagissent aux fentes, d'autres préfèrent les lignes sombres, d'autres encore les contours. On peut donc considérer les colonnes en tant qu'unités de travail indépendantes du cortex visuel, dans laquelle les cellules simples reçoivent les connexions du corps réticulé et envoient des projections dans les cellules complexes. Autrement dit le cortex visuel réorganise les impulsions du corps réticulé d'une façon telle que ce sont les lignes et les contours qui deviennent les principaux stimuli. Bien que la découverte de ces enchaînements fonctionnels représente un progrès pour la neurophysiologie, nous sommes loin de savoir pourquoi nous apprécions la silhouette de Miss Univers ou pourquoi nous apercevons la fumée d'une locomotive à cent cinquante kilomètres en l'air.

Pour mieux comprendre la précision de notre vue, étudions les étonnants mouvements involontaires de l'œil. Roy M. Pritchard s'est intéressé aux images « stabilisées » sur la rétine. Il a réussi à immobiliser la pupille grâce à un verre de contact s'adaptant étroitement à l'œil et sur lequel est monté un minuscule projecteur optique. Cette situation est pour l'œil extrêmement anormale. Normalement l'œil est toujours en mouvement. Même quand l'œil est fixé sur un objet immobile, de légers mouvements involontaires subsistent. Essayez de regarder quelqu'un fixement dans les yeux. Un léger glissement se produit, l'image doucement s'éloigne du centre de la fovea. Cette dérive s'arrête brusquement et l'image retourne soudain par un léger soubresaut au centre de la tache jaune. En surimpression il y a un continuel tremblement, de l'ordre de 150 cycles par seconde et d'une amplitude d'une fois et demie le diamètre d'un cône. Ces trois mouvements involontaires sont continuellement présents lorsque nous lisons ou considérons ce qui nous entoure.

En utilisant le stabilisateur d'image de Pritchard, on s'aperçoit que l'image peu à peu s'affaiblit et disparaît, ne laissant qu'une lumière grise (qui plus tard peut devenir d'un noir intense), puis après un moment réapparaît complètement ou en partie. Une image simple, comme une ligne droite, disparaît rapidement. Des images plus complexes telles que le profil d'un visage ne s'affaibliront pas, elles disparaîtront de manière graduelle et sélective, la partie la plus intéressante ou la plus expressive disparaissant en dernier. Ce phénomène de disparition manifeste certaines propriétés esthétiques. Si l'image observée est une amibe possédant une énorme protubérance, c'est la protubérance qui disparaîtra la première, laissant une forme plus ronde et plus acceptable. Les couleurs disparaissent très rapidement. Dans un champ composé de couleurs primaires rouge, vert et bleu, tout disparaît pour laisser un champ récepteur incolore de trois degrés de brillance. Ce qui laisse supposer que la perception des nuances est maintenue par un changement de luminosité continuel des rayons lumineux tombant dans le champ récepteur des cônes. Le *mouvement* des contours d'une tache de couleur sur la rétine, produit par les tremblements involontaires de l'œil, semble donc indispensable à la perception continue. Pour bien voir en couleurs, l'œil doit pouvoir danser.

Peut-être que dans la gravité zéro de la stratosphère, les yeux de l'astronaute se trouvent dans les conditions exactement opposées aux yeux immobilisés du stabilisateur de Pritchard. L'œil confronté sans arrêt à la même image se libère en la supprimant périodiquement pour la laisser reparaître ensuite. Peut-être que les yeux des astronautes travaillent de façon remarquable uniquement parce qu'ils sont sans effort confrontés avec l'infini.

L'œil sans pesanteur se déplace simplement plus facilement dans l'orbite. Il ne nous faut pas non plus oublier que l'œil des primates évolués fut adapté à la vie arboricole où la gravité et le sens de l'équilibre sont étroitement associés à la vue. Il est difficile de demeurer droit les yeux fermés sans perdre l'équilibre surtout sur une branche ployante. La stimulation ou le malfonctionnement de l'oreille interne, renfermant le centre de l'équilibre, peut produire un mouvement continuel de va-et-vient des yeux. Dans des conditions de non-pesanteur, la connexion entre la vue et l'oreille interne est supprimée. L'œil est libre. Il y a de sérieuses réserves à faire sur les effets de la non-pesanteur dans l'espace, mais cette acuité est certainement un des grands avantages de cet état. Et si l'on bénéficie là-haut d'une vue tellement perçante, ne peut-on espérer que l'on y pense également mieux?

L'australopithèque nous vient des arbres et l'homme primitif était, incontestablement, davantage un cultivateur qu'un chasseur. Cette situation procure d'une manière regrettable, une certaine prédisposition à la myopie. Les taux de myopie les plus élevés se trouvent chez les populations qui ont connu une économie agricole ou pastorale pendant au moins plusieurs milliers d'années. Les myopes furent avantagés, même dans les plus petites communautés, parce qu'on les destinait aux tâches les plus paisibles comme de tailler les pointes des flèches. Les Chinois et les Japonais sont plus communément myopes que les Anglo-Saxons, tandis que les déficiences optiques sont aussi fréquentes chez les Arabes vivant dans les déserts que ceux habitant les centres industriels européens. Les peuples aux yeux noirs s'adaptent mieux à une luminosité intense que les peuples aux yeux bleus, la pigmentation de la rétine étant en partie un mécanisme anti-reflets. La survie des chasseurs dépend tellement de la faculté de découvrir le gibier à grande distance qu'à la période chasseresse, les peuplades aux yeux noirs ont toujours été favorisées dans les contrées désertiques.

Même l'œil humain le plus normal a ses particularités (la plupart en rapport avec l'intense développement de la fovea). Spécialement la nuit, ou dans une lumière pauvre, l'assemblée des bâtonnets est sensible à des déplacements que le dense amoncellement des cônes n'aperçoit pas. On capte du coin de l'œil un très léger mouvement et en déplaçant la fovea on s'aperçoit que ce fantôme timide a disparu. C'est probablement une des raisons pour lesquelles les esprits hantent les lieux faiblement éclairés! Même en plein jour, dans des conditions d'éclairement plus que satisfaisantes, les mirages ne sont pas exclus. Quelquefois en regardant le ciel, on aperçoit des *mouches volantes* semi-transparentes qui sont l'ombre des substances contenues dans l'humeur vitrée du globe oculaire, projetées sur la rétine. L'alcool et l'épuisement peuvent briser la coordination des réflexes des deux yeux et faire que l'on voit deux éléphants roses au lieu d'un. L'alcool, la drogue et l'épuisement produisent d'ailleurs souvent moins de phénomènes de distorsion visuelle que le simple ennui. Quelqu'un placé dans une cabine expérimentale, où il n'y a rien à regarder commence après quelques jours à souffrir d'hallucinations. Le cortex visuel affamé évoque des formes fantastiques, des lunettes à pattes, des barques flottantes, des fourmis portant des bannières, etc. Comme dans le rêve la privation pousse le cortex à créer les images nécessaires à sa consommation, bien qu'en ce cas les yeux soient ouverts.

Il y a un regain d'intérêt, depuis quelque temps, envers les fausses images lumineuses appelées scientifiquement « phosphènes ». Ils peuvent apparaître chez les prisonniers complètement isolés. Les « lavages de cerveaux » infligés aux espions ou aux prisonniers politiques qui n'ont, pendant de longues périodes, que le même coin de mur à regarder, sont accompagnés de phosphènes pouvant prendre diverses formes. Il est probable que beaucoup des fantômes aperçus par les gens frustes, vivant à l'écart de la civilisation une vie simple et monotone, sont tout simplement des phosphènes et que la radio et la télévision en sont les plus sûrs exorcismes.

Il faut malgré tout faire la différence entre les phosphènes, formes perçues au cours de rêveries, et ceux qui peuvent être produits mécaniquement. Lors du décollage d'une fusée les astronautes aux yeux bandés verront automatiquement des phosphènes à une accélération de trois et demie GS (mesure de gravité). Les voyageurs du futur ayant à accomplir un voyage de plusieurs mois en route pour Mars ou Jupiter auront, eux, à subir les phosphènes de l'ennui. Cela pourrait devenir fort dangereux et aller jusqu'à la folie. Seuls les hommes possédant une vie intérieure — qui tel Cervantès seraient capables de transformer une période de détention en une période d'activité intense — devraient être sélectionnés pour ces voyages ou alors une partie importante de la fusée devrait être consacrée aux bibliothèques et aux appareils de video.

Les enfants ont une grande facilité — qu'ils perdent pendant l'adolescence — d'évoquer les phosphènes. Certains malades mentaux souffrent de phosphènes superposés à leur vision normale pendant des heures, après s'être simplement essuyé les yeux avec une serviette. Mescaline, psilocybine et L. S. D. provoquent l'apparition de phosphènes aux dessins abstraits et rutilants. Le docteur Gérald Oster — qui est probablement la plus grande autorité en matière de phosphènes aux États-Unis — signale que six mois après avoir pris une dose légère de L. S. D., au cours d'une expérience, il voyait toujours des phosphènes magnifiques au moment de se coucher.

L'induction électrique produisant les phosphènes fut découverte à la fin du XVIIIe siècle et on était friand, au cours des réunions mondaines, de s'asseoir en rond en se tenant la main autour d'un générateur électrostatique pour recevoir un léger choc. Benjamin Franklin fut le premier à observer qu'en même temps que le choc électrique on pouvait apercevoir, les yeux clos, un afflux de lumière.

Max Knoll qui a collaboré à Munich à l'achèvement du microscope électronique a étudié les phosphènes de façon systématique. Il a découvert qu'une impulsion électrique de même fréquence que les ondes normales du cerveau (de 5 à 40 cycles par seconde) produit les phosphènes les plus élégants. Si la fréquence varie, la construction des phosphènes varie également. Knoll a répertorié quinze classes différentes de ce phénomène optique, dépendant de la fréquence du courant employé. Cet effet de la fréquence évoque un effet de résonance sur certains groupes de cellules nerveuses réagissant ensemble lorsqu'elles sont sollicitées par un courant adéquat. Ces phosphènes provoqués électriquement deviennent une fascination de couleurs lorsque les sujets ont absorbé une petite dose de L. S. D.

Au-dessus d'une certaine fréquence électrique (à peu près 40 cycles à la seconde) les phosphènes disparaissent. Comme si nous étions soudain exclus d'un univers féerique. On a étudié l'action des courants alternatifs en déplaçant de petites électrodes à la surface du cerveau. Le cortex visuel stimulé à l'arrière du cerveau, interrompt pratiquement la vision du patient, il n'aperçoit plus qu'une sorte d'image de télévision déréglée et pluvieuse. Quand les électrodes sont déplacées vers la zone d'associations visuelles, le patient voit des phosphènes à beaux dessins géométriques. Quand les électrodes sont poussées vers l'avant, le patient peut entreprendre une nostalgique visite de son passé, et revoir une scène depuis longtemps oubliée. Les aveugles de naissance n'aperçoivent pas de phosphènes, mais ceux qui le sont devenus accidentellement les voient et les apprécient même énormément.

Une des caractéristiques de l'œil — qui jusqu'ici, était considéré comme une fenêtre aux dimensions variables selon les réflexes de la pupille — les plus surprenantes est sont *émotivité*, qui n'a été pressentie des psychologues qu'en 1960. Le changement de luminosité fait dilater ou contracter la pupille, par un réflexe dû à l'innervation du système parasympathique. Mais la pupille est également, situation paradoxale, reliée au système sympathique. En conséquence la pupille ne réagit pas seulement aux lumières mais aussi aux émotions. Le professeur Hess de Chicago se basant sur ce fait, a fait d'intéressantes découvertes.

Les prestidigitateurs et les magiciens connaissent depuis toujours cette réaction de la pupille et c'est un des éléments de leur tradition secrète. Pour reconnaître une carte qui a été pensée, le magicien guette la dilatation de la pupille du sujet, lorsque cette carte sera retournée. Les joueurs professionnels aussi sont attentifs. Dans une partie aux enjeux élevés on reconnaîtra d'emblée les habitués portant des lunettes aux verres teintés et polarisés pour dissimuler leurs pupilles, mais pouvant observer les yeux du naïf qui s'approchera de leur table. Mais les plus pénétrants sont les marchands de jade chinois observant à la dérobée les yeux de leur client pour savoir quelle est la pièce qui les a intéressé et en demander le prix fort.

La pupille des hommes se dilate bien entendu quand on leur montre la photographie d'une femme nue. Bien qu'elle renierait avec indignation tout intérêt envers la photo d'un athlète, Hess a découvert qu'une femme éprouve le même intérêt pour le sexe opposé. Sa pupille se contracte au contraire si on lui montre la photographie d'un requin ou d'un enfant infirme. La réaction de votre pupille peut vous faire surprendre en flagrant délit de mensonge. Par exemple, la contraction — ou réponse négative de la pupille — se produit presque invariablement à l'aspect de peintures modernes, spécialement abstraites, même chez ceux qui en sont acheteurs (et parlent de « s'apparenter » avec elles) et en fait, même chez *ceux qui les peignent !*

Les films d'horreur (avec squelettes, morts vivants ou vampires échevelés) causent la dilatation (intérêt horrifié) suivie de contraction (dégoût). Hess a redécouvert une particularité de l'attraction sexuelle bien connue des femmes du Moyen Age et apparemment à présent oubliée. Il montre une série de photographies à un groupe de vingt hommes. Dans la série existe deux photographies de la même jeune et jolie femme, seulement dans l'une les pupilles ont été retouchées pour qu'elles paraissent anormalement dilatées et dans l'autre, au contraire contractées.

Leurs propres réflexes pupillaires démontrent que les hommes ont deux fois plus d'intérêt envers la photographie aux pupilles dilatées. Or la plupart trouvent objectivement les deux photos identiques. Certains admettent que l'une des photographies est plus « féminine », « douce » ou plus « jolie » que l'autre. Aucun ne remarque la différence de pupille et ce n'est que lorsque cela leur est signalé qu'ils en conviennent.

Les femmes ont pris conscience de cette réaction naturelle et en ont profité sans vergogne après la découverte de la belladonne (belle-dame). Peut-être l'attrait de ces larges prunelles réside dans l'intérêt passionnel que la dame semble éprouver pour celui qui l'accompagne. Ce peut être plus subtil. Un spécialiste de cinéma m'a confié qu'une large part de la fascination qu'exerce Élizabeth Taylor est attachée à ses larges pupilles et aussi au fait qu'elle ne bat pas des paupières.

Hess a démontré que la réaction de la pupille correspond aussi aux préférences de nourritures éprouvées par le sujet. En politique cette technique est peu supérieure aux sondages d'opinion. En fait l'observation de la pupille démontre qu'une majorité de gens, dans la solitude de l'isoloir, ne votent pas pour le candidat qu'ils affirment préférer en public.

Il est clair que la pupille, aussi petite soit-elle, est un organe éloquent. Mais malgré tout, nous restons ici à l'extérieur de ce processus complexe qu'est la vision et la reconnaissance d'une chose. Ce que nous voyons peut, ou ne peut pas affecter notre émotion ou même notre conscience d'animal pensant. Une des choses les plus étonnantes, découverte récemment sur l'œil humain est que, bien que nous n'en soyons pas conscients, *pratiquement tout ce que nous voyons est infailliblement et indélébilement gravé dans notre cerveau.*

Ici réside un grand mystère. Cette affirmation semble contredite par l'expérience de chacun (le désaccord classique des témoins au cours d'un procès, l'oubli de choses que nous avons lues ou même vécues...) et il est nécessaire de nous expliquer davantage. De nombreux hommes de science ont étudié la mémoire visuelle, ce qui demande des laboratoires bien équipés : tachistoscopes (appareil pouvant projeter une série d'images en succession rapide) projecteurs pour diapositives, écrans, instruments aptes à suivre le mouvement des yeux, instruments pouvant mesurer le temps écoulé entre stimulation et réaction, et divers dispositifs lumineux et acoustiques.

L'une des premières constatations est qu'il faut d'emblée faire la distinction entre la mémoire visuelle et la mémoire linguistique. Cela semble une chose évidente mais c'est une règle très difficile à appliquer. Bien que le cerveau possède un souvenir exact et total des *scènes* et même des *symboles* (des mots imprimés dans un livre par exemple), ce n'est pas pour autant que vous pouvez décrire la première chose aperçue lors de votre naissance. Pourquoi ne peut-on pas répondre? Parce que la réponse à cette question inclut le langage, donc la mémoire linguistique tout autant que la mémoire visuelle. Mais au moment de votre naissance il vous était impossible de traduire en mots ce que vous ressentiez. Bien que ce souvenir soit toujours dans votre mémoire, et qu'il puisse en être extirpé un jour grâce aux progrès des recherches scientifiques, il n'existe aucun moyen actuellement de le percevoir linguistiquement. L'immense partialité envers le langage manifesté aujourd'hui par l'esprit humain, a laissé perdre la souvenance des images (y compris les textes imprimés) parce que les mots ne sont pas utilisés en tant qu'images mais *idées*.

La vraie mémoire visuelle est beaucoup plus ancienne que la mémoire linguistique, mais a été énormément contaminée par cette dernière. C'est très regrettable. Mais cette évolution n'a pas été l'apanage de l'espèce humaine. Nous avons décrit comment, chez les insectes et la grenouille et même chez des animaux plus évolués comme le pigeon et le lapin, la rétine décide de ce qui doit *réellement* être perçu. En arrivant au chat et au singe, il y a probablement connaissance complète de ce qui est perçu, mais la mémoire visuelle totale n'est pas employée. Cette fois, non pas parce qu'elle se trouve mêlée à la linguistique, mais parce que l'animal n'a nul besoin de la *totalité* des informations. Un chat, au cours de ses pérégrinations, rencontre une bague en diamants. Cette bague peut à la rigueur conserver une odeur humaine, mais c'est bien l'unique chose qui puisse présenter un intérêt quelconque pour le chat. Cela ne peut être une nourriture, ne peut être dangereux et n'est même pas vivant. L'éclat du diamant produit une impression visuelle sans signification pour le chat. Malgré tout (et philosophiquement, ceci est important) bien que ne représentant rien, le souvenir de la bague en diamants persiste chez le chat et représente une chose aussi authentiquement existante dans le monde que la bague elle-même (1).

On suppose que la mémoire des images peut être illimitée. Je suis de cet

(1) Une des photographies les plus pathétiques qu'il m'ait été donné de voir représente un groupe de vaches entourant et regardant les débris d'un satellite artificiel tombé dans l'Arkansas.

avis. Tout le monde a eu un jour ou l'autre l'expérience de reconnaître un visage brièvement aperçu des années auparavant.

Ralph Hafer et Lionel Standing ont poursuivi des expériences démontrant que la majorité des gens peuvent reconnaître au moins 2 400 images aperçues précédemment durant un court laps de temps. Ce chiffre élevé s'est maintenu même lorsque les images ont été présentées, reflétées dans un miroir. Hafer et Standing sont convaincus qu'avec 250 000 images les résultats seraient les mêmes. Mais quand les images se sont formées sans associations avec le langage, il est impossible de restituer le souvenir de ces images en mots, donc de communiquer ce souvenir à quelqu'un. Néanmoins en utilisant les associations libres (évoquer visuellement et linguistiquement des images similaires), il est quelquefois possible d'extraire laborieusement de plus en plus d'indications de la mémoire visuelle. Autrement dit, possible de faire du sujet un témoin plus fidèle. Il paraît évident que pour être un témoin fidèle — dans le sens juridique du terme — il y a lieu de consolider la mémoire visuelle par des mots. Par exemple vous rentrez chez vous et au coin d'une rue un homme s'avance et vous menace. Pendant que vous lui tendez votre portefeuille, vous devriez verbalement vous communiquer vos impressions visuelles : « *Mâchoire veule, bouton sur le nez, yeux bleus, non rasé, cheveux bruns plutôt longs, foulard sale autour du cou, de ma taille, mais pesant probablement dix kilos de moins, tient de la main gauche un objet ressemlant à un revolver tandis qu'il retire de la main droite, l'argent de mon portefeuille ...* » etc. Bien que les attaques nocturnes soient devenues une chose commune, il semble que la victime soit dans un tel état de choc, qu'il lui est impossible de donner une description cohérente de son agresseur. C'est un fait connu de toutes les polices qu'il ne faut accorder aucune attention aux descriptions données par les témoins visuels inexpérimentés, ces témoignages pouvant mener à toutes les erreurs judiciaires (il est courant à notre époque que l'on se trompe même sur le sexe des criminels).

Les phrases connues par cœur ne sont pas gravées dans la mémoire comme un assemblage de mots, mais en tant qu'*idées*. Les panneaux indicatifs routiers ne sont pas perçus comme des objets brillamment colorés comportant une flèche ou une courbe, mais en tant que *messages*. Cette particularité du processus de mémorisation explique pourquoi le lecteur peut ne pas voir les erreurs typographiques d'un texte imprimé.

Le fait de lire consiste en la vision de rapides successions d'images perçues très brièvement et contenant chacune un grand nombre d'informations. Avec des sujets de même intelligence innée, quelle est la différence entre le lecteur lent et le lecteur rapide? Le lecteur lent fixe son œil sur chaque mot pendant à peu près un quart de seconde. Le lecteur rapide déplace son œil à la même cadence (ce quart de seconde semble être une constante naturelle, le temps nécessaire à emmagasiner les messages visuels ou iconiques) mais obtient la rapidité en regardant un plus grand nombre de mots à la fois. Les deux lecteurs ont besoin de trente à cinquante millisecondes pour faire sauter l'œil d'un point de fixation à un autre.

Au cours de la lecture, chaque mot, ou groupe de mots doit être rapidement effacé en tant qu'image, il leur faut céder la place pour qu'une nouvelle image puisse se former et la lecture se poursuivre. La mémoire linguistique les rassemble ensuite afin que ce qui est lu ait un sens. Mais il est évident que ces images ne sont pas seulement conservées dans la mémoire linguistique pour un certain temps, mais également conservées en tant qu'images (à l'insu pour ainsi dire du lecteur) pour toute la vie.

Quelques personnes, exceptionnellement douées, possèdent le don d'utiliser cette réserve, quasi infinie, d'images. On les dit douées d'une mémoire photographique, ou pouvant utiliser des images « eidétiques ». Les images eidétiques ont la faculté extraordinaire — presque alarmante — de demeurer fixes. La personne pouvant faire appel à ces images peut les observer dans sa mémoire, en fait les détailler en *déplaçant les yeux* comme si elle lisait. Les facultés de certains sujets sont actuellement à l'étude et nous supposons avoir beaucoup à apprendre de cette mémoire optique, qu'à l'évidence nous avons négligée dans la vaine illusion de pouvoir créer un univers platonicien fonctionnel, de pure linguistique.

L'homme est le seul animal dont les larmes coulent pour des raisons émotives. On ignore pourquoi. Le système lacrymal est assez complexe et son but le plus évident est de maintenir la cornée transparente, propre et lubrifiée. Les larmes « réflexes » sont causées par l'excitation des récepteurs sensoriels des yeux et du nez (la conjonctive et la muqueuse nasale). Ces larmes sont versées par tous les vertébrés terrestres à l'exception des serpents, mais même les serpents sécrètent ce qui est appelé des larmes « continues » pour former à la surface de l'œil un film protecteur. Les invertébrés aux yeux fixes, n'ont pas de système lacrymal, non plus que les animaux aquatiques pour qui l'eau joue le rôle des larmes. Les baleines et les phoques étant l'exception, mais il est à noter que ces mammifères utilisent une grande partie du temps leurs yeux à l'air libre ; ils ont des larmes huileuses. Une quatrième sorte de pleurs sont ceux versés sous l'action de la pilocarpine et de certains gaz de guerre qui, curieusement, n'agissent pas sur le nez et les yeux, mais directement sur les glandes lacrymales par la circulation sanguine. Les gaz lacrymogènes, dont l'emploi devient traditionnel dans nos civilisations urbaines, comme les oignons pelés, produisent des larmes réflexes par l'irritation directe qu'ils produisent sur les yeux et le nez. Les larmes ont pour but non seulement de nettoyer et humidifier les yeux, mais aussi le nez et la bouche. Il y a un lien certain entre le système lacrymal et salivaire. (Dans la maladie de Sjögren les deux systèmes glandulaires se sclérosent en même temps.) Tout le monde a pu remarquer combien une bouchée de piment ou un cognac assez fort provoque un écoulement de larmes dans l'œil et dans le nez.

Le film de larmes baignant continuellement la cornée de l'œil humain est fait d'une couche profonde, muqueuse, une couche intermédiaire, aqueuse et une couche supérieure, huileuse. Chaque couche est sécrétée par un groupe de glandes différent. La composition chimique des larmes est proche de celle du sérum sanguin, même quantité de sel, mais beaucoup moins de sucre et de protéines. Néanmoins les larmes des idiots mongoloïdes et des victimes de dégénérescence fibreuse optique, sont riches en protéines. Le système nerveux parasympathique est à l'origine des pleurs réflexes et émotifs, mais le mécanisme précis de la façon dont les glandes sécrètent les divers liquides n'est toujours pas connu.

Il est difficile d'imaginer comment l'œil humain pourrait être amélioré mais nous avons l'intention, dans un autre livre, d'exposer certaines idées sur ce que pourrait être la vue d'un « superman ».

Des progrès très intéressants ont été accomplis dans la chirurgie des yeux depuis l'emploi des rayons laser, mais c'est dans la photographie que l'optique crée le plus de réalisations remarquables. Des photographies très frustes de la Lune et de Mars ont pu être améliorées, grâce à des ordinateurs stimulant les subtils contrastes et ombres des contours, comme l'œil le fait pour les images présentées au cerveau. Les Japonais développent une caméra de télévision appelée à égaler la sélectivité de l'œil. Comme nous le savons déjà, la rétine perçoit le plus nettement les couleurs et les détails dans la fovea ou tache jaune se trouvant au milieu de la rétine. Mais le *mouvement* est, lui, bien mieux perçu à la périphérie (à peu près à soixante degrés, en haut, en bas et sur les côtés). Quand la rétine perçoit un mouvement périphérique, un mécanisme déplace l'œil pour que la partie mouvante se trouve au centre de la rétine. Dans leurs expériences, les Japonais projettent la chose à voir, représentée par un point blanc, sur un écran reflétant une image du champ de vision oculaire. Le point blanc zigzague sans se fixer pendant 2/10e de seconde.

En reconnaissant une lettre de l'alphabet, l'œil n'a pas besoin de parcourir d'abord tout le champ de vision comme le ferait une caméra de télévision. L'œil gagne du temps en recherchant les points de transition et les contrastes — par exemple pour la lettre « K », le point d'intersection des trois lignes — et de ces quelques signaux sélectionnés, le cerveau *reconnaît* la lettre, un exploit au-delà des possibilités des ordinateurs. Dans toutes scènes données, l'œil se fixe instantanément sur ce qui bouge. Une caméra de télévision possédant une vivacité optique égale serait une amélioration énorme pour la retransmission de toutes les informations, sports etc. La télévision en effet anticiperait automatiquement le processus optique humain. La notion de télévision : moyen de participation actif du téléspectateur (actif parce que justement l'œil a tout à faire pour transposer, de la masse de signaux primaires et incorrects retransmis par l'appareil, l'image souhaitée), serait peut-être à remettre en question avec cette nouvelle caméra. La participation deviendrait passive et l'identification tellement intense que les scènes de violence télévisées pourraient faire lever une nouvelle génération d'égorgeurs et d'assassins.

Nous ne pouvons pas quitter le domaine de la vision sans nous efforcer d'expliquer une nouvelle et difficile technique optique, beaucoup plus importante que la caméra de télévision-fovea dont nous venons de parler.

Il s'agit de l'holographie. Ceux qui ont eu le privilège de voir un hologramme savent que l'on demeure bouche bée. Leur étrange beauté et les possibilités qu'ils recèlent de pathétique et même d'horreur, sont presque insupportables pour le spectateur sensible. Il est probable qu'apparaît ici un nouveau moyen d'expression pour l'artiste autant que pour l'homme de science. Mais le spectateur doit se préparer au choc qui l'attend à la vue de, par exemple, un tigre grandeur nature, l'œil éclatant, se dirigeant vers lui, en trois dimensions à travers la bibliothèque. Il approche! Sa tête fauve a caché le pied de la table... au secours!

Comment un tel fantôme peut-il être réalisé?

L'hologramme est une des nombreuses applications des rayons laser, et je n'ai pas l'intention de vous décrire ici la complexité de cet instrument, qu'il vous suffise de savoir que les lasers projettent des ondes lumineuses *cohérentes*. Différentes de toutes les autres sources lumineuses, les ondes provenant d'un laser sont de longueurs identiques et marchent au même pas.

Pour prendre un hologramme, l'objet à enregistrer (disons un tigre) est placé sur une plate-forme solide et illuminée par la lumière d'un laser. La lumière reflétée par les objets tombe sur une plaque photographique. Simultanément, la plaque est illuminée par les rayons d'un autre laser, reflétée par un miroir, et appelé « faisceau de référence ». Ce faisceau est dirigé de telle sorte qu'il évite les objets. Après exposition, la plaque est développée. C'est un hologramme.

On n'a pas utilisé de lentille pour former une image, aussi n'y a-t-il pas d'image sur la plaque développée. L'émulsion a enregistré un dessin abstrait de lignes fines et de courbes qui ressemble à l'agrandissement de l'empreinte d'un pouce. Si des rayons de lumière colorée sont maintenant projetés à travers l'hologramme, en suivant la direction du faisceau de référence précédent, un nouvel ensemble de rayons se forme au dos de l'hologramme. Ces nouvelles ondes lumineuses sont en tous points identiques à celles reflétées par l'objet se trouvant sur la plate-forme.

Autrement dit, voilà votre tigre en personne. L'image dans l'espace est plus réaliste qu'aucune autre image projetée. *C'est* le tigre. Les personnes regardant un tel hologramme sans être prévenues, risquent la crise cardiaque. En effet, on a l'illusion complète des trois dimensions avec la perspective et les effets de parallaxe. Les détails du fond pouvant être cachés derrière une des pattes du tigre par exemple, apparaissent simplement en déplaçant la tête à gauche ou à droite. Également l'œil doit se remettre au point quand l'attention saute du fond de l'image au premier plan, ou de l'œil du tigre à sa queue.

Le laser n'imite pas la nature. Cela n'est jamais arrivé, autant que nous le sachions, dans la nature. Jamais l'évolution n'a songé à l'hologramme. Mais la firme I. B. M. est retournée à un des anciens succès de l'évolution, en s'efforçant de faire des hologrammes avec des scènes illuminées par la lumière incohérente ordinaire. Le procédé employé par l'évolution est l'œil à facettes. Et I. B. M. a créé une lentille composée de centaines de petites facettes optiques individuelles. Cette lentille intercepte et enregistre l'intensité, la courbe et la direction des ondes lumineuses provenant de tous les points éclairés se trouvant dans le champ de l'appareil. Cela forme donc des centaines d'expositions individuelles sur le film, chacune montrant la scène sous un angle différent. (La conservation de ces images est reliée au phénomène décrit plus haut où la lumière du laser, reflétée, interfère avec le faisceau de référence.) D'après cette photographie de la « multi-image », on crée un hologramme en faisant passer un rayon laser à travers le film et une autre lentille à facettes, tout en causant une interférence de ce faisceau avec un laser de référence.

L'avantage de ce système est que le laser (qui est un appareil dangereux et difficile à manipuler) est seulement employé dans le *développement* de l'hologramme. L'utilisateur doit simplement placer sur son appareil photographique une lentille « œil de mouche ».

En combinant le génie inventif de l'homme et celui de l'évolution on arrive ici littéralement à une dimension nouvelle de la représentation visuelle.

2. ENTENDRE ET SE FAIRE ENTENDRE

Le sens de l'ouïe fut originellement le sens de la gravité. Nous sommes peu conscients du rapport étroit existant entre l'ouïe et l'équilibre parce que la partie de l'oreille, outrageusement élaborée, possédant la charge de nous informer si nous nous tenons droit ou sommes allongés dans le ruisseau, se trouve intimement mêlée à la partie entendant la voix des anges... ou le sifflet des agents de police.

L'évolution semble avoir hésité avant d'accorder l'ouïe aux créatures primitives. Il n'est pas douteux que la vie a commencé à évoluer dans l'eau et que celle-ci conduit les sons beaucoup plus vite que l'air (1), mais le son est également retenu dans l'eau et l'on peut ici apercevoir les causes de l'indécision de l'évolution. De quel intérêt peut être l'ouïe pour un très petit animal, dont les ennemis et les proies sont toujours à une proximité telle qu'elles sont décelées par l'odorat et même le toucher? Les méduses sont amplement fournies de statocystes (organes assurant l'équilibre) mais elles ne peuvent entendre, pas plus qu'aucun autre membre de l'importante famille des mollusques. Certains gastéropodes (escargots, etc.) possèdent des organes pouvant ressentir les vibrations du sol mais il s'agit ici plutôt d'un toucher très élaboré. Ces statocystes permettent aux mollusques prin-

(1) La vitesse du son dans l'air, dans des conditions de pression et de température normales, est de trois cent quarante mètres à la seconde, tandis que dans l'eau le son se propage quatre fois et demie plus vite et se trouve réverbéré par la surface de l'eau de telle façon que seulement 1 % des vibrations, ou même moins, est retransmis à l'air environnant.

cipalement de déterminer la direction des forces de gravité. Ils sont situés dans le pied, ce sont des poches membraneuses dans lesquelles flottent des petits grains. Quand le mollusque se déplace, ces grains ont tendance à tomber sur les cils sensoriels que les mouvements de l'animal font coïncider avec les forces de gravité, ce qui lui permet de conserver l'équilibre. Chez certains petits escargots il existe une paire de statocystes contenant d'une à cent otolithes (pierres contenues par l'oreille interne) et des nerfs pouvant transmettre au pied les informations. Certains malacologistes ont appelé ces statocystes, « oreilles », par un excès de sympathie envers les mollusques, mais il n'y a pas trace de tympan pouvant reconnaître les sons. Ces escargots entendent les vibrations comme un sourd pourrait ressentir un tremblement de terre.

Il faut malgré tout être prudent dans ce genre d'assertion. Bien que personne n'ait jamais trouvé la moindre trace d'oreille dans l'énorme classe des crustacés, ils sont dotés d'un si grand nombre d'organes producteurs de sons, qu'il semble probable que ces sons aient une signification. Un récif de corail résonne des « plop » du « crabe-pistolet » (alphée). Ce son est obtenu par un doigt muni d'un petit tampon se fixant sur une poche tubulaire se trouvant sur le doigt opposé (son qu'il est facile d'obtenir en retirant brusquement le petit doigt du goulot d'une bouteille de limonade). En fait tous les crabes terrestres se conduisent comme s'ils entendaient, et les bruits sous-marins produits par les homards semblent avoir une signification biologique. Peut-être avons-nous recherché scrupuleusement à retrouver les membranes bien tendues de l'ouïe des insectes et des vertébrés. Un cil libre, minuscule, primitivement adapté au toucher peut jouer le rôle d'un fruste détecteur de sons. S'il est suffisamment mince, en s'agitant dans l'air ou dans l'eau il suivra les mouvements cycliques de ce milieu constituant les vibrations sonores. Ce n'est évidemment pas une oreille très perfectionnée, mais elle peut s'adapter à quelques sons dont la détection peut être pour les crustacés une question de vie ou de mort. On a constaté que la larve de l'anatife peut être effrayée par un bourdonnement assez fort, et il est question d'utiliser cette particularité pour éviter qu'elles ne se fixent sur la coque immergée des navires (il faut se souvenir que l'anatife est un crustacé et non pas un mollusque).

Nous avons conclu dans le chapitre précédent, que l'évolution avait placé les mollusques céphalopodes (pieuvres et seiches) en infériorité en leur refusant le sens de l'ouïe. Cela semble d'autant plus injuste que l'eau paraît, pour un animal assez grand, le milieu idéalement adapté à l'écoute. Les mammifères ayant pris la décision de retourner à l'océan (comme le phoque, la baleine, le marsouin) ont développé des oreilles extrêmement sensibles et même des possibilités de « sonar » (écholocation). Quand les arthropodes quittèrent l'eau pour la terre ferme et devinrent insectes, curieusement beaucoup d'entre eux développèrent des oreilles. Peut-être allons-nous en comprendre la raison, elle dépend de quelques notions de géométrie élémentaire.

Une des nécessités de l'ouïe chez un très petit animal, un insecte par exemple, est de localiser quelque chose (un ennemi, un ami, une proie). Mais l'ouïe *directionnelle* dépend de la différence soit d'un temps d'arrivée du son, soit de son pattern intrinsèque au moment où il entre en contact avec deux points distincts du corps de l'animal. Il ne servirait à rien d'avoir une seule oreille, cela ne renseignerait pas son possesseur sur la source du son. Dans l'eau, le son se transmet si rapidement qu'il faudrait un cerveau extrêmement délicat pour enregistrer la différence entre le son entendu par une oreille et le son entendu par l'autre surtout quand la longueur de l'animal peut être inférieure à celle de l'onde elle-même. Je suppose que c'est une des raisons pour lesquelles l'évolution a attendu l'apparition de petits animaux vivant à l'air libre, avant de décider qu'une oreille complexe et précise vaille la peine d'être créée.

Ce développement prend plusieurs directions. Les récepteurs réagissant aux vibrations sont disséminés, isolément ou en groupes sur tout le corps et les appendices de l'insecte. Certains groupes très évolués possèdent des organes auditifs réagissant aux ondes acoustiques grâce à des tympans, ou petites membranes. Certains appareillages mystérieux et versatiles (organes de Johnston) situés à la base des cils sensoriels, peuvent détecter les sons, la direction du vent, la vitesse du vol, la gravité, ou dans les formes aquatiques, la vélocité des courants. Un groupe d'organes similaires, dans les pattes, détecte les vibrations de la surface du sol ou son substrat (1). En géné-

(1) Chez l'araignée, l'organe lyriforme des pattes est de ce type. Mais certaines espèces peuvent également entendre les sons portés par l'air en allongeant leurs pattes qui débordent de la toile. Les araignées tissant les toiles sont extrêmement

ral, les insectes n'ont aucune notion de tessiture. Leurs tympans et leurs cils sensoriels sont simplement conçus pour détecter le taux de répétition et autres constructions de rythme et d'intensité des sons entendus. Quelquefois leur sensibilité à certaines fréquences peut leur poser des problèmes. Une mouche à viande par exemple ne réagira pas à l'éclatement d'un pétard mais le grincement d'un bouchon dans le goulot d'une bouteille lui causera une crise nerveuse.

Les récepteurs de certains insectes sont hautement spécialisés envers une certaine « tranche » de fréquence. Les papillons de nuit en sont un exemple. Trois familles ont développé une ouïe d'une extrême sensibilité pour pouvoir se protéger des chauves-souris (les yeux de ces papillons de nuit, comme les chouettes, reflètent la lumière dans l'obscurité). Les chauves-souris détectent admirablement les insectes dont elles se nourrissent par écholocation, c'est-à-dire qu'elles émettent des ultra-sons (d'une fréquence trop élevée pour que nous puissions les percevoir) et par l'écho de ces faisceaux de sonar non seulement elles localisent quelque chose, mais encore perçoivent ce que c'est. Mais les papillons de nuit existent toujours, même sur les territoires de chauves-souris, preuve de l'efficacité des moyens de défense utilisés contre cette diabolique technique de chasse.

Tout d'abord, les papillons de nuit possèdent des ailes duveteuses absorbant les sons pour que l'écholocation soit aussi difficile que possible. Mais ils ont surtout développé une extraordinaire sensibilité aux ultra-sons par l'entremise de quatre cellules nerveuses. Que cela puisse fonctionner avec une telle économie de moyens a de quoi pousser un ingénieur d'acoustique à déchirer tous ses schémas. Comparons par exemple l'efficacité par kilos ou par ce qu'on voudra, du système de radar contrôlant les excès de vitesse sur les autoroutes avec les instruments équivalents possédés par la noctuelle. Ce papillon nocturne possède deux oreilles placées sur la partie postérieure du thorax et dirigées vers l'arrière, dans le rétrécissement séparant le thorax de l'abdomen. Chaque oreille est une petite cavité à l'intérieur de laquelle se trouve un tympan transparent. Un filament sensoriel traverse l'oreille

sensibles aux vibrations de celles-ci, que ces vibrations proviennent d'une proie ou d'un mâle. Certains prédateurs se servent de cette sensibilité en imitant sur les fils les secousses d'un insecte englué, quand l'araignée, à la vue basse, se précipite pour s'emparer de sa proie c'est elle-même qui se fait dévorer.

moyenne venant du centre du tympan, ce filament renferme deux cellules sensorielles appelées fibres A. Ces deux fibres A se joignent à une large cellule non acoustique, fibre B, et se prolongent, en tant que nerf acoustique, jusqu'au cerveau. En se branchant électroniquement sur les fibres A, il a été possible d'étudier les réactions de la noctuelle au signal ultrasonique des chauves-souris.

La chauve-souris émet un faisceau modulé d'ultrasons. Le cri débute à 70 000 cycles par seconde et se termine une milliseconde plus tard à 35 000 cycles par seconde. La réception du premier signal de la chauve-souris (et elle en émet de 10 à 100 par seconde) provoque une réaction potentielle dans les fibres A se transmettant en moins de deux millisecondes au cerveau. A ce moment la réaction de la noctuelle dépend de la proximité de la chauve-souris qu'elle a détectée. Il nous faut remarquer que la sensibilité du tympan des papillons de nuit est assez faible. Pour obtenir une réaction des fibres A il faut des ultrasons d'une intensité plus de cent fois supérieure à ce que peut percevoir une oreille humaine. Mais il n'existe pas beaucoup de sources d'ultrasons de cette fréquence, la nuit, dans la campagne, aussi la noctuelle peut-elle détecter une chauve-souris à trente mètres, et ce qui est beaucoup plus important, d'après l'intensité et le rythme des signaux perçus par chaque oreille, elle peut savoir *où* se trouve la chauve-souris. Si elle est suffisamment éloignée la noctuelle partira au plus vite dans la direction opposée. Bien que la chauve-souris ait un vol plus rapide, la noctuelle peut n'avoir pas été repérée par son ennemie. Si la chauve-souris est proche, la noctuelle commence une spirale descendante, ou même en cas d'urgence, replie ses ailes et se laisse tomber sur le sol.

Qu'un comportement aussi complexe puisse, à l'origine, être causé par l'activité de deux paires de fibres nerveuses est assez fantastique, mais certains papillons nocturnes de la famille des Arctiides ont atteint des possibilités que l'on croyait réservées à la science-fiction. Ils ont développé des moyens « antisonar ». De l'articulation de la troisième paire de pattes, il leur est possible d'émettre un « clic », par un mécanisme similaire à celui employé dans les jouets d'enfants où une lame de fer repliée claque lorsqu'elle est pressée par le pouce. Seulement, chez ces lépidoptères, le « clic » est riche en ultrasons de la fréquence perçue par les chauves-souris. Celles-ci n'aiment pas ce défi sonore et s'éloignent. Bien que la chauve-souris entende ses compagnes émettre des cris similaires aux siens, ces ultrasons d'origine étrangère ne lui disent rien qui vaille et elle préfère s'en aller. Les arctiides ont un taux de survie dans les régions de chauves-souris, nettement supérieur aux autres papillons nocturnes. Les entomologistes pensent qu'il s'agit d'une acquisition relativement récente et on peut prédire que les chauves-souris tôt ou tard développeront une immunité contre l'effet surprenant des « papillons à ultrasons » (1). Mais n'anticipons pas! L'évolution avance posément, souhaitons que l'homme, touche-à-tout la plupart du temps maladroit, en fasse autant et ne découvre pas quelque formule supprimant les arctiides en même temps que les chauves-souris!

Bien que ne recelant aucun mystère, le chant du grillon a depuis toujours intéressé les hommes. Le grillon mâle chante pour attirer une éventuelle compagne. On parle improprement de chant, le grillon est en fait un violoneux. L'aile gauche comporte une sorte d'archet, un racloir, frottant le rebord râpeux de l'aile droite. Le son sympathique et familier du grillon, qui est donc son chant d'amour, peut paraître le summum de l'inconséquence lorsque l'on apprend que dans la plupart des variétés la femelle est sourde. En étudiant d'un peu plus près cette situation absurde, les entomologistes ont découvert que l'action de frotter les ailes provoque chez le grillon la sécrétion d'un fluide appelé suggestivement « séducine », remplissant une coupelle se trouvant entre les ailes. Le « chant » du grillon apparaît donc moins dérisoire qu'il ne paraît au premier abord. La femelle lui monte sur le dos, pour aller boire la séducine, et elle est promptement fécondée. Le chant du grillon peut avoir une importante fonction territoriale — un avertissement aux autres mâles — et dans les pays méditerranéens les combats sexuels des grillons sont un spectacle recherché.

Chaque grillon possède son terrier et se place devant pour jouer de son crincrin. Quand deux grillons dont les territoires se chevauchent se trouvent en présence, commence une joute sonore qui ne tarde pas à devenir plus belliqueuse. Dans certains marchés campagnards en Italie, on peut encore assister actuellement à des combats de grillons. Deux mâles sont enfermés

(1) Ceci est à ma connaissance le premier et unique cas où un animal d'un embranchement ait réussi à établir une communication (bien qu'elle soit d'une cordialité douteuse) avec un animal d'un embranchement différent, dans un langage compréhensible aux deux.

dans une cage d'où ils ne peuvent s'échapper. En Chine, ce genre de combat est apprécié depuis dix siècles tout comme les poissons combattants en Thaïlande. Dans un contexte bien caractéristique du XXe siècle (nous voici loin du « grillon du foyer »), nous retrouvons le chant du grillon dans l'industrie moderne. La fréquence des vibrations produites par les ailes du grillon est proportionnée à la température ambiante. Dans les lits catalytiques employés à convertir l'huile lourde en essence riche en octane, on utilise ce qui est appelé un « grillon mécanique », signal sonore à fréquence variable, branché sur le servomécanisme et lui faisant maintenir la température à un niveau optimum.

Le criquet migrateur (la locuste biblique) entend et émet des vibrations d'une fréquence beaucoup plus élevée que le grillon. Le son produit par le grillon avec une force moyenne ne dépasse pas 10 000 cycles à la seconde, le criquet lui, perçoit des vibrations de 45 000 cycles. Le seuil de perception est tel qu'un grand criquet peut en entendre un autre à quarante mètres de distance et à l'époque des migrations il peut reconnaître le son d'un nuage de criquets passant au-dessus de lui et le rejoindre. Comme dans le cas des noctuelles, il ne réagit qu'à une certaine fréquence sonore. Les enregistrements des réactions des fibres nerveuses aux impulsions sonores ont démontré que les conséquences sont les mêmes quelle que soit la hauteur du son. Les réactions de comportement dépendent de l'intensité sonore, mais non de sa tonalité.

Le tympan d'un insecte possède les qualités inhibitrices ou contrastantes classiques, déjà observées dans l'œil composé. Un son constant provoque un branchement nerveux et les bruits environnants sont alors supprimés. Autrement dit l'insecte alerté a la possibilité de se concentrer sur ce qu'il veut, ou a besoin d'entendre. Chez la sauterelle le tympan peut facilement être aperçu sur les côtés du premier segment des pattes postérieures. Les sauterelles diffèrent des criquets, leur « chant » est le résultat du frottement de leurs « cuisses ». C'est en s'appuyant sur leurs pattes antérieures, sur leurs « mains », qu'elles dressent les pattes arrière jusqu'à ce que le fémur racle une rangée de dents de peigne rigides sur le côté des ailes. Cette action provoque le son que l'on entend l'été dans les champs. Quand la sauterelle saute, le son est différent, il est provoqué par le claquement des élytres contre les ailes plus délicates se trouvant en dessous.

La katydide, sauterelle verte d'Amérique, est une musicienne plus subtile. Elle peut, en effet, varier le rythme de son chant et surtout l'amplifier considérablement. Le son est produit en frottant l'une contre l'autre la bordure de ses ailes découpées en dents de scie. A la base de chaque aile se trouvent les minuscules amplificateurs (moins de deux millimètres de diamètre) en chitine, cette matière plastique universelle dont disposent les insectes. Ces membranes plus fines que le plus fin papier, produisent une amplification permettant au son d'être perçu à plus de 1 500 mètres de distance. La marine américaine s'est servie du même principe pour construire ses amplificateurs. En laboratoire on est parvenu à transformer le chant normal à deux temps des katydides, en leur faisant écouter un chant semblable, à trois et même quatre temps. Au-dessus, les katydides ne parviennent plus à suivre et quand leur professeur électronique atteint un rythme à sept temps, elles boudent et ne veulent plus chanter du tout. (Ce processus constitue un barrage infranchissable pour tous les hommes de science essayant d'enseigner un animal ou même un enfant.)

La cigale, lorsque l'été est chaud, est l'animal le plus bruyant de la nature. Elle possède des résonateurs qui font vibrer des muscles formidables et un système d'amplification plus proche de celui de la grenouille-taureau que celui de la délicate sauterelle.

Ces organes sonores sont de petites cavités de chaque côté de l'abdomen sous les ailes. Deux plaques, qui peuvent être levées ou baissées pour contrôler le volume, s'y adaptent. Les résonateurs, membranes tendues comme des peaux de tambour, sont dans ces cavités avec l'amplificateur, membrane repliée ou « miroir », et un tube permettant l'entrée de l'air. Sous le contrôle des muscles les résonateurs se mettent à vibrer, agitant l'air de la cavité. L'air se répand dans la membrane repliée et rebondit contre le miroir ce qui intensifie ses vibrations. Les plaques s'ouvrent alors libérant le terrible crissement métallique rythmant les migraines de vacances et rappelant à tous qu'août est le mois le plus bruyant et le plus chaud. Mais la cigale a mérité ces quelques semaines de chant d'amour. Il lui a fallu attendre de une à dix-sept années dans la terre, et laisser derrière elle de nombreux exosquelettes, avant de pouvoir émerger dans la lumière, la chaleur et le bruit.

Dans le cas des moustiques et cousins le son est produit par une feuille vibratile spécialisée se trouvant à la base des ailes. Il y a trois sons de base.

Un son d'irritation, quand le moustique n'est pas parvenu à vous piquer par exemple. Puis l'appel au secours et le dernier, employé seulement par les mâles et qui, amplifié, ressemble au sifflement admirateur suscité par l'apparition d'une jolie fille ; il possède dans le cas du moustique la même signification. Quand une femelle entend ce son chromatique, elle sait qu'elle possède un flirt.

Les ingénieurs d'acoustique ont été intéressés par ce procédé très sélectif, en effet la communication entre moustiques mâles et femelles peut se produire au centre d'une ville bruyante. Apparemment la courbe sonore est très distincte, et sitôt entendue le processus inhibiteur est mis en action et *seule* cette courbe est désormais perçue, du moins jusqu'à ce que le couple ait fait connaissance.

H. Bennet-Clark et A. Ewing de l'université d'Édimbourg ont consacré une grande partie de leur temps à une activité peu romantique, la communication entre les sexes chez la *Drosophila*, la célèbre et toujours fidèlement étudiée mouche du vinaigre. On a tellement usé et abusé de cette espèce dans les laboratoires qu'il est réconfortant de voir des chercheurs s'intéresser aux drosophiles non plus en les bombardant de rayonx X pour provoquer des mutations mais simplement pour observer leur vie amoureuse.

Comme chez les moustiques l'appel amoureux est exprimé par une vibration des ailes, excepté chez certaines espèces où la position d'aile du mâle se révèle plus importante que le son. En effet, la *Drosophila obscura* n'a aucun chant et fait sa cour uniquement par la position de ses ailes. La femelle de cette espèce se doit de posséder une excellente vision, il ne s'agit plus d'ouïr le sifflement admiratif ou d'écouter le luth d'un troubadour. La seule réaction donnant des résultats sera « j'aime l'allure de ce gars-là ! »

Ce mode de flirt demande une certaine concentration de drosophiles. Ce n'est pas comme chez les phalènes où la femelle peut déceler chimiquement le mâle à des kilomètres de distance, ici il est nécessaire d'être suffisamment proche pour voir.

La technique principale de l'appel amoureux, pour cette immense famille d'insectes, est téléphonique (1). Typiquement le mâle fait les avances (par

(1) Chez les espèces inférieures animales, et ceci constitue un grand mystère biologique, la *qualité du son* est liée à la pureté de l'espèce. C'est comme s'il ne pouvait exister d'accouplement possible entre un Européen et une Asiatique, uniquement par le fait qu'ils ne possèdent pas (du moins initialement) de langage commun.

des vibrations particulières des ailes). La femelle perçoit la lascive proposition par une partie spécifique de ses antennes comportant une projection duveteuse très sensible. Si c'est une femelle non réceptive, adhérente du mouvement de libération des femelles, ou trop jeune, ou déjà fécondée, ou d'une espèce différente, elle produit un contre-chant d'une rudesse rappelant les accents d'une marchande de poissons à la criée. Dans certaines espèces la fréquence est de 300 cycles par seconde et pour une raison inconnue, cette fréquence provoque la fuite précipitée du séducteur, paniqué.

Si la femelle abandonne les idées de Lysistrata, et se trouve d'humeur à accroître son espèce elle devient très attentive. Dans certains cas elle ne réagit qu'à un véritable déferlement de vagues sonores ailées qui quelquefois atteint 115 décibels (climat sonore de la chevauchée des Walkyries).

Certaines espèces, presque impossibles à identifier par leur aspect, possèdent des chants d'amour aussi différents que « Monte là-dessus » l'est de Mozart. Ainsi c'est le style musical qui évite ici les hybridations. Il existe une exception. Deux espèces proches de drosophiles possèdent un appel amoureux presque identique et très curieusement semblable aux premières mesures du célèbre charleston « Yes, sir, that's my Baby ». L'hybridation serait donc possible sur ce rythme syncopé si une des espèces ne vivait en Amérique du Nord et l'autre dans l'hémisphère sud.

Que s'efforce de faire, ici, l'évolution? Pourquoi cette énorme quantité d'espèces de mouches fondamentalement similaires, puisque souvent les espèces se distinguent *uniquement* par leurs différents chants d'amour? Ceci peut paraître procéder d'une mauvaise taxinomie. Chez l'homme elle ferait appartenir les admirateurs de rock'n roll et les admirateurs de Beethoven à des espèces différentes. Le point crucial est que pratiquement toutes les espèces de drosophiles sont mutuellement infertiles, ce qui n'est pas le cas des partisans du rock et de ceux des concerts symphoniques.

La drosophile emploie ce signal amoureux ou cette position d'aile, pour exprimer une provocation sexuelle. Ce n'est pas un symbole mais une identification. « Je suis une drosophile du type *Pseudoobscura*. Si vous êtes femelle de cette même espèce, prenons rendez-vous! » Le mâle peut adresser ce message à sa propre sœur. L'invention humaine de la communication symbolique par laquelle on est à même de *traduire des idées* du français en swahili en usant de signes ou même d'expressions de visages et de gestes, et surtout la presque universelle horreur de la consanguinité, nous ont permis de demeurer une espèce énorme. Tandis que la drosophile écarte toutes possibles hybridations et maintient au moins deux mille espèces (mille rien qu'à Hawaï) uniquement en faisant varier l'appel amoureux.

Bien que les insectes ne communiquent pas entre eux en modulant les fréquences sonores, il est intéressant de souligner que les fréquences isolées qu'ils utilisent sont souvent très proches des tons purs. Les musiciens ont remarqué que la mouche domestique bourdonne dans une tonalité d'un pur fa de l'octave moyenne, faisant battre ses ailes 21 120 fois par minute. Mais si le temps se rafraîchit le bourdonnement peut descendre à mi.

Les possibilités d'écoute et de phonation des fourmis et termites demeure un sujet de querelles, mais ils semblent bien posséder des systèmes d'alarme sonore. Une colonie de termites peut vaquer à ses activités réglementées avec calme mais si une ouvrière ou un soldat est dérangé, pour une raison obscure une sorte de sonnette d'alarme semble se déclencher. Les activités cessent et la caste militaire va enquêter jusqu'à ce que tout soit prouvé normal. Si une souris s'introduit dans une fourmilière, une stridulation retentit et l'envahisseur ne tarde pas à rebrousser chemin en se trouvant en face des mâchoires solides des soldats. La source de cette faible mais audible stridulation a pu être détectée chez les fourmis *Myrmicinae*. La partie arrière de l'abdomen frotte un grattoir situé sur l'autre segment.

Comme c'est le cas pour les araignées et les crustacés, ces fourmis (surtout celles de l'hémisphère occidental) sont beaucoup plus sensibles aux vibrations dans le sol qu'à l'air libre. La fourmi ne peut pas détecter une vibration dépassant 15 000 cycles à la seconde, ce qui est compréhensible puisqu'un son d'une fréquence plus élevée se désintègre dans le sol et donc ne pourrait être entendu à une profondeur suffisante pour conserver quelque utilité. Le son produit par les fourmis peut être articulé en pulsions entrecoupées de pauses et donc peut constituer un langage primitif.

Certains sons produits par les insectes sont dus à leur activité et peuvent n'être pas perçus par eux. Quelquefois ils sont distinctement perçus par les oreilles humaines. Par exemple les vrillettes creusant leurs tunnels dans le bois provoquent un petit bruit régulier qui peut être entendu dans les vieilles maisons. Nos ancêtres les écoutaient la nuit (principalement dans les poutres) quand tout est calme. Ces insectes ont une grande longévité et peuvent se faire entendre pendant de longues années.

Les expériences faites aux États-Unis sur le langage sonore des abeilles se sont révélées aussi fascinantes que la découverte originale de Karl von Frisch de la danse frétillante. Harald Esch s'est joint au groupe de von Frisch en 1960 et son premier travail a été de construire une abeille artificielle pouvant mimer exactement la danse d'une ouvrière adulte rentrant à la ruche avec une pleine récolte de pollen et de nectar.

Les véritables abeilles ont manifesté un grand respect envers le petit robot, ont suivi avec grand intérêt sa danse, mais n'ont pas quitté la ruche. Un élément du message manquait. Comme Hans Antrum a prouvé depuis longtemps que l'abeille a la possibilité de détecter les sons par ses pattes (elle est à même de capter les vibrations les plus minimes du rayon sur lequel elle se trouve. Elle peut réagir à des déplacements de 1/13 000 000e de millimètre). Esch en a conclu que son robot manquait de manifestations vibratoires. Il étudia donc le retour et comportement de quinze mille « danseuses silencieuses » qui oubliaient ou n'étaient pas à même de transmettre la partie sonore du message.

La première abeille artificielle de Esch à être pourvue d'un haut-parleur fut condamnée pour espionnage par les abeilles réelles, et exécutée. Esch avait oublié de prendre en considération le temps nécessaire aux auditrices pour « répondre ». L'abeille relatant son message fait des pauses pendant que les ouvrières frottent leurs antennes pour signifier « on a compris ». La messagère fait une pause supplémentaire ensuite pour leur permettre de sentir le nectar. Autrement dit le son sans la danse s'avère tout aussi incompréhensible que son contraire.

Apparemment l'évolution des abeilles pratiquant chant et danse atteint son point culminant dans la famille des Apidés. Si l'on regarde à un niveau plus primaire on trouve le bourdon, animal borné, n'ayant pas réussi à découvrir de moyens de communications. Dans l'espèce *Trigona*, les butineuses créent une piste odorante qui leur permet de guider un groupe d'autres butineuses jusqu'au nectar. L'espèce *Malipone* produit quelques signaux sonores pour signifier à quelle distance se trouve la nourriture, tandis que dans l'espèce *Apis*, plus douée, la distance et la direction sont indiquées. L'abeille sans dard du Brésil ne danse pas, mais communique par des sons et fournit des échantillons de sa récolte. Elle effectue une série de faux départs pour indiquer la direction de la nourriture et la distance (qui peut être de plusieurs centaines de mètres).

Esch fournit une explication plausible de la manière dont ces comportements se sont échafaudés. Même un insecte aussi primitif qu'un papillon de nuit, quand il se pose, se balance d'un côté et d'autre rythmiquement sur ses pattes. La durée de ce balancement étant liée à celle du vol qu'il vient de faire. C'est la réaction à un besoin physiologique de base et chez l'abeille hautement développée, la danse frétillante pourrait avoir commencé en tant que réflexe physique, pour se transformer ensuite en symbole riche de significations. Au niveau le plus primitif, le problème de la direction se trouve résolu grâce à la butineuse guidant ses compagnes vers la source de nourriture qu'elle vient de découvrir, comme cela se pratique chez certaines fourmis. Éventuellement, en une chaude journée d'été, même l'abeille peut régresser à un stade de message semi-direct. Elle accomplira la danse frétillante sur une surface horizontale devant la ruche, dirigeant sa marche vers la *réelle* direction du nectar et battant des ailes comme prête à s'envoler. Esch découvrit ceci en transformant les conditions de vie des abeilles de telle sorte que les messages symboliques ne puissent plus être utilisés (en construisant la ruche sur cadres horizontaux sans laisser subsister aucune verticale sur laquelle les butineuses puissent monter). Alors, les abeilles ont instinctivement recours à un mode de communication plus fruste et comme les abeilles du Brésil, elles indiquent la distance par des sons, abandonnant les renseignements directionnels.

Les sons indiquant les distances sont des basses fréquences de 250 cycles par seconde. L'abeille émet une série de sons durant chaque trajet en ligne droite de la danse frétillante, la durée habituelle de la série sonore, et également le rythme des sons, sont directement liés à la distance accomplie par l'ouvrière de la nourriture à la ruche. Il semble aussi que le nombre de pulsations sonores indique la concentration en sucre de la nourriture découverte. (Les *Apis* n'ont pas de temps à perdre à distribuer des échantillons.)

En plus de chants et danses fournissant des renseignements sur la nourriture, les abeilles d'un même essaim échangent beaucoup de sons distincts, certains étroitement reliés à l'autocratie féminine. Le son plein et harmonieux de la ruche en été est produit par les ailes des ventileuses renouvelant l'air échauffé. Ce son a une fréquence de 250 cycles par seconde, il est riche en harmoniques et se trouve amplifié par la résonance des cadres sur lesquels sont posées les ventileuses. Quand un intrus telle une fourmi pénètre dans la ruche, les gardiennes ont un mouvement de retrait comme les chiens de garde et émettent de petites explosions sonores toutes les deux ou trois secondes pendant une dizaine de minutes. Ces aboiements d'abeilles sont-ils perçus par les fourmis ? Cela dépend probablement de la proximité des fourmis et surtout si elles se trouvent sur le même cadre de cire que la gardienne. Quand la ruche est secouée par un coup de vent ou un oiseau maladroit, la réaction collective de certaines des gardiennes produit un bourdonnement ascendant et puissant, suivi par un gazouillis des ouvrières, un ensemble de cris minuscules à une demi-seconde d'intervalle, son complexe sur une vibration fondamentale de 500 cycles par seconde. Ce message semble être l'équivalent de « Mesdemoiselles, du calme ! » En effet un enregistrement de ce gazouillis suffit à apaiser toutes les ruches excitées.

Quand une nouvelle reine entre en fonction, encore vierge, elle entonne un chant guerrier qui lui est propre, mais il est sans doute nécessaire, pour bien comprendre ceci de fournir quelques détails sur les rites barbares et imprescriptibles entourant l'existence des reines.

Une ruche ne peut tolérer plus d'une reine à la fois. Malgré tout, pour éviter tout accident, plusieurs larves royales sont élevées simultanément et de façon si ingénieuse qu'elles n'arrivent pas ensemble à l'état adulte. Quand la reine première-née se sent suffisamment forte pour marcher, elle va visiter les autres cellules royales et tue les larves de son dard (les reines différant en cela des ouvrières, peuvent utiliser leur dard sans se blesser). Souvent, malgré tout, les ouvrières ne permettent pas à la reine de détruire toutes ses rivales. Elles écartent, respectueusement, mais fermement, la reine des dernières cellules royales. Exaspérée, la reine commence alors son chant de guerre. Nuit et jour pendant une semaine ou plus, elle crie. « Je suis votre seule et unique reine, laissez-moi régler leur compte à ces usurpatrices ! » Les « usurpatrices », sitôt leur métamorphose achevée, sont collées, par une substance spéciale, dans leurs cellules par les ouvrières. Elles entendent la reine et font résonner sur un rythme différent, une plainte menaçante signifiant : « Laissez-nous sortir et corriger cette insolente. » Les ouvrières libèrent alors les reines, mais seulement une à la fois. Elles se battent jusqu'à ce que l'une d'elle périsse.

Cette sélection naturelle, qui chaque fois ne conserve que la reine la plus vigoureuse (car dans ce combat, elles n'utilisent pas leur dard), se poursuit jusqu'à ce qu'une seule reine demeure. Elle s'empresse alors, sa souveraineté n'étant plus contestée, de quitter la ruche suivie de tous les faux-bourdons et d'accomplir le vol nuptial. Fécondée, elle rentre pour accomplir son destin de mère recluse et omnipotente.

Le mode de communication est ici uniquement émotionnel, mais il est très important pour les ouvrières qu'il soit, aussi, sonore. Le cri royal manifeste l'existence d'une reine et la réponse des captives prouve qu'elles sont bien vivantes. Si le chant de guerre royal est enregistré et qu'on le fasse entendre à une autre ruche possédant des reines prisonnières, elles répondent immédiatement par leur chant caractéristique que Maurice Maeterlinck comparait à « une trompette argentine et lointaine ».

Un essaim prudent (et nous entendons par essaim la sagesse communautaire instinctive des ouvrières) conserve quelque temps une larve royale en réserve. En effet, certaines reines particulièrement dynamiques quittent la ruche accompagnées d'une portion d'ouvrières pour former leur propre colonie, abandonnant la ruche natale aux ouvrières solitaires et désespérées.

Le mécanisme du chant des abeilles a été maintes fois discuté. Il existe plusieurs théories. La première, séduisante, est que les abeilles rejettent l'air par les stigmates (entourant les poumons) en les manipulant comme le sac d'une cornemuse. Malheureusement cette théorie ne résiste pas aux vérifications. La fréquence reste identique si l'on substitue de l'hélium à l'azote contenu dans l'air de la ruche (la fréquence d'un son varie avec la densité du milieu où s'exercent les vibrations). Un astronaute parlant dans une atmosphère d'oxygène-hélium a une voix rappelant celle de Donald Duck.

La théorie communément acceptée est que la source sonore se situe au niveau des petites plaques se trouvant à la base des ailes. Si l'on sectionne une partie de l'aile d'une abeille, la fréquence sonore augmente tandis que le son est étouffé en proportion de la partie d'aile sectionnée. Les abeilles n'*entendent* pas les vibrations de l'air. Leur système acoustique, comme chez les araignées et les fourmis, se trouve dans leurs pattes. La reine ne réagit au son que lorsqu'il est retransmis par des vibrateurs se trouvant dans la ruche. Malgré tout, les ouvrières peuvent percevoir aussi par l'extrémité de leurs antennes, mais uniquement quand le son est suffisamment proche pour permettre le contact direct. Les ultimes recherches sur le langage des ouvrières, rejettent la communication sonore dans les messages concernant les sources de nourritures. Le recrutement se ferait uniquement par l'odorat et l'imitation directe. Esch et von Frisch admettent pourtant que « lorsque les abeilles sont d'une humeur adéquate », elles emploient les communications symboliques dont nous avons parlé.

Pendant longtemps on a cru que les poissons ne possédaient aucune forme d'audition ; lorsqu'on tire un coup de feu à côté d'un aquarium, ils ne battent même pas des paupières. Les poissons ne peuvent pas entendre les sons propagés dans l'air, mais ils entendent parfaitement les sons aquatiques et, bien que ne possédant aucun système spécifique sonore comme les sauterelles ils sont toujours à même de manifester leur présence. Si vous submergez un hydrophone (microphone aquatique) dans une région poissonneuse, vous entendrez toute une gamme de grognements, claquements, raclements et même quelquefois, quand certaines espèces se trouvent en disposition de bavardage, une surprenante rumeur de basse-cour. L'appareil auditif du poisson — premier des vertébrés — est initialement le nôtre. Anatomiquement notre oreille dérive de l'ouïe (sans calembour) devenue inutile hors de l'eau. Embryologiquement, le tympan des mammifères provient du tissu des branchies tandis que l'étrier (l'os qui transmet les vibrations du tympan à l'oreille interne) est en parallèle embryologique avec l'os hyoïde articulant la mâchoire à la tête des poissons.

Le poisson, dans les premiers stades de son évolution, développa probablement l'audition en tant qu'organe d'équilibre. Les requins, possédant de larges canaux semi-circulaires, peuvent directement, à travers le crâne, percevoir les ondes sonores dans la partie postérieure de l'oreille interne. Il n'existe rien de comparable à l'oreille externe humaine ni à la très élaborée oreille moyenne. La plupart des poissons entendent virtuellement avec tout le corps. Pour les sons de basse fréquence et de même longueur d'onde, comme par exemple les vibrations d'un moteur de sous-marin, le poisson possède un système de pores qui s'étend à travers la peau et les écailles. Sur la tête les pores se prolongent par des tubes appelés céphaliques, tandis que

sur les flancs, ils s'appellent lignes latérales. L'ensemble de ce système est pourvu de minuscules organes réagissant aux changements de pression de l'eau. Ces organes sont pourvus de nerfs se prolongeant jusqu'au cerveau. Quelquefois, cette « écoute corporelle » peut être développée, comme c'est le cas pour la carpe ou le poisson-chat qui possèdent une ouïe excellente, grâce à de minces vésicules remplies d'air et reliées à l'oreille interne par une chaîne de petits os.

Les sons produits par les poissons et les autres animaux aquatiques ont énormément intéressé la marine américaine. En effet, elle ne souhaite pas que ses détecteurs sous-marins se trouvent mystifiés par les sons provenant des poissons ou des tortues marines ou même par le claquement produit par les crevettes. Dans ce but, la marine a subventionné la réalisation de nombreux enregistrements des sons du monde sous-marin.

Les poissons ont de nombreuses manières de produire des sons. En expulsant, par exemple, de l'air par le canal conduisant à la vessie natatoire, ils produisent un bref grognement ; l'air est habituellement expulsé par la bouche, mais chez les loches asiatiques c'est par l'anus. Certains Callionymes produisent des stridulations ou des bruits de friction, comme les insectes. Lorsqu'ils font vibrer l'extrémité de leurs ouïes contre les côtés de la tête, lls produisent une sorte de bourdonnement qui, peut-être, a une signification plus importante que « voici un callionyme ». Les maquereaux, les poissons-lunes et certains balistes emploient leur denture pharyngée, se trouvant dans l'arrière-gorge, pour produire des séries de grincements de dents. La baudroie à l'aide de sa vessie natatoire, arrive à produire une sorte de sifflement grave comme un steamer miniature. Certains balistes possèdent une membrane tendue juste derrière les nageoires pectorales et au-dessus de la vessie natatoire. Quand ils agitent rapidement les nageoires d'avant en arrière, les rayons jouent le rôle de baguettes et la membrane vibre exactement comme une peau de tambour, la vessie natatoire jouant le rôle de résonateur. Chez certains poissons-chats d'Amérique du Sud, la vessie natatoire est compartimentée et les quatre premières vertèbres sont modifiées en une sorte de ressort. L'une des extrémités rejoint la fin de la vessie près des branchies et l'autre atteint les muscles puissants se terminant à l'arrière de la tête. Ces poissons sont à même d'articuler un code sonore particulièrement riche en faisant vibrer le ressort et les muscles, la vessie natatoire servant d'amplificateur. Un des membres de ce genre, le *Galeichthys*, doit être un excellent orateur car, en plus de ce tambour variable, il peut produire par stridulation une sorte de miaulement. Ce poisson possède une nageoire pectorale épineuse mobile, qu'il peut bloquer vers l'avant, en une attitude de défense ou d'attaque, en se retournant dans le sens opposé aux aiguilles d'une montre. Ce procédé est silencieux, mais le déblocage, qui consiste à pivoter dans l'autre sens, produit un miaulement très net, tel que pourrait le pousser un matou enroué, et signifie apparemment : « Je vous ai bien eu! »

Comme l'étude systématique des bruits produits par les poissons est très récente, les sons et les comportements qui y sont associés n'ont pu être étudiés que parmi les petites espèces élevées en aquarium. Il est difficile d'expliquer la manière dont les sons sont produits chez les petits poissons, mais en règle générale, les sons de basse fréquence (de 300 à 500 cycles par seconde) sont produits à l'aide de la vessie natatoire ; tandis que les sons au-dessus de 3 500 cycles à la seconde sont produits par différents procédés de friction (stridulation). Dans la famille des Cichlidés le cri d'avertissement, « Br-r-r-r- » (basse fréquence) est associé au comportement d'agression, la fréquence augmentant dans la mesure où la dimension du poisson signalé décroît. Habituellement, le mâle a la voix plus grave que la femelle. Quand elle garde les œufs ou les alevins, elle poussera son minuscule grognement avant d'attaquer un intrus. Elle produira le même son pendant la période de cour amoureuse quand elle défend agressivement son territoire contre le mâle qui s'efforce de la mordre.

Il est probable que l'objectif le plus important d'un petit poisson, susceptible de devenir la proie d'un grand nombre d'espèces, est d'être parfaitement silencieux. Les poissons nagent avec une absence de sonorité provoquant la stupéfaction des ingénieurs d'hydraulique. Jamais jusqu'à présent, il n'a été possible de concevoir un mécanisme se déplaçant dans les eaux avec autant de tranquillité! Cette possibilité est innée chez tout animal marin et ne peut probablement pas être artificiellement imitée. Nous nous en approchons dans les mouvements de la nage ; malgré tout, les évolutions de l'ondine la plus expérimentée paraissent une agitation brouillonne comparée aux mouvements d'un requin.

Le requin peut détecter la source de sons de basse fréquence à deux cents mètres de distance, à l'aide de la ligne latérale de cellules qu'il porte sur les flancs. Généralement, les poissons dont il fait sa proie ne produisent pas un bruit suffisant pour être détectés, ils se signalent à leur énorme prédateur quand ils se disputent entre eux ou lorsqu'ils fuient devant un autre ennemi. Les sons se propagent alors en rafales, et en une fréquence aisément perçue par le requin (il perçoit une bande de 7 à 400 cycles par seconde). Ces mêmes vibrations attirent d'autres pirates de l'océan tels que barracouda, brochet et épinéphèle. Aucun poisson n'est attiré par les hautes fréquences sonores telles que le sifflement de la tortue marine ou le chant aigu de la baleine blanche.

Quand l'évolution donna aux vertébrés le signal de l'abandon des mers, certains changements durent se produire. L'air en effet n'est pas seulement un élément transmettant plus lentement les vibrations mais aussi induisant en erreur. Il retentit continuellement du bruit du vent, des stridulations d'une multitude d'insectes qui néanmoins doivent être perçus car souvent ils constituent une intéressante nourriture.

Une particularité anatomique que nous pouvons observer chez tous les vertébrés respirant dans l'air, de la grenouille à l'homme, est que le trajet de l'air respiré croise obligatoirement la route des aliments. La glotte, ouverture en forme de fente dans le fond de la gorge, près de l'œsophage, conduit à une cavité, le larynx qui, à son tour, ouvre sur les poumons. Des barres cartilagineuses supportent le larynx et de ses deux extrémités pendent une paire de membranes horizontales, les cordes vocales. Voilà comment les vertébrés ont commencé à utiliser les propriétés de diffusions sonores de l'air. Si vous possédez un élément producteur de sons, il vous faut également posséder un tympan percevant ces vibrations (bien que chez beaucoup de reptiles cela ait été jugé inutile). Chez les grenouilles et les crapauds, ce tympan est au même niveau que la surface de la tête et il est tendu au travers de l'antique fente des branchies (les évents des cétacés), devenant chez l'homme, la trompe d'Eustache.

Les différents coassements de la grenouille sont principalement les appels sexuels du mâle (pratiquement toutes les grenouilles femelles sont muettes), mais ils ont aussi des raisons tribales. La *Rana sylvatica*, grenouille des bois se promenant au hasard loin de ses eaux natales, peut avoir du mal à retrouver sa mare sans les sonores appels de ses camarades lui servant de point de repère. Les grenouilles réagissent seulement aux appels des mâles de leur propre espèce et même n'entendent probablement pas les autres. Donc, à ce degré d'évolution, existe un système pré-codé et pré-programmé ne laissant passer que les communications biologiquement utiles. Autrement dit la grenouille, non seulement voit seulement ce qu'elle désire voir, mais aussi n'entend que ce qu'elle veut entendre.

Les oreilles des reptiles sont une étape intermédiaire entre celles des poissons et celles des mammifères. L'oreille interne présente le moins de changement. Les canaux semi-circulaires sont là, mais ils possèdent une structure différente. C'est dans une petite bosse circulaire que sont contenus tous les organes nerveux de l'ouïe. Chez les reptiles, comme chez les amphibies, l'oreille moyenne ne contient qu'un os : la columelle qui transmet les vibrations du tympan à l'oreille interne.

Les crocodiles et certains lézards sont les seuls reptiles, actuellement vivants, à même de percevoir les sons aériens. Les tortues ne possèdent pas d'ouïe. Le serpent n'a rien qui puisse jouer le rôle d'oreille externe non plus que de tympan, mais l'oreille interne est développée et il entend probablement assez bien les sons propagés par le sol comme le font les fourmis. Comme tous les serpents sont sourds aux vibrations de l'air la superstition absurde des charmeurs de serpents se trouve amplement démontrée. Les Indiens charmeurs de serpents ne sont détenteurs d'aucun secret de sonorités spéciales, ils agissent par le balancement latéral de leur corps et le mouvement de leur flûte. Le reptile, animal sensible, a simplement tendance à imiter cette danse.

Bien qu'humainement parlant les serpents soient sourds, certains sont à même de produire des sons qu'ils n'entendent jamais mais dont le rôle est de terrifier leur proie ou leurs ennemis. De ce nombre sont le serpent à sonnettes et la vipère *Echis carinatus* qui, en colère, émet un son semblable à l'eau bouillant avec violence. Ce son curieux est produit par le frottement de ses écailles lorsqu'elle se gonfle et se love en huit, prête à l'attaque. Certaines familles de serpents mangeurs d'œufs produisent un son d'intimidation par le même processus. Les oiseaux s'enfuient dès qu'ils l'entendent.

Les lézards ne possèdent aucune sensibilité aux vibrations de l'air mais la plupart d'entre eux présentent les signes d'une oreille externe. Le gecko a un cri qui correspond exactement à son nom et tous les membres de cette famille peuvent, au moins émettre un faible « couic » que l'on suppose être leur appel amoureux. Les crocodiles eux, sont bruyants. L'alligator pousse son premier cri encore à l'intérieur de l'œuf, une sorte de « oumph ». Lorsqu'ils sont effrayés, les adultes émettent un râle au puissant vibrato, très caractéristique. A la saison de l'accouplement, le mâle mugit ou grogne et même, dans certaines espèces, aboie comme un dogue.

Chez la plupart des oiseaux, l'oreille interne rappelle celle du crocodile, ce qui n'a rien d'étonnant lorsqu'on songe à leur origine commune. Les sons perçus par l'oiseau ne représentent pas une bande de fréquences aussi étendue que celle que peut entendre un mammifère, mais l'oiseau est sensible aux plus légères vibrations de l'intensité sonore. Il peut également entendre et réagir dix fois plus vite que l'homme aux rapides successions sonores du chant d'un autre oiseau ou d'un insecte.

La perception des jeunes oiseaux est d'une remarquable précision et leur permet d'apprendre et d'imiter le cri de leurs parents. Seul le spectrogramme montre à quel point la complexité et l'intrication du dessin sonore sont reproduits dans tous leurs détails. Malgré le peu d'étendue de la bande de fréquence perçue, la spécialisation selon l'espèce ou l'âge se révèle toujours adéquate. Par exemple, les poussins entendent le gloussement grave (100 cycles par seconde) de leur mère, la poule est extrêmement sensibilisée aux pépiements de ses petits (plus de 3 000 cycles par seconde).

La localisation de la source sonore est, bien entendu, aussi importante pour l'oiseau que pour l'insecte et cette fonction une fois encore, est remplie par la position des oreilles de chaque côté de la tête. Ce n'est pas seulement le moment de l'arrivée, mais l'intensité et la *phase* sonore (la forme instantanée de l'onde) qui importent pour localiser la source du son. Chaque fois que cela est possible, l'animal emploie ces trois moyens. La différence d'intensité perçue par les deux oreilles est le moyen le plus efficace dans le cas des hautes fréquences, surtout quand les ondes sont plus courtes que la tête elle-même et que l'effet d' « ombre-sonore » est considérable. La localisation par la phase est la plus efficace quand il s'agit d'ondes plus longues. Quant à la localisation au moyen de la différence du moment de l'arrivée sonore, elle ne peut être utile que lorsqu'il s'agit de fréquences transitoires comportant des discontinuités abruptes, leur durée devant être comparée d'une oreille à l'autre. Un oiseau ne peut pas (un homme non plus d'ailleurs) localiser par ce moyen le long sifflement d'une sirène d'usine. Le genre de signaux aisément perçus par les oiseaux sont ceux correspondant à la fois aux trois méthodes de localisation que nous venons d'énumérer. Ils doivent être répétitifs et d'une bande de fréquence large, ce qui constitue les caractéristiques de la plupart des cris animaux.

Chez beaucoup d'oiseaux, les deux orifices acoustiques diffèrent légèrement d'emplacement et de diamètre. Il est évident que cette asymétrie a pour but de faciliter la découverte de l'origine précise des sons mais de quelle manière, cela nous l'ignorons. Dotés de ces mêmes orifices les oiseaux de nuit comme la chouette possèdent de très vastes tympans. Leur tête large constitue un avantage. Une chouette peut localiser une souris dans l'obscurité complète. Au cours d'une expérience, une souris se déplaçant dans un tas de feuilles mortes à l'intérieur d'une chambre noire fut attrapée et dévorée dans treize essais sur dix-sept. Si, à l'aide de filtres sonores spéciaux, on supprime tous les sons dépassant 8 500 cycles par seconde, la chouette manque constamment la souris. Quand on supprime les sons jusqu'à 5 000 cycles par seconde, elle ne quitte même pas son perchoir.

Le système acoustique simpliste de l'oiseau n'est pas inhabituel dans le royaume animal, mais la façon dont il fonctionne est unique. L'évolution a doté l'oiseau d'un lieu spécial de phonation, dans une sorte de boîte appelée syrinx située dans la partie inférieure de la trachée (beaucoup plus bas que le larynx des mammifères), à l'endroit où commencent les deux bronches. Cette boîte contient une barre cartilagineuse, le *Pessulus*. L'air venant des poumons, passe à travers la syrinx et fait vibrer le *Pessulus*. Chez les cygnes, la trachée est très longue et enroulée à l'intérieur du bréchet, elle joue le même rôle que le tube en spirale du cor anglais.

Il y a quelque chose de mystérieux dans la variété exubérante et subtile des chants d'oiseaux, comparée au mutisme, ou au vocabulaire de grognements, de leurs cousins en évolution, les reptiles. Quel intérêt le perroquet a-t-il à pouvoir imiter le chant d'autres oiseaux ou le mainate à imiter la voix de l'homme au point de s'y méprendre? Certains chants d'oiseaux apportent bien entendu des chances de survie à ceux qui les pratiquent.

Il est possible d'apprendre aux oiseaux nidifuges (c'est-à-dire qui naissent prêts à affronter leur environnement et n'ont pas besoin de rester de longs jours, bec ouvert, dans un nid) à reconnaître un son alors qu'ils sont encore dans l'œuf. Cet art est appelé « l'empreinte auditive prénatale ». Sitôt nés, ils grimperont immédiatement vers la source du son qu'ils ont entendu pendant la couvaison, que ce soient les gloussements d'une poule ou un professeur jouant du saxophone.

En plus de ces provocants « cocorico » (probablement une affirmation de suzeraineté territoriale ou un statut sexuel) le coq possède plusieurs cris d'avertissement dont bénéficie la basse-cour. Les « Gogogogogoc » signifient danger sur la terre (un homme, un renard) tandis que ses « Rrrraa, Rrrraa » préviennent d'un danger dans les airs (en général un faucon, mais cela peut être également un avion à réaction). Le moineau fait « chip, chip, chip », pour signaler l'approche d'un corbeau ou d'un homme (curieusement ces animaux sont identifiés en tant que représentants des mêmes dangers), mais quand il aperçoit un milan ou un faucon il pousse un « Ziiiii » désespéré qui provoque la fuite de *tous* les petits oiseaux, moineaux ou autres, vers un abri.

Chez beaucoup d'oiseaux vivant en colonie, la réaction dépend *de qui* vient l'avertissement. Par exemple, chez les mouettes si l'oiseau *alpha* donne le signal de danger, les oiseaux deviennent attentifs, mais ils ne font pas entièrement confiance à cette recommandation. Mais quand la mouette *beta* pousse le même cri, ils s'envolent tous instantanément. Les poussins nouveau-nés du coq de bruyère se précipitent vers leur mère dès qu'elle lance son « Brraïb, Brraïb » d'appel, mais ils se figent sur place quand elle pousse le cri d'alarme. Chez le moineau des villes, il existe une persistance intéressante des appels de l'enfance durant la vie adulte. Le même type d'appel est employé pour appeler les oisillons, pour inviter la femelle au coït et pour le remplacement au nid (la mère dit au mâle « c'est à ton tour de garder les enfants »). Ainsi, comme dans la langue chinoise, la signification d'un son donné est étroitement liée au contexte.

L'importance critique de cette communication sonore, dans la vie parentale des oiseaux nidifuges, est démontrée quand des dindes, rendues sourdes, tuent leurs petits sitôt sortis de l'œuf. L'agressivité innée des dindes pour tout ce qui bouge sur le sol de leur territoire, est inhibée uniquement par le pépiement des oisillons, libérant leurs sentiments maternels.

Nous avons fait la remarque que pour localiser efficacement une source sonore, l'oiseau aime les sons complexes répétitifs et rythmés. Mais que se passe-t-il lorsque l'oiseau en prévenant ses compagnons et ses petits ne veut pas être localisé lui-même? C'est une précaution élémentaire quand il s'agit de signaler l'approche par exemple d'un faucon. On peut concevoir un son de ventriloque. Un son pur, croissant et décroissant régulièrement sans saccade ni discontinuité, et accordé à un registre intermédiaire entre l'optimum de la localisation et le volume. Un grand nombre de petits oiseaux ont ainsi développé des sons de ventriloque signifiant « Attention, voilà le faucon! »

Deux avertissements traditionnels se trouvent être les mêmes tout autour du monde. L'appel « Chink » révèle l'emplacement du chanteur tandis que le « Siiiiit » le cache. La haute fréquence de ce dernier son prévient la détection par une différence de phase, tandis que le début et la fin brouillés masquent la différence dans le temps en parvenant aux oreilles. Même pour un humain il est impossible de localiser la provenance d'un tel son.

La ventriloquie a été souvent pratiquée et l'est toujours actuellement par beaucoup de primitifs tels que les Zoulous et les Esquimaux. Les mots sont formés de la façon habituelle, mais le souffle s'échappe doucement, retenu par une contraction de la glotte. La bouche est légèrement ouverte. La langue rétractée, son extrémité seule se déplaçant pour former les dentales. La pression de l'air sur les cordes vocales diffuse le son. Cette technique s'employait dans l'Égypte, et tout le bassin méditerranéen ; la Chine et l'Hindoustan. Il est probable que les oracles grecs étaient délivrés par des ventriloques.

Les avertissements mais aussi les communications sonores de toutes sortes sont évidemment un avantage pour un animal actif. Alors que les yeux de l'animal recevant un message sont absolument monopolisés par l'observation du partenaire, l'ouïe, elle, peut fonctionner, même lorsqu'on est en train de picorer, de se rassembler ou de copuler!

Nous avons l'habitude d'être brusquement assaillis de chants d'oiseaux à certaines périodes de l'année. Les différents passereaux, habitués de nos cours et de nos jardins, chantent et défient à tue-tête les intrus de même espèce. Le merle non accouplé, passe dix heures par jour à chanter, neuf heures à dormir et cinq à manger et se promener. Certaines espèces malgré tout ne possèdent pas de voix, par exemple les cigognes, les pélicans et certains vautours. La règle réservant le chant au mâle seulement, est violée par le cardinal, le bec dur et aussi de nombreuses poules tropicales où la femelle chante aussi bien que le mâle quand elle en a envie. Les hiboux, en tant que nocturnes, possèdent une voix forte pour qu'à l'époque des amours ils puissent aisément communiquer dans l'obscurité. Certains faucons et corbeaux n'ont pas de chant d'amour mais tous les corbeaux ont un cri d'alarme et un cri de rassemblement. Il est intéressant de remarquer que les corbeaux français ne réagissent pas au cri d'alarme du corbeau d'Amérique, mais obéissent tous à son cri de rassemblement, qui est en général un signal correspondant au « à table »! des mères de famille. Quand un oiseau devient sourd, il peut continuer à chanter pendant plus d'un an, exactement comme un oiseau normal, mais le tragique réside dans ce que n'entendant plus les cris de ses petits il les nourrit si pauvrement qu'ils meurent de faim.

Pendant de longues années une controverse passionnée opposa les hommes de science : les oiseaux apprennent-ils le cri propre à leur espèce, en imitant leurs parents, ou est-ce un don inné comme chez les poussins qui pépient dès la sortie de l'œuf? La réponse maintenant semble claire et évite les mécontentements : tout dépend des espèces. L'instinct héréditaire peut varier du pipit chez qui rien n'est appris (même s'il éclôt et est élevé loin des siens, éloigné de tous oiseaux, quand son système glandulaire le décide, il se met à chanter comme tous les autres pipits), au susceptible pinson — qui généralement apprend son chant des oiseaux de son espèce — de l'alouette — née avec quelques règles vagues — à la linotte — chez qui les hormones décident simplement à quelle saison il lui faut chanter et qui doit elle-même apprendre tout le reste.

Dans la plupart des cas même les petits possèdent des chants plutôt que des pépiements élémentaires. Le « sous-chant » d'un jeune pinson mâle est tout à fait semblable en signification au cri d'un bébé ne parlant pas encore. Les jeunes bouvreuils apprennent leurs chants en imitant leur père. Un bouvreuil élevé par des canaris apprit le chant des canaris. Quatre ans se sont écoulés et les descendants de ce bouvreuil chantent toujours comme des canaris.

Une des questions que se posent les ornithologues est celle-ci : pourquoi y a-t-il si peu de chants feints ou imités? Si le mainate obtient une souveraineté meilleure en intimidant les oiseaux dont il imite le chant pourquoi tous les passereaux ne sont-ils pas « multilingues »?

Il est à remarquer que les oiseaux capables d'imiter le chant d'autres espèces ne s'emparent que d'une partie du chant. Leur chant est très simplifié et ne signifie jamais plus que « je suis sur cet arbre », « ce domaine est à moi » ou dans le cas d'un couple amoureux, la perte de contact. D'autres chants seront fournis pour le vol, l'attaque ou la pariade. Peut-être faut-il interpréter les sifflements reptiliens des mésanges et torcols en colère comme une imitation d'un dangereux ennemi! Ce chant peut se transformer de temps en temps, même chez une espèce demeurant traditionnellement sur le même territoire. C'est ce qui s'est passé chez la fauvette du sud-ouest de l'Europe. Depuis 1920, un chant d'un nouveau type a été remarqué et se répand ; il consiste en quelques notes brèves, insérées à l'intérieur de l'habituel et révéré motif traditionnel de la fauvette (ce qui, pour un oiseau est aussi grave que d'amalgamer le refrain de « Hello Dolly » au « Chant du Départ »). Cette innovation paraît avoir commencé dans les Hautes-Alpes. J'ai pu moi-même constater, durant les vingt années que j'ai passées dans l'Oklahoma, que le chant des cardinaux qui viennent régulièrement se percher sur mon antenne de télévision ont évolué du « Pritty-pritty-pritty-skoui » traditionnel à un vulgaire « skoui », ce qui constitue à vrai dire davantage une abréviation qu'une transformation.

Chez les oiseaux plus avancés comme la corneille, des cris d'expression courante, les « Kiaaa » et « Kiaaaaou » perçants qui retentissent incessamment près des vieux clochers, sont simplement des réactions émotionnelles primaires, comme les bâillements d'ennui ou les mouvements de sourcils des humains. Pourtant, comme Lorenz l'a souligné, la corneille est peut-être le seul oiseau à avoir incorporé ses cris « expressifs », chez tous les autres oiseaux les sons contenant « expression » ne sont jamais inclus dans les chants traditionnels. Grande exception à la règle de non-communication entre les oiseaux et les humains. Lorenz prétend qu'un vieux corbeau a appris que le cri « Rommh » constituait le cri d'appel pour lui, Lorenz, et que cet oiseau était le premier, depuis l'époque du roi Salomon, à pouvoir utiliser un mot humain dans son contexte adéquat. Une réalisation similaire peut être attribuée à l'aigle couronné d'Afrique qui, si l'on en croit Joel Welty, attire les bébés singes par un doux sifflement, semblable à l'appel de leurs mères, et les emporte vers son aire.

D'un point de vue général, le plus grand développement de l'ouïe dans le domaine de l'audibilité, est atteint dans la classe des mammifères et cela non seulement dans l'air mais aussi dans l'eau. C'est chez l'homme que le développement du langage a atteint le développement biologique le plus complet à l'heure actuelle. Mais ce sont les cétacés qui, dans le domaine de la communication sous-marine, tiennent la seconde place. L'équipement auditif et sonore des dauphins est merveilleusement subtil et spécialisé. Nous allons l'étudier après le système plus simple des mammifères terrestres.

L'oreille moyenne des mammifères primitifs contient une chaîne de trois osselets, située entre le tympan et le limaçon. Cette curieuse et apparemment fantasque organisation, se maintient tout au long des animaux composant la classe des mammifères, à l'exception de ceux qui sont retournés à la mer. L'étude de l'oreille de l'homme — représentant « type » des mammifères, — va nous permettre d'étudier en même temps celle des chats, des chiens, des singes, des lapins et peut-être même des anges. Commençons par l'oreille externe. Le tympan est un instrument extraordinaire qu'il n'a été possible d'imiter que récemment dans les laboratoires.

A certaines fréquences, les vibrations du tympan sont réduites à 1/100 000 000 000e de millimètre (le dixième du diamètre d'un atome d'hydrogène). Aussi minimes soient-elles ces vibrations sont fidèlement transmises par un mécanisme hydraulique complexe à une fine membrane de l'oreille interne qui elle-même transmet au nerf auditif ces vibrations, bien qu'elles aient à ce point atteint un niveau d'amplitude cent fois inférieur. Nous ne savons pas encore exactement comment ces pulsations ultramicroscopiques peuvent stimuler les terminaisons nerveuses. Mais examinons de plus près l'oreille interne.

Donc les osselets transmettent les vibrations du tympan au fluide de l'oreille interne. Le plus intérieur des osselets, l'étrier, pesant 1,2 milligramme, agit sur le fluide comme un piston et lui communique son rythme vibratoire. Les mouvements du fluide font entrer en vibration la membrane basilaire qui transmet les stimuli à l'organe de Corti, structure délicate contenant les cellules terminales du nerf auditif. Quelle est la nécessité d'une telle chaîne de « gadgets » compliqués ? Celle de conserver l'énergie. L'énergie sonore, en effet, est très fugace comparée à l'énergie lumineuse. Les sons, même puissants, sont facilement entravés par les obstacles. Un son est habituellement dispersé en heurtant une surface solide. Pour être efficace, l'oreille doit donc être un récepteur et un transformateur. Les vagues sonores traversant les airs doivent se transformer en vibrations nettes, et de plus faible amplitude. La dimension décroissante des osselets multiplie la force initiale perçue par le tympan.

Une amplification supplémentaire est obtenue par une méthode si ingénieuse qu'il a fallu beaucoup de temps à l'homme pour la découvrir. La membrane basilaire, en contact avec le fluide (ou périlymphe) est tapissée de cellules sensorielles transformant les vibrations acoustiques en signaux nerveux. Une membrane tendue sur l'ouverture d'un cylindre possède une tension latérale tout le long de sa surface. Or, si une pression se trouve exercée sur l'un des côtés de cette membrane, la tension latérale se trouve énormément augmentée et donc également sa sensibilité vibratoire. Ce sont les conditions dans lesquelles fonctionnent la membrane basilaire et l'organe de Corti qui nous permettent de percevoir un murmure ou un souffle de vent.

Relativement peu de mammifères possèdent une vision binoculaire complète et très peu la vision colorée, mais pratiquement tous les mammifères terrestres utilisent leurs oreilles pour localiser les sons. C'est un des buts importants des oreilles et la raison pour laquelle elles se trouvent placées de part et d'autre de la tête, bien que l'évolution ait voulu également qu'elles fournissent le sens de l'équilibre. C'est, avec la vue, un des principaux éléments de la survie d'une espèce, et un animal se trouve en bien plus mauvaise posture s'il perd l'usage d'une oreille que s'il a une patte dévorée ou sectionnée par un piège.

Comme nous l'avons signalé pour l'oiseau et l'insecte, chaque oreille reçoit une organisation sonore légèrement différente et d'une manière qui n'est pas encore complètement élucidée, le cerveau utilise cette différence pour déterminer l'origine de la source de ces vibrations. Une personne étant sourde d'une oreille, tournera instinctivement la tête jusqu'à ce que son oreille active soit en face de la source sonore. Mais s'il s'agit de sons brefs, la même personne sera dans l'impossibilité de savoir de quelle direction ils proviennent.

Les compagnies d'assurance utilisent le test de Stenger pour dépister les fraudeurs désireux de toucher les primes auxquelles ils n'ont pas droit. Une personne prétendant être atteinte d'une surdité de l'oreille droite, entendra les sons émis par un écouteur dans son oreille gauche. Lorsque le même son sera répété dans l'oreille gauche, et émis, plus faiblement, dans l'oreille droite, le simulateur affirmera ne rien entendre quand son oreille gauche, enregistre, en fait, un son identique à la première fois. Ce test simpliste, découvert en 1900, n'a rien perdu de son efficacité et révèle que nous entendons seulement un son simple localisé, et que nous ne comparons pas consciemment les sensations enregistrées par les deux oreilles.

Pendant la Première Guerre mondiale la localisation du bruit des moteurs d'avion devint le sujet de recherches fiévreuses tant de la part de l'état-major allemand que de l'état-major français. Un appareil fut créé. Il détectait la direction d'arrivée des ondes sonores par des différences de 1/10 000ᵉ de seconde perçues par deux récepteurs. Performance dérisoire si l'on songe que l'oreille humaine peut localiser des sons provenant seulement de *cinq* degrés sur la gauche ou la droite, ou de face ou de dos par des différences d'arrivée dans chaque oreille, de 1/4 000ᵉ de seconde.

Comme bien souvent dans le système nerveux intra-crânien, chaque oreille est représentée plus fortement dans l'hémisphère cérébral opposé que dans le sien. Wilder Penfield a découvert, au cours de ses expériences spectaculaires sur le cerveau, que lorsqu'une zone auditive est stimulée, le patient entend des sons. Lorsque le côté gauche du cerveau se trouve stimulé, le patient entend un son fantôme par l'oreille droite et vice versa. L'interaction entre les deux oreilles décroît régulièrement à mesure que l'on s'enfonce vers l'intérieur du cerveau. On peut noter une interaction jusqu'au niveau de l'olive bulbaire, mais arrivé au canal cochléaire, dernier niveau avant l'oreille, il n'existe plus de liaison d'aucune sorte entre les deux oreilles.

Une expérience fut tentée en 1930 sur des chats. Après neutralisation du cortex ces chats étaient toujours à même de localiser les sons. Mais au cours de ces expériences, on accordait un délai de plusieurs secondes aux animaux et il leur était possible de tourner la tête. Il est à présent universellement reconnu que le centre cortical supérieur est nécessaire à la localisation *instantanée* des sons. Ces centres peuvent être chez le chat dispersés dans six zones différentes. Mais le cortex est impatient. Si l'on implante des électrodes dans le cortex auditif d'un chat, et que l'on mesure les impulsions électriques correspondant à des « clics » auxquels le chat a été conditionné ce potentiel est tout d'abord très faible. Comme le chat est attentif, en reconnaissant ces sons, le potentiel augmente régulièrement, mais soudain, lorsque le potentiel a atteint son maximum d'efficacité, il retombe à son niveau primitif. Le processus entier des réactions aux « clics » paraît brusquement être délégué à des régions cervicales plus frustes. Il semble donc que le cortex cérébral se consacre aux informations nouvelles et qu'il renvoie à des zones inférieures (peut-être même à la moelle épinière) le souci de réagir à des situations déjà expérimentées ; chez l'homme cette habitude de subordination du cerveau inférieur peut même être associée, comme nous allons le voir, à un travail nerveux aussi colossal que l'utilisation du langage.

Le problème de la localisation d'un son est une chose mais pouvoir reconnaître la nature et l'origine spécifique de ce son en est une autre, et d'une beaucoup plus grande complexité. Même absorbé dans ses pensées on sursaute soudain en reconnaissant une voix dans la foule qui vous entoure. Comment est-ce possible ?

L'oreille humaine est accordée aux vibrations de basses fréquences jusqu'à 60 cycles par seconde à peu près, ce qui constitue la fréquence de la voix humaine. A cette fréquence, la membrane basilaire transmet au nerf acoustique une salve de « pointes » électriques, synchrones au rythme sonore. Lorsque la pression sonore augmente (que le son devient plus fort) le nombre de « pointes » par période, augmente. Ainsi deux informations sont simultanément acheminées vers le cortex : le rythme et le nombre de pointes. Ces deux signaux fourniront la tonalité et l'intensité.

Au-dessus de 60 cycles par seconde, la tonalité est entièrement déterminée par la région de la membrane basilaire où la vibration atteint son maximum d'amplitude. A ces fréquences plus élevées, en effet, la membrane basilaire ne vibre plus uniformément. Un mécanisme inhibiteur écarte les messages les plus faibles, exagérant ainsi les contrastes. Une fois de plus, comme dans la rétine, nous trouvons ici cette fonction d'inhibition permettant une différenciation sensorielle précise. Pour l'ouïe cette fonction a permis à la musique d'exister. En effet, sans elle, un son ne nous produirait jamais l'impression d'un ton pur.

Grâce aux audiogrammes, il nous est à présent possible de déterminer le seuil sonore d'une oreille à des fréquences variées. Curieusement ces audiogrammes sont en général semblables pour tous les membres d'une même famille, phénomène dû peut-être à une similarité de structure crânienne. La sensibilité d'une oreille normale est mille fois plus faible à un son de 100 cycles par seconde, qu'elle ne l'est à un son de 1 000 cycles par seconde et c'est heureux pour l'homme, sinon nous entendrions continuellement des vibrations produites par notre propre corps. Si l'évolution n'avait pas dressé cette cloison étanche, l'homme serait gêné dans ses démarches essentielles, se défendre, trouver une compagne, entendre les pleurs de ses enfants. Néanmoins les sons perçus par conduction osseuse font partie de notre panorama auditif. Nous entendons la résonance de nos pas et surtout les résonances crâniennes, en croquant des noix par exemple. Ce détail est important pour les médecins spécialistes. Un patient ne percevant que les vibrations osseuses souffre de troubles de l'oreille moyenne ; s'il n'entend même pas ces vibrations, sa surdité est incurable.

Les vibrations des cordes vocales résonnent dans le corps tout autant que dans l'air. Quand nous chantons à bouche fermée, le chant perçu l'est principalement par conduction osseuse (par le maxillaire). Lorsque les oreilles sont bouchées, en effet, le son est beaucoup plus fort. Lors de la phonation, nous entendons simultanément les vibrations de l'air et des os, mais une partie des vibrations de basse fréquence se perd dans l'air. Ceci explique l'effet général de surprise à l'audition de sa voix enregistrée, elle paraît toujours trop haut perchée. Un système de rétroaction ajuste et corrige continuellement la voix. Dans le chant, la tension des cordes vocales se transforme continuellement pour reproduire la mélodie mémorisée. Ce mécanisme élaboré, mettant en jeu des billions de neurones est encore loin d'être élucidé.

Il a été prouvé que si l'on prolonge artificiellement le délai existant entre la parole articulée et son audition, il est impossible de continuer à parler. Le système de rétroaction se trouvant perturbé, le phénomène entier de la phonation se bloque. La rétroaction peut avoir des prolongements imprévus lorsqu'il comprend l'environnement qui peut être une salle de concert et son public. Quand un morceau de piano est très difficile (comme certaines œuvres d'Olivier Messiaen) certains pianistes se concentrent tellement sur leur technique qu'ils n'ajustent plus la rétroaction au volume de la salle et perdent ainsi une partie de leurs qualités sonores.

L'ouïe se détériore avec l'âge. Un adulte normal perçoit des sons de 66 à 20 000 cycles par seconde. Certains enfants peuvent percevoir des fréquences approchant 40 000 cycles (ce qui est presque la fréquence du sonar des chauves-souris). A partir de la quarantaine, étudié sur une période de cinq ans, il a été découvert que la limite supérieure de perception décroît chaque année de 160 cycles par seconde dû à une perte d'élasticité des tissus de l'oreille interne comme d'ailleurs de celle également des tissus cutanés. La détérioration nerveuse due aux stridences de la vie moderne : marteaux pneumatiques creusant les trottoirs, envol et atterrissage d'avions, transistors déchaînés, etc. peut être importante à longue échéance.

Le docteur Rosen a examiné en Afrique centrale une tribu vivant comme à l'âge de pierre. Il s'agit des Mabaans qui vivent dans une région très silencieuse. Le docteur Rosen a constaté que les vieillards entendaient aussi bien que les enfants et qu'ils étaient en excellente santé. Il a maintes fois été suggéré que les excellents résultats constatés en Europe dans les cliniques psychiatriques modernes, résultats toujours supérieurs à ceux enregistrés aux États-Unis dans des institutions similaires, proviennent du fait que les malades sont en Europe dans une ambiance beaucoup plus calme et silencieuse qu'en Amérique. Les docteurs et infirmières parlent à voix contenue, l'usage des doubles portes s'est généralisé, et l'appel des urgences se fait par signal lumineux et non par d'explosifs interphones. Je doute qu'aucune formation ou admonitions parviennent jamais à atténuer les terrifiants éclats de voix de l'infirmière américaine.

Si les méfaits des hautes fréquences sont souvent évoqués à propos des troubles de l'audition, il est rarement question des effets dévastateurs des sons de basse fréquence. C'est un ingénieur français, Wladimir Gavreau qui le premier a attiré l'attention sur les conséquences redoutables de ces fréquences. Ces sons, souvent en dessous du seuil de l'audition, ont par ailleurs, des effets néfastes sur des organes autres que l'ouïe. Gavreau découvrit ce potentiel destructeur par hasard. Son laboratoire d'acoustique d'Aix-en-Provence fut pratiquement saccagé par le système de ventilation défectueux d'un immeuble voisin. Il est très facile de construire une sorte de laser sonore en utilisant une sirène émettant un son de 36 cycles par seconde (le mi inférieur du piano). Cette note émise à une intensité suffisante, non seulement lézarde les murs, mais produit des troubles physiologiques aussi dangereux que : panique, nausée, douleurs pectorales, vision brouillée, vertiges et finalement un épuisement profond, proche du coma. Gavreau a étendu ses recherches sur les vibrations et a pu, grâce à un sifflet de son invention, faire retrouver à un de ses collègues le sens de l'odorat que celui-ci avait perdu depuis des années.

Dans la perception et l'utilisation des sons de haute fréquence, certains mammifères dépassent largement, non seulement les capacités humaines, mais même les appareils créés pour enregistrer les ultra-sons. La chauve-souris est, évidemment, l'exemple classique. Son habileté à se déplacer dans l'obscurité a subjugué tous les esprits scientifiques depuis Lazzaro Spallanzani (1729-1799) qui avait déduit avec justesse que la chauve-souris « voyait » par l'oreille. Mais sa théorie était erronée. Il supposait que la réflexion du son des battements d'ailes sur les objets fournissait à la chauve-souris sa position. Cette théorie s'effondra lorsqu'on constata que le vol de la chauve-souris est parfaitement silencieux. Ce n'est qu'en 1938 que le système d'écholocation fut découvert. Que la bouche est bien la source des ultra-sons fut prouvé en masquant la bouche de la chauve-souris. Le résultat est le même si on lui obstrue les oreilles : elle se cogne au premier obstacle venu et tombe. La chauve-souris frugivore tropicale peut émettre des sons à fréquence aussi incroyablement élevée que 150 000 cycles par seconde, plus de sept fois la capacité de l'oreille humaine, à la limite de perception des microphones les plus perfectionnés.

Lorsqu'un chat distingue le cri d'une souris, tout l'équipement inhibition/contraste de son ouïe se concentre sur ce son, semblablement lorsqu'une chauve-souris perçoit un écho intéressant, elle émet un faisceau d'ultra-sons dans sa direction. Lorsqu'elle commence sa chasse nocturne elle émet à un rythme de dix à vingt pulsations seconde (il s'agit ici de débit, non de fréquence). Lorsqu'elle « perçoit » quelque chose, le rythme monte à deux cent cinquante pulsations seconde. Chaque cri débute à haute fréquence et retombe ensuite brutalement (probablement cela facilite la localisation des proies). La facilité de pressentir la nature de ce qui réfléchit les ultra-sons est, chez la chauve-souris, stupéfiante. Elle fait la différence entre l'écho d'un insecte et celui d'une reproduction en matière plastique de ce même insecte, alors que les appareils électroniques les plus perfectionnés n'y arrivent pas.

La chauve-souris peut, sans aucun effort de localisation spécial, voler entre des fils à peine plus gros qu'un cheveu et distants les uns des autres de l'envergure de ses ailes. On a même essayé de brouiller la réception des échos de son sonar en émettant des ultra-sons de même fréquence mais sans succès. Les trames de fils furent traversées avec autant d'aisance qu'auparavant. (Apparemment les noctuelles sont plus douées que nous dans ce domaine.)

La membrane vocale de la chauve-souris est, elle aussi, remarquable, surtout par l'économie d'énergie réalisée dans l'émission de ses « bip ». Cette membrane qui ne pèse que quelques décigrammes fait, sur une base d'énergie relative, plus de bruit qu'un homme hurlant ou même qu'un lion rugissant.

Il existe d'autres mammifères dont la voix nous est inaudible, même dans nos propres maisons. La souris ordinaire mâle chante. Mais nous l'entendons rarement, à moins d'être un enfant, ou la souris une basse chantante. Les chats, les chiens et les putois sont familiarisés au chant des souris. Les anciens Chinois élevaient pour leur chant des souris à voix graves. Ils les gardaient dans des cages comme des canaris. En fait dans des conditions très favorables, il est possible d'entendre une partie des ultra-sons de la chauve-souris aussi distinctement que le tic-tac d'une montre-bracelet. Les souris des moissons chantent à la saison des amours. Mais les rongeurs sauvages sont très timides dans l'expression de leurs sentiments, trop de carnivores sont attentifs à leurs accents.

Les félins ne sont que trop connus pour l'exubérance de leurs amours. Le cougouar femelle hurle quand elle est en chasse alors que le mâle lui répond par un petit sifflement semblable à un cri d'oiseau. L'accouplement d'hiver du lynx s'accompagne de crises de hurlements qui dépassent toutes descriptions.

Les cris de chasse, comme le rugissement paralysant du lion mâle, ont des buts beaucoup plus pratiques. Il s'agit de terrifier la proie, donc de l'immobiliser, et de révéler à la lionne silencieuse où il se trouve, la mise à mort faisant partie de ses attributions. Il est intéressant de savoir que dans les réserves d'animaux d'Afrique, fréquentées depuis des années par de nombreux touristes, l'automobile est devenue un substitut du lion. La femelle emploie les voitures comme écran visuel et olfactif entre elle et la proie que le bruit du moteur a effrayée, attendant le moment opportun pour sauter sur l'animal.

En dehors des périodes de rut la majorité des cris sont de peur ou de désespoir. Le castor est exceptionnellement versatile en ce domaine. En colère, il siffle et effrayé il pleure comme un bébé. En frappant l'eau de sa queue il exprime la colère, le dégoût, le danger et probablement la bonne humeur. Un des sons les plus curieux et les plus charmants est le cri nocturne du porc-épic « Dyâ, dyâ, dyâ ». Personne n'a pu deviner sa signification.

Les primates, comme on peut s'y attendre, ont un répertoire plus large que la plupart des mammifères terrestres. Les singes vervets possèdent au moins six cris différents signalant l'approche d'un prédateur, chaque cri signalant non seulement l'approche d'un ennemi différent (serpent, aigle, léopard, etc...) mais aussi la posture de l'ennemi. Il existe des signaux pour l'aigle en vol et l'aigle perché. L' « appel du serpent » est une requête à tous les singes de s'approcher, et de venir examiner le serpent suspect à distance respectueuse. Quand retentit le cri « chirp » signifiant « danger, léopard » tous les singes gagnent les arbres et s'élèvent à leurs sommets. Au contraire si le cri est « Rraoup » signalant l'aigle planant, tous les singes dégringolent des arbres et vont se réfugier dans les buissons. (On peut facilement imaginer l'hécatombe qui résulterait d'une alliance de chasse conclue entre aigles et léopards. L'espèce des vervets serait rapidement éteinte.)

Le singe hurleur communique ses réactions individuelles par neuf cris différents, possédant chacun un sens précis au sein de la société dans laquelle il vit. Certains désignent spécifiquement des ennemis, d'autres sont simplement des informations sur un état sensoriel passager, et n'ont pas plus de signification que « quel beau temps ! » chez les humains. L'appel au secours des primates semble être nécessaire. Chez les chimpanzés l'assistance mutuelle se produit seulement à la suite d'un cri spécifique ; également chez les babouins.

Avant d'aborder les talents de communication sans précédent du dauphin, parlons d'abord des phoques. Le phoque sans oreille ou phoque vrai, n'a effectivement pas de pavillon, mais entend pourtant fort bien. Un conduit étroit, menant à l'oreille interne, se ferme lorsqu'il est dans l'eau et se rouvre dès qu'il en est sorti. C'est un système de valve automatique. Thomas Poulter a découvert en 1963 que les lions de mer de Californie émettent des faisceaux vibratoires tout comme le dauphin et la chauve-souris.

Les enregistrements sous-marins de lions de mer nageant la nuit, dans des bassins de ciment, démontrent que lorsque des poissons sont jetés dans le bassin, les signaux émis correspondent aux critères de pulsations modulées des systèmes de sonar. On découvrit plus tard que l'éléphant de mer, le phoque à crinière et le veau marin utilisaient le même type de signaux. Dans un océanarium de Californie, un lion de mer se trouva récemment dans une position embarrassante, il dut entrer en compétition avec une pompe à eau. Après plusieurs tentatives de domination des pulsations sonores de la pompe, le problème fut résolu. Le lion de mer émit ses séquences sonores *entre* chaque refoulement de la pompe. Performance intelligente digne du dauphin.

Considérons maintenant le dauphin, ce mammifère si proche de l'homme. Il y a vingt-cinq ans deux psychologues canadiens remarquèrent que le cerveau du dauphin *Tursiops truncatus* est semblable, en développement comme en dimensions, à celui de l'homme et que, donc, cette espèce comme celle d'autres cétacés devait posséder un haut degré d'intelligence. Quelques années plus tard les possibilités d'écholocation ainsi que la communication à fréquences sonores plus basses furent découvertes. Un grand nombre d'hommes de science et d'entrepreneurs de spectacle commencèrent alors à se passionner et sont cause de ce que les revues scientifiques et les cirques regorgent de dauphins et que *Flipper* soit une vedette internationale.

Le dauphin appartient au groupe de mammifères aquatiques appelés baleines dentées. Celles-ci varient considérablement de taille et de poids. D'abord le marsouin *Phocaena*, mesurant un mètre cinquante et dont le cerveau est de la dimension de celui d'un enfant, puis les *Tursiops* dont le corps et le cerveau sont de la dimension d'un humain adulte, l'épaulard (*Orcinus orca*) mesurant de huit à neuf mètres de long et dont le cerveau est trois fois plus gros qu'un cerveau humain et enfin l'énorme cachalot (*Physeter catadon*) dont le cerveau pesant 9 200 grammes est le plus gros cerveau existant sur terre. La plupart des études scientifiques ont été effectuées sur le dauphin Hyperoodon de l'Atlantique (*Tursiops truncatus*) ou celui du Pacifique (*Tursiops gilli*). L'étude la plus considérable et la plus extensive est celle qui fut, et est, effectuée par le docteur Lilly et ses assistants dans les Virgin Islands.

Le docteur Lilly conserve l'idée exaltante que les cétacés avec leur cerveau extrêmement développé, sont au moins nos égaux en intelligence et que si nous parvenons à communiquer avec eux, nous ouvrirons un œil nouveau sur l'univers. Comme nos possibilités d'entendre et de nous faire entendre sous l'eau sont moindres que celles des dauphins à entendre et se faire entendre dans l'air (bien que ce soit pour eux un milieu étranger), c'est ce dernier élément qui fut choisi comme terrain d'échange. Les expériences du docteur Lilly ont atteint leur plus haut niveau quand il réussit à faire vivre une jeune femme virtuellement jour et nuit pendant six mois dans un bassin en compagnie d'un dauphin mâle adolescent. On ne peut prétendre que le dauphin (appelé Peter) ait réussi à apprendre de son jeune professeur la langue anglaise, ni que celle-ci puisse s'exprimer en dauphin, mais il fut bientôt évident que, comme tous les mammifères de mêmes dimensions, ils possédaient tous deux un langage commun : la sexualité. S'il nous faut définir le message de Peter aux humains ce doit être : « l'amour peut tout conquérir » et dans le sens le plus polynésien du terme.

Avant que soient réalisés de systématiques enregistrements sous-marins, les plongeurs décrivaient les sons émis par les dauphins comme : grattements, frottements, grincements, claquements, coups, râles, crachotement, plaintes, ou le bruit d'une charnière rouillée ou d'une porte grinçante. On a d'abord pensé que les dauphins produisaient ces sons en expirant l'air de leurs poumons et qu'il s'agissait donc de résonances sonores aériennes. La tête du dauphin comprend un système complexe de poches et de valves reliées au canal conduisant l'air des évents aux poumons. Les claquements sont produits lorsque les évents sont fermés, le dauphin peut alors les faire vibrer comme des lèvres closes. Malgré tout, jamais aucun air ne s'échappe lorsque le dauphin est sous l'eau. Après avoir été utilisé afin de produire un sifflement ou claquement, l'air est récupéré.

L'équipement sonore du dauphin est très complexe. Ses différentes onomatopées sont riches en harmoniques grâce aux vibrations des différentes poches et des sinus et évents qui y sont fixés. Certaines poches peuvent produire des sifflements en même temps que les valves ou évents claquent et crachotent, ou seulement dans les intervalles des sifflements. Les changements de fréquence et de résonance correspondent aux changements de formes et de dimensions des poches d'air utilisées. En plus de ces sons, que nous pourrions appeler nasaux, le dauphin émet par le larynx des pulsations ultrasoniques de 150 000 cycles par seconde. Toutes ces sonorités sont émises par le front, au travers d'une membrane amplificatrice appelée « melon ». Les sons, eux, paraissent captés par la mâchoire inférieure et transmis directement à l'oreille interne. Les dauphins ne possèdent aucune forme d'oreille externe, pas plus que de conduit auditif. Ils peuvent, malgré tout, percevoir les sons de basse fréquence, grâce aux organes sensoriels cutanés des lignes latérales du corps.

Ceci est extrêmement important pour la localisation sonore, la transmission des sons par l'eau étant extrêmement rapide. Les vibrations, sous l'eau, passent *à travers* la tête et non *autour*, comme dans l'air. Comme la tête du dauphin a le même pouvoir conducteur que l'eau, la différence d'arrivée du son est presque inexistante bien que les deux ouïes soient à trente centimètres l'une de l'autre. La différence de phase peut donc être seulement perçue si les ondes sont très courtes ou si le dauphin utilise la longueur de son corps (récepteurs cutanés) au lieu de la distance entre ses oreilles internes. Pour l'écholocation, aucun problème ne se pose puisqu'il s'agit de mesurer la différence entre le retour de faisceaux pulsés sonores, très rapides. Grâce aux mathématiques, il a été possible d'évaluer la qualité des renseignements fournis au cerveau par l'écholocation. Le rythme de 150 000 cycles par seconde utilisé par le dauphin doit lui permettre d'obtenir sous l'eau l'image d'un objet à trois dimensions *au moins*, aussi clairement que nous pouvons voir un objet sur la terre. L'univers du dauphin est donc un univers acoustique très raffiné embrassant une étendue sonore allant de 500 à 250 000 cycles par seconde.

La fréquence optimum des sonorités composant le langage humain est à peu près de 1 000 cycles par seconde. L'ensemble des claquements et sifflements constituant le mode de communication du dauphin est lui de 2 000 à 80 000 cycles par seconde (il ne s'agit pas ici d'écholocation). Par la vue, le système nerveux central du dauphin reçoit seulement dix millions d'unités d'information par seconde, tandis que nous en recevons dix fois plus. Mais en ce qui concerne les informations sonores, ce rapport est inversé. Le dauphin reçoit à haute fréquence, autour de quarante millions d'unités à la seconde quand notre oreille n'en perçoit que deux millions. Le cerveau du dauphin reflète cette disparité. Le cortex acoustique, centre de l'ouïe dans le cerveau, est beaucoup plus étendu qu'il ne l'est chez l'homme.

Le dauphin ne possède pas d'odorat, par contre sa peau est beaucoup plus riche que la nôtre en terminaisons nerveuses sensibles à la pression, la température, le toucher et la douleur. Sa langue perçoit spécifiquement tous les goûts de l'océan qui sont transmis à des organes sensoriels profondément différents des nôtres, étant complètement étrangers au monde des odeurs.

La versatilité de l'équipement sonore, (on est tenté de parler de phonation) du dauphin, peut être difficilement appréciée à l'air libre. Le dauphin peut mener une conversation sifflée et heurtée du côté droit et claquée et chuchotée du côté gauche. Il peut en effet contrôler indépendamment le flux d'air des deux côtés et les vibrations des membranes et des valves. Dans ce contexte le dauphin est libéré, et il peut utiliser simultanément ou indépendamment les deux hémisphères de son cerveau.

Deux dauphins placés dans des réservoirs différents mais reliés par un hydrotéléphone, communiquent de façon très courtoise. Quand l'un parle, l'autre se tait. Mais à l'écoute, on croit les entendre simultanément, puisqu'ils émettent chacun sifflements et claquements rythmés — performance aussi surprenante que s'il nous était possible de parler en même temps chinois et anglais. Une preuve de ce qu'il s'agit d'une véritable conversation est que si le téléphone est débranché, les dauphins cessent de s'exprimer, ou l'un des deux produit un « sifflement-signature » qui est la caractéristique d'un dauphin solitaire. Le docteur Lilly, qui fut frappé par le tempérament sensuel des dauphins, relie en général par téléphone un dauphin mâle à une femelle. Des enregistrements de ces conversations ont été réalisés. Lorsque la partie femelle de la conversation est retransmise plus tard au dauphin mâle celui-ci écoute un instant puis symboliquement raccroche le téléphone. Tout ce qu'il entend, il sait qu'on le lui a déjà dit.

Les capacités du dauphin sont encore plus surprenantes. Il peut non seulement parler simultanément deux idiomes mais il peut aussi moduler les deux, processus unique dans les annales du monde animal. Ce phénomène est appelé « stéréophonation ». La source sonore peut être alternée très rapidement d'un côté de la tête à l'autre, ce qui ajoute l'effet Doppler (1) à leur langage. Ainsi c'est à juste titre que l'on peut parler d'une forme d'expression complexe chez le dauphin. Toutes ces découvertes rendent plus brûlante la question de savoir pourquoi un système nerveux d'une telle élaboration, un cerveau d'une telle richesse ont été créés chez un animal marin.

Un trait paradoxal demeure la *pusillanimité* de ce mammifère par ailleurs

(1) L'effet Doppler est une transformation apparente d'un son lorsque sa source se déplace. Ainsi lorsqu'un train siffle en s'éloignant, un observateur demeurant sur place a l'impression que la tonalité du sifflement décroît.

si intelligent. Le dauphin hyperoodon du Pacifique une fois habitué en captivité à manger des harengs, pour lui minuscules, refuse toute autre nourriture, même si une morue bien vivante est placée dans son bassin. Un hyperoodon fut terrorisé lorsque, en vue d'expérience, il fut transporté en pleine mer. Ses mâchoires s'entrechoquaient, sa queue battait l'eau et il montrait le blanc de ses yeux comme un chien battu.

Chez tous les dauphins étudiés existe une inclination à créer des liens sociaux avec les autres dauphins captifs, ou même les humains, et aussi, la peur de se diriger seuls dans des eaux inconnues. Cette attitude timorée peut être partiellement expliquée quand on sait que les jeunes dauphins, tout comme les enfants humains, demeurent longtemps associés à leur mère. Les énormes cétacés, dont le féroce épaulard, demeurent également attachés durant une très longue période à leur mère ou une femelle adulte de leur banc.

La compagnie Lockheed a étudié les réactions d'un banc de dauphins confrontés à une barrière de pieux d'aluminium. Un éclaireur étudia soigneusement la barrière, par sonar, à une distance de cinq cents mètres et revint vers les autres pour leur communiquer les résultats. Les enregistrements par hydrophone révélèrent soixante-six sifflements de seize patterns différents dont huit identiques à ceux émis par les hyperoodons de l'Atlantique. On peut donc réellement parler ici de langage.

Il est probablement injuste de vouloir tirer des conclusions, tel que le fait le docteur Lilly, des tentatives de paroles humaines effectuées à l'air libre par son dauphin Peter. A l'intérieur des limites « strangulatoires » que comporte l'effort de parler à des fréquences beaucoup plus basses que celles auxquelles il est accoutumé, le dauphin réussit au moins à répéter le *nombre* de sons émis par son professeur. Souvent marquant avec discernement plus de syllabes que celui-ci ne soupçonnait avoir prononcées. (Le professeur ayant l'accent du sud déformait certains mots. Comme à Paris l'accent faubourien ajuote des e muets à la fin de certains mots, faisant de : « mer » un mot de deux syllabes.) Le dauphin reconnaissait aussi le léger fléchissement de tonalité indiquant la fin d'une phrase, et comprenait certaines notions comme : attendre ou écouter.

Les critiques n'ont pas manqué de souligner que tout ce que rapporte triomphalement le docteur Lilly sur les dons exceptionnels du dauphin le place, en terme d'intelligence, tout au plus entre un chien éveillé et un chimpanzé paresseux.

L'éléphant possède un cerveau beaucoup plus gros que le nôtre, malgré cela il n'est pas plus intelligent que l'homme. Mais le docteur Lilly ne se laisse nullement abattre. Il affirme que les cétacés n'ont pas conquis le monde parce que cela est contraire à leur éthique, un point c'est tout. Lilly souhaite rencontrer un cachalot, avant que l'extermination de cette espèce ne soit achevée. Cet immense cerveau, riche en circonvolutions, non seulement devrait fournir l'intelligence, mais aussi une haute moralité. Lilly, s'il était exaucé, ferait écouter au cachalot une symphonie de Beethoven. Celui-ci pourrait savourer chaque note et peut-être, après un plongeon silencieux, méditer et réorchestrer le chef-d'œuvre dans son large cerveau. Malheureusement le cétacé le plus connu, le dauphin, ne paraît pas plus sensible à la musique que le chien, qui soit n'y prête aucune attention, soit la considère comme une manifestation inconvenante. Le seul animal semblant réagir favorablement à la musique est, curieusement, le rhinocéros, généralement considéré comme un animal stupide et même mentalement retardé.

Jusqu'à présent les doctrines de Lilly ont seulement intéressé les gens qui (comme moi-même) *souhaitent* que cela puisse être vrai. Mais dans la pratique ces recherches ont permis l'éducation de Tuffy, maître nageur à Point Mugu et des dauphins de Miami qui s'écrient d'une voix nasale « O. K., au boulot » avant de s'élancer au travers de cerceaux enflammés!

Mon opinion est que les dauphins ne pourront jamais techniquement rien nous apprendre en dehors du sonar et de la natation. L'évolution, qui a lésé les poulpes d'un rang élevé en ne leur accordant pas d'ouïes, a également lésé les dauphins en ne leur accordant ni bras, ni tentacules. Un dauphin possédant la vue et les tentacules serait un organisme promis à un très haut développement. Le nœud correspondant à ce que nous appelons technologie, ou pensée occidentale, peut avoir été noué au fond des mers il y a cent millions d'années.

Si nous avions développé une sorte d'arithmétique biologique ne permettant aucun processus d'énumération ou de classification, peut-être alors pourrions-nous comprendre les dauphins, nous-mêmes et le protoplasme primordial. Mais l'évolution n'a pas suivi cette voie. Affirmer comme le fait Lilly qu'un grand cerveau et une grande dextérité dans le monde des sons démontrent que les dauphins sont porteurs d'un message de la plus haute importance pour l'humanité, équivaut à rejoindre la grotesque parade des gourous clamant que la pensée de l'Occident doit humblement se soumettre à une sagesse orientale le plus souvent de pacotille.

Lilly pourrait avoir raison sur un point. Il fait remarquer que les dauphins se sont rapprochés des hommes à l'époque d'Aristote pour les quitter vers l'an 52 de notre ère et qu'ils reviennent à nouveau vers nous en ce xxe siècle de décadence.

Plutarque exposait ainsi le comportement des dauphins : « Pour le dauphin, la nature l'a gratifié de ce que recherchent les meilleurs philosophes : *l'amitié sans contrepartie*. Bien que n'ayant aucun besoin des hommes, il est leur ami constant et les a aidés maintes fois. » Peut-être en ces temps troublés les dauphins se tournent-ils vers nous tel un autre mammifère ami de l'homme, le chien et son amour fidèle et ingénu. Je le souhaite, nous n'aurons jamais trop d'amis de cette qualité.

Bien que Plutarque ne l'ait pas prévu, l'aide pratique incontestable apportée par les dauphins est destinée aux aveugles. Winthrop Kellog a démontré que les aveugles peuvent développer une sensibilité inattendue à l'écholocation et qu'elle peut se développer en s'inspirant du comportement du dauphin. En produisant des claquements, de la langue ou des doigts, un aveugle roulant à bicyclette peut éviter les obstacles. Certains sifflent ou chantonnent sur une échelle diatonique. Pour la marche ils emploient des sentences exploratrices : « Voyons, voyons, voyons... voilà... ici... ici... je pense, je pense que... c'est... euh... une armoire. » Un aveugle étudiant le russe était très satisfait de la sonorité du mot « *gdyè* » (ou).

L'aveugle en recherchant l'écho réverbéré des mots qu'il prononce, tourne la tête exactement comme le fait le dauphin en eaux troubles. La profondeur de perception d'un aveugle ayant bien pratiqué la technique d'écholocation, lui permet de percevoir un déplacement de dix centimètres d'une coupe de trente centimètres de diamètre placée à soixante centimètres devant lui. On arrive pratiquement ici à la perception visuelle d'un borgne. Ces aveugles peuvent aussi différencier des cibles de mêmes dimensions mais exécutées en métal, bois, toile et velours. En comparaison le jugement d'un homme normal paraît prononcé au hasard.

La firme Lockheed met au point un émetteur imitant, à une fréquence plus basse, les cris du dauphin ou de la chauve-souris. Mais ce sont les Anglais qui produisent l'émetteur transistorisé le plus maniable et donc le plus apprécié par les aveugles. On peut le tenir à la main et le mettre en marche aussi simplement qu'une torche électrique. Il est efficace à dix mètres et permet de détecter les poteaux, les marches, les tournants et les tranchées. Il établit aussi la différence entre une pelouse et un chemin de graviers.

En approchant l'étude de l'origine et de la nature du langage humain, nous nous trouvons dans un bain de conjectures, constatations et théories contradictoires. Ce problème a même donné naissance à une nouvelle philosophie, le Wittgensteinisme. Il est fort possible que le langage ne puisse pas être expliqué au moyen de ses propres structures, comme Gödel l'a démontré pour les axiomes mathématiques.

Les théories donc, et surtout les points de vue, diffèrent. Il y a par exemple la théorie du « ouah, ouah » prétendant que l'homme primitif imitait le cri d'un animal pour prévenir de son approche. Il aurait étendu ensuite cette imitation aux phénomènes naturels, vents, pluies, mer, etc. (Il est intéressant de rappeler que le plus ancien mot connu est le terme sanscrit désignant la flèche fendant les airs et atteignant son but : *chish-cha*).

Bien que tous les langages connaissent de nombreuses imitations d'animaux, celles-ci n'ont jamais servi à l'édification du nom de ces animaux. Quand nous parlons à un petit enfant du « ouah, ouah », il comprend, mais bien vite il conçoit qu'il ne s'agit pas du nom du chien mais de son langage. Ces onomatopées varient d'ailleurs grandement d'une langue à une autre. Le coq anglais chante : « cok-a-doudel-dou » tandis que le coq gaulois, comme nous le savons tous, chante « cocorico ». Un Esquimau peut très bien imiter le son de la baleine, mais il ne songerait pas à la désigner par ce son.

Il existe ensuite la théorie du « pou-pou », suggérant que le langage est issu de grognements et interjections d'origine émotive, la théorie du « ta-ta » expliquant que des sons codifiés s'accompagnaient probablement de gestes symboliques (par exemple lever la main en émettant certains sons équivalait à « au revoir, à bientôt ») la théorie de la psalmodie, et enfin du « gougou » qui est composée de divers éléments des théories précédentes.

Nous ignorons comment nous imitons les sons. Et de longues années d'intensives études des oiseaux composant la famille du perroquet ne nous ont pas appris pourquoi ni comment ces oiseaux imitent des mots du langage humain qu'ils n'ont aucune intention d'employer symboliquement comme nous.

Eric Lenneberg dans *Fondements biologiques du langage* conclut que le don humain du langage ne peut être expliqué ni par la physiologie de l'appareil vocal, ni par les dimensions du cerveau. Il n'existe pas d'organe spécifique de la parole et le don n'a pas été hérité. Les muscles et membranes nécessaires à la parole ou au chant sont les mêmes que ceux utilisés pour la respiration, la déglutition et les mouvements expressifs du visage. Un avantage anatomique de l'*Homo sapiens* sur les autres humanoïdes est la relative petitesse de sa bouche. (Une bouteille résonne davantage qu'un pot de confiture).

Le long cheminement de l'homme primitif vers la posture érigée, le transfert de la préhension et manipulation de la bouche aux mains, l'élargissement de la boîte crânienne, l'avancée du front, le recul de la mâchoire, la diminution de proportion des dents ont peut-être été partiellement favorisés par la découverte de la cuisson des aliments. La possession du langage a souvent été présumée sur la base de déductions sociologiques. Ainsi le *Sinanthropus* (l'homme de Pékin) est supposé avoir possédé le langage parce que de nombreux ossements de vieillards ont été découverts. Dans les sociétés primitives, les vieillards ne sont tolérés que s'ils peuvent parler, si leurs expériences passées peuvent s'exprimer et être utiles aux plus jeunes générations.

L'usage d'outils devrait avoir précédé le langage. La fabrication et l'usage d'armes ou d'outils tend à créer une dissymétrie entre les deux côtés du corps en donnant priorité à l'activité d'une main. A la suite de cela, le côté du cerveau opposé à la main se développe et cela semble, mystérieusement, prédisposer à la parole. Le lobe temporal gauche du cerveau, centre de la compréhension du langage, est relié à l'oreille droite. Si, par un haut-parleur le mot « crie » est prononcé dans l'oreille droite et simultanément « prie » dans l'oreille gauche, les gens possédant une audition normale n'entendront que le mot « crie ».

Un bébé d'abord pleure, puis il gazouille, ensuite il babille. Il s'agit déjà d'un vrai langage, des phonèmes peuvent être distingués et s'ils n'expriment aucun symbole c'est qu'un bébé n'a encore rien à exprimer. Des mots corrects sont prononcés entre douze et dix-huit mois, suivis de la combinaison de deux mots préfigurant une forme de syntaxe. Si le cerveau est endommagé ou le bébé sourd, les progrès du langage sont ralentis mais passent par les *mêmes* étapes. Le développement de l'expression commence à deux ans à devenir rapide et devient alors irréversible. Il est pratiquement impossible d'empêcher un enfant normal d'apprendre à parler une fois passée la période des deux mots. Malgré tout, si dans des conditions exceptionnelles (telles qu'être élevé par des singes comme Tarzan) un enfant n'a pas pu parvenir à parler au moment de la puberté, c'est trop tard. Il n'apprendra jamais.

Le son de la parole, en toutes langues, varie presque à l'infini, mais son objectif demeure abstrait et fini. Il ne peut exister indéfiniment de différences sonores, mais la perception de ces sons peut varier grandement. Dans le système Athabaskan indien, par exemple, il n'existe nulle distinction entre le « b » et le « p ».

Il semble que les gens vivant une vie routinière et calme répètent continuellement les mêmes choses. Dans un certain sens c'est vrai. Les clichés quotidiens concernant le temps, la température, ce que se disent les amoureux, les arguments politiques, religieux et bien souvent philosophiques, ne sont, la plupart du temps, que pure et simple répétition. Mais à la suite d'enregistrements et de calculs on a pu démontrer que la majorité des phrases entendues n'ont jamais été identiquement proférées auparavant. Expliquer nos paroles par réflexes conditionnés est absurde, il n'existe pas suffisamment de réflexes pour le permettre. La question cruciale, la seule, est notre possibilité de généraliser.

La compréhension du langage constitue déjà un mystère. Prenons la voyelle « o ». Elle est proférée différemment par un homme, une femme ou un enfant. Même prononcée par la même personne, elle peut être bousculée en formes et durées différentes selon l'humeur, le contexte et l'importance qu'on lui donne. Malgré toutes ces transformations, la notion du « o » sera toujours perçue. Quel est le mécanisme cérébral responsable de ce brillant travail de détection? Une légère déformation du son d'une voyelle peut souvent oblitérer la consonne qui l'accompagne ou bien suggérer un tout autre élément de langage. Mais si le cortex ne réagissait pas à ces minuscules accidents de parcours, la parole serait impossible.

Dans les langues sémitiques possédant des « racines trilatérales » la voyelle est subtilement balancée entre les rébarbatives consonnes, bousculant les racines entre les noms, verbes, adjectifs etc. Il est impossible à ces langues, comme l'a démontré Claude Lévi-Strauss, d'exprimer un concept indo-européen aussi essentiel que le Platonisme. En arabe, même à l'époque où Bagdad était la capitale du monde civilisé, la métaphysique de Platon dut être traduite en un style grammaticalement incorrect. Il en serait de même pour le langage esquimau, et pour la plupart des dialectes polysynthétiques complexes des Indiens d'Amérique. Curieusement, la grammaire esquimaude (dans laquelle les racines protéiformes peuvent éclater et, à l'aide d'affixes qualificatifs, composer des phrases entières) est particulièrement adaptée à l'expression des données de la physique atomique.

Le langage esquimau ne possède pas de terme exprimant la neige en elle-même. Parallèlement la langue basque est dépourvue de mot désignant l'arbre. Les deux sont pourtant largement pourvus de noms désignant une grande variété de neiges ou d'arbres. Les Esquimaux peuvent désigner la neige déportée par le vent, la neige sur le sol, la neige glacée et une douzaine d'autres sortes de neiges, dont la différenciation est importante pour les hommes de l'arctique, mais ils n'ont aucun mot désignant la neige en soi.

Sitôt que fut commencée l'étude comparée des langues, les notions fallacieuses des savants du XVIe siècle, selon lesquelles les sauvages ne s'exprimaient que par grognements, disparurent. On découvrit que les tribus les plus désolées bordant les déserts de Californie possédaient un langage riche et subtil qu'il était presque impossible de pénétrer. Sans doute le plus complexe langage connu des Indiens américains est-il le comanche. Certaines lettres sont chuchotées et d'autres vibrées dans le larynx. Pendant la guerre de 1914-1918, certains officiers américains employaient cette langue, pour les communications pouvant être interceptées, sachant qu'aucun linguiste n'était à même de les comprendre.

La langue la mieux adaptée à la métaphysique est la langue des Hopi. Il suffit d'ajouter un affixe pour que la signification du terme employé soit purement spécifique. Aucune langue aryenne ne possède cette caractéristique. Nous ne pouvons pas, sans un contexte explicatif, parler de « monter ». Si vous dites par exemple « J'ai l'intention de monter » votre interlocuteur pourra se demander « veut-il monter à la tribune, à cheval, en ballon ou simplement à l'étage supérieur ? » Tandis que le mot hopi « warikougoué » signifie spécifiquement « monter », grâce à l'affixe « goué ».

Lorsqu'on étudie les dialectes chinois on s'aperçoit qu'ils sont très condensés, la signification d'un seul idéogramme même, varie suivant l'intonation. Ainsi « ma », dans le dialecte mandarin peut signifier : mère, chanvre, cheval ou réprimander, selon la tonalité et la modulation vocale. En birman, une sentence célèbre exprimée simplement par « ma », signifie « préparez les chevaux un chien enragé approche ». Ces propriétés analytiques ressortent dans le Pidgin (langue approximative, petit nègre) employée par les Chinois pour parler aux Anglais. Le mot « blong » par exemple est un mot vide, il exprime la notion de possession correspondant à l'apostrophe S ('s) anglais. Les termes de classification de cette sorte sont les catalyseurs de la langue chinoise. Ils sont nécessaires pour permettre à ces « complexes signifiants » que constituent les idéogrammes, de s'organiser en phrases. « I - jeu » signifie homme, mais ne peut être utilisé que sous la forme « i-go-jeu », transposé en pidgin en « une pièce-homme », pour prendre une valeur concrète.

Le raffinement sonore de leur langue a doté les Chinois d'une oreille très sensible. Ceux qui possèdent la connaissance des langues étrangères sont toujours choqués par les accentuations de syllabes courantes, qui feront par exemple d'une expression aussi banale que « c'est *mer*veilleux » prononcée avec un accent un peu snob, l'expression, pour un Chinois, d'une colère concentrée.

Peu à peu, sans que cela soit aussi marqué que dans le pidgin, les déformations grammaticales ont tendance à s'intégrer aux langages. Souvent associées à l'argot, ou à des dialectes, elles amusent et peu à peu s'introduisent dans la langue courante. On peut remarquer quotidiennement les fautes commises par les speakers de la radio et de la télévision. Elles sont moins excusables que les déformations syntaxiques spontanées, telles que « d'où qu'c'est qu'tu demeures? » que l'on peut entendre dans certaines écoles primaires.

Notre langue plus que toute autre est riche en homonymes (vert, vers, vair, ver). Elle donne au français cette propension aux calembours qui n'est pourtant pas la manifestation la plus évidente de son esprit. Il est impossible d'imaginer, donc de comprendre, un calembour en Alaska ou en aucune langue hautement synthétisée. Cette abondance d'homophones est une pauvreté de notre langue et la rend d'autant plus difficile à comprendre.

Une infime différence d'accentuation nous sera sensible, mais non à un étranger pour qui ces mots résonnent de manière identique.

L'anglais est certainement une des langues européennes au vocabulaire le plus riche. Les XVIe et XVIIe siècles ont été pour l'Angleterre une période d'expansion économique intense, mais aussi d'expansion poétique. Les termes désignant la réunion ou le rassemblement d'animaux vivant ensemble : banc, troupeau, meute, horde, etc. non seulement abondent en anglais, mais sont également d'une qualité suggestive admirable.

Jugez-en :
— une *exaltation* d'alouettes,
— un *murmure* de sansonnets,
— un *bond* de léopards,
— une *embuscade* de renards,
— un *banquet* de faisans,
— une *richesse* de visons,
— une *pelote* de chatons,
— une *litière* de porcelets,
— un *orgueil* de lions,
— une *convocation* d'aigles,
— une *oisiveté* d'ours,
— une *impertinence* de singes,
— un *labeur* de taupes,
— une *interruption* (qui se révèle définitive) de mules,
— un *meurtre* de corbeaux,
— un *bavardage* de corneilles,
— un *écheveau* d'oies (en vol),
— un *caquetage* d'oies (au sol),
— un *enchantement* de poissons rouges,
— une *école* de dauphins, etc.

Je suppose qu'un grand nombre de ces termes ont été inventés par Oliver Goldsmith (l'auteur du *Vicaire de Wakefield*) ou même Lewis Carroll. En effet peu de ces termes se trouvent dans le dictionnaire du docteur Johnson (le Littré britannique) mais il est vrai qu'il devait blâmer une telle exubérance de langage.

La compréhension des structures et des bases d'une langue constitue un problème d'une grande complexité. Un linguiste ne s'aventurerait pas à fournir la définition d'un mot d'une langue donnée, sans en connaître parfaitement la grammaire. Récemment on a tenté en Amérique de créer un traducteur électronique anglais-russe. On s'efforça de mettre en place une grammaire simplifiée que puisse utiliser un ordinateur. Mais même *très* simplifiée, il devint rapidement évident que la grammaire d'aucune langue ne peut être programmée. Par la grammaire nous possédons une règle de jeu. En suivant cette règle et en utilisant le mystérieux et informulable don de parole que nous possédons, il est possible d'échafauder une construction grammaticale signifiante. Mais tant que nous n'arriverons pas à appréhender consciemment le cheminement de ce processus, il nous sera bien sûr, impossible de l'inculquer à un ordinateur. Plus le temps passe et plus les problèmes linguistiques s'accumulent. Le jargon scientifique se divise en sub-jargons où les termes anglo-saxons abondent souvent sans nécessité (1). Il en est de même en Angleterre et en Amérique où des savants spécialistes de même discipline, arrivent à ne plus se comprendre.

Bertrand Russell raconte dans son autobiographie qu'invité à diriger un séminaire à l'université de Chicago, il proposa comme sujet : « Les faits et les mots. » Il lui fut répondu avec un certain embarras, que les étudiants n'accorderaient aucun crédit à un titre composé de mots monosyllabiques aussi simples. Aussi transforma-t-il à regret son sujet en « Corrélation entre les habitudes motrices orales et sémantiques ». Cette anecdote est, hélas, tristement révélatrice du besoin de complication de notre époque.

(1) N. D. T. Le Gouvernement français a officiellement banni plusieurs centaines de termes, surtout d'origine américaine, depuis le 18 janvier 1973.

3. LA SIGNALISATION PAR MOLÉCULES

Les sens chimiques, appelés chez les mammifères odorat et goût, sont beaucoup plus vieux dans l'histoire animale de la planète que la vision et l'ouïe. Ils précèdent même probablement le sens du toucher. Les animalcules, les plus petits, sont en affinité avec les grosses molécules libres. Quand ces infimes unités animales sont frôlées par quelque chose, leur enveloppe révèle s'il s'agit d'une nourriture, d'un poison ou d'un objet ne pouvant rien représenter à leur degré de conscience, tel un câble transatlantique. Même les protozoaires choisissent leur proie en tenant compte de leur digestibilité ou de leur goût.

En nous abaissant encore dans l'échelle animale, nous pouvons supposer que les bactéries, et même les virus, doivent être guidés vers leurs hôtes par un instinct chimique. Les modestes myxomycètes, vivant dans l'ombre des troncs d'arbres pourrissants, organismes mi-végétaux, mi-animaux, forment des sociétés réunies par un gaz dont l'odeur attire les spores de la bonne espèce et éloigne les autres. L'arum, fleur virginale, cache bien ses origines criminelles. L'arum sauvage, la richardie d'Afrique, attire les mouches et les petits scarabées de la plus ingénieuse façon pour accomplir sa pollinisation. Cette plante, par une extraordinaire accélération de son métabolisme, arrive à chauffer ses terminaisons florales à douze degrés de plus que l'air ambiant. Une composition appelée « amine » s'évapore de la fleur ainsi surchauffée et répand une odeur de charogne dont les effluves attirent des visiteurs de kilomètres à la ronde. Ils se noient généralement, ayant rempli leur office fécondant, dans le liquide remplissant le fond du calice.

Chez les animaux peuplant les mers, il est difficile de distinguer l'odorat du goût avant le niveau des poissons. Il vaut mieux donc parler de « récepteurs chimiques ». Chez la méduse et autre coelentérés, il existe une indiscutable réaction à de faibles concentrations de produits chimiques provenant de sa proie surtout si elle a été atteinte par ses métatocystes (filament urticant des méduses).

En tant qu'animaux terrestres, ne pouvant goûter quoi que ce soit à distance, nous avons tendance à appeler les sens chimiques prédisposant à s'orienter vers la proie ou s'éloigner au contraire d'un ennemi, organes olfactifs. Un courant marin est comme une brise traversant une vallée et chargée de tous ses parfums. Les créatures marines peuvent facilement ressentir la présence d'un danger ou d'une nourriture située à une grande distance sans que cela implique aucun odorat. Les minuscules lobes frontaux des vers plats sont de véritables organes sensoriels et le ver planaire agite délicatement les extrémités de ses lobes pour goûter l'eau tout en progressant.

Si vous souhaitez capturer un escargot que vous savez dans votre maison, disposez par terre un morceau de pomme de terre bouillie ou de graisse de bœuf. Il pourra le sentir à une distance de vingt-cinq mètres et ne tardera pas à se montrer. Chez la plupart des gastéropodes marins l'organe de l'odorat est associé à l'appareil respiratoire.

Cette confusion du goût et de l'odorat chez les animaux marins ne comporte qu'un seul élément de partage. L'odorat est supposé être utile à grande distance, pour appréhender les dangers possibles de son environnement, le goût, lui, est considéré comme un sens de contact servant à savourer la nourriture et contrôler les mouvements d'absorption. Chez l'écrevisse, on peut isoler des glomérules se trouvant sur la mâchoire et sur les pattes, des unités réceptrices ne réagissant qu'à une seule substance, les acides aminés. Comme ces acides se trouvent dans les particules alimentaires nécessaires à ces animaux, ces organes sont visiblement indispensables à leur survie. Mais le mécanisme de sélectivité n'est pas encore expliqué. Tous les animaux nécrophages, ce que sont la plupart des crustacés, sont également très sensibles aux particules chimiques d'oxyde de triméthylène, libérées par la putréfaction des muscles de poisson.

Chez les poissons les facultés olfactives sont nettement développées et sont même remarquables chez le saumon du Pacifique, qui retourne vers les torrents où il est né pour frayer et mourir. Cet instinct surprenant, besoin littéral de « retour aux sources », ne peut être assouvi que grâce à l'odorat. Une sorte d'impression (dans le sens d'imprimer) olfactive se produit peu d'instants après l'éclosion des œufs. Chaque partie d'un cours d'eau possède son unique combinaison d'odeurs due à la qualité du sous-sol, aux plantes aquatiques et aux apports des affluents. Les huiles essentielles de la végétation surtout, donnent la note unique au « parfum » de cette partie de rivière, et lui constituent une véritable carte d'identité.

Si les alevins sitôt nés sont transportés dans une autre rivière, l'odeur de cette dernière représentera le parfum des eaux natales. Cette « mémoire d'enfance » du saumon persistera tout le long de sa vie dans les eaux salées de l'océan, et c'est guidé par le nez (bien qu'au départ, il s'agisse d'un sens de l'orientation non encore expliqué) qu'il se dirigera vers l'embouchure du fleuve puis de la rivière, dont l'odeur l'aura hanté toute sa vie. La nourriture ne joue aucun rôle — pendant la période du frai les parents ne mangent rien — il s'agit d'un instinct, inculqué par l'évolution, imposant aux saumons de frayer uniquement dans les eaux natales.

Les poissons peuvent être conditionnés à de nombreuses odeurs autres que celles de la nourriture ou du lieu de naissance. Ils réagissent par exemple à des odeurs de reconnaissance ou d'alarme, des odeurs sexuelles et même aux odeurs personnelles de compagnons (pour les poissons vivant en bancs). Les poissons possédant des barbillons, tels que les poissons chats et les chabots ont un goût très développé. Ces barbillons servirent primitivement au toucher, pour que les poissons se nourrissant dans l'obscurité, puissent trouver leur nourriture. Les barbillons sont constamment agités, non seulement pour définir la qualité de l'entourage, comme les chats font de leurs moustaches, mais pour recevoir une stimulation des nerfs gustatifs situés sur différentes parties du corps du poissons. Habituellement les poissons à barbillons ont de petits yeux. Le chabot (espèce *Ectalurus*) possède des cellules sensorielles sur la tête, les flancs, les nageoires, les barbillons et même la queue, toutes envoyant des filets nerveux vers les nerfs crâniens. La concentration de ces terminaisons gustatives est particulièrement dense sur les barbillons et des expériences ont démontré leur infaillibilité, comparable à celle de l'odorat des mammifères chasseurs.

Le poisson n'a même pas besoin de courants aquatiques. Il opère sur le principe de « graduation » : il continue à nager tant que le goût continue à croître, ou tourne si les cellules gustatives latérales transmettent au cerveau des messages plus importants. En contraste avec la technique unilatérale classique adoptée par un requin dont on a obstrué une narine, l'élimination d'un barbillon ne transforme en rien les déplacements du chabot. Mais lorsque toutes les cellules sensorielles sont diminuées sur un côté du poisson il a tendance à tourner en cercle dans le sens du côté intact, (comportement similaire au sourd d'une oreille qui tendra son tympan valide vers la source sonore). Il est donc évident que pour des animaux aussi richement pourvus, gustativement, le goût sert à l'orientation tout autant qu'à la détection, cette dernière principalement pour déterminer l'approche de ses ennemis et de ses congénères de sexe opposé.

Il n'est pas possible actuellement d'éliminer le sens gustatif du chabot afin d'étudier isolément son odorat. Les cellules sensorielles ne sont pas seulement distribuées à l'extérieur du corps mais aussi dans la bouche, le larynx et les ouïes. On ne peut donc même pas être sûr que le poisson possède effectivement un sens olfactif. Chez le muge, les barbillons peuvent se retirer dans un sillon situé sous la gorge, comme les roues rétractables d'un avion, lorsqu'il n'est pas à la recherche de nourriture. Dès que la faim s'empare de lui, les barbillons émergent. Le muge peut également les utiliser pour creuser la vase.

Nous avons pu remarquer que le dauphin, bien que ne possédant pas d'odorat, est doué de sensibilité gustative. Les pieuvres et seiches possèdent dans leurs bras, des récepteurs chimiques extrêmement développés. Le bras sectionné d'un de ces céphalopodes, réagit à l'odeur (ou au goût) de façon saisissante. La plupart des mammifères étant retournés à la mer comme les phoques et les dauphins, ont perdu l'odorat. La féroce musaraigne d'eau, par exemple, dépend entièrement de ses moustaches pour contacter sa proie. Certaines espèces de poissons-chat appliquent les méthodes de la musaraigne, ils nagent vigoureusement et en droite ligne, leurs longues moustaches flottant à leurs côtés, mais au moindre attouchement appétissant. ils les déploient et se mettent à tourner rapidement pour répéter les contacts. Peut-être même les vibrations de l'eau ont-elles une importance à courte distance. Mais tout cela est trop rapide pour pouvoir être étudié par l'œil humain.

Dans une autre boucle d'évolution, les oiseaux, bien que descendant des reptiles à l'odorat très développé, ne possèdent en règle générale aucun odorat. Les lézards et serpents possèdent eux, l'organe de Jacobson. L'odorat de la tortue est à faible distance excellent. L'humble triton (de la famille de la salamandre) est capable de retrouver son habitat d'origine à huit kilomètres de distance, grâce à l'odorat. Cet exploit — et cela en est un si l'on considère la petitesse de l'animal et son niveau primitif dans l'échelle des vertébrés — est accompli en utilisant la technique du saumon (bien que le triton recherche l'odeur plutôt aérienne qu'aquatique, de son lieu de naissance). La synthèse d'odeur de plantes, arbres et vase de son enfance, le conduit à la mare dont il est issu. Si sa membrane nasale est paralysée par du formaldehyde, il lui est presque impossible de retrouver son chemin. Mais le fait que ce ne soit pas une règle absolue, démontre que, toujours comme chez le saumon, une boussole interne doit pouvoir fonctionner. Nous allons repousser à la dernière partie de cet ouvrage la discussion de ces sens inconnus que beaucoup d'animaux possèdent, mais que les hommes, presque en leur totalité, ont perduus.

Apportons quelques précisions supplémentaires sur les rapports de la langue et de l'organe de Jacobson chez les serpents. A l'exception peut-être de la vipère grêlée, dont les organes percevant la chaleur radiante font partie de ces sens *extrêmes* que nous souhaitons traiter plus loin, les serpents trouvent leur proie en agitant la langue. Cette langue est en fait beaucoup plus l'homologue de la trompe de l'éléphant que de la langue humaine. Le serpent agite la langue au-dessus de la piste de sa proie, capte les molécules odorantes et les transmet à l'organe de Jacobson, centre de l'odorat, situé dans une cavité de son palais. La langue elle-même ne possède aucune cellule sensorielle mais une sorte d'accumulateur aspirant, au service de l'odorat. Voilà pourquoi les serpents tirent continuellement leur langue bifide, le cerveau les orientant selon les informations fournies par l'organe de Jacobson.

Les odeurs animales les plus caractéristiques sont causées par des molécules larges, ne s'élevant pas beaucoup dans les airs. Malgré tout certains oiseaux, fort peu, ont de l'odorat. C'est le cas du canard, du kiwi et de la bécassine qui font leur nid sur le sol. Chez les kiwis nocturnes, qui trouvent leur nourriture par le flair, les narines sont situées à l'extrémité du bec.

Les vautours, oiseaux des hauteurs, ne possèdent, bien sûr, pas d'odorat. Les rapaces sont parmi les rares animaux pouvant s'attaquer aux putois.

Tous les mammifères terrestres, dont l'homme, possèdent le sens de l'odorat, mais de façon variable. C'est chez les insectes ayant développé un savant mode de signalisation chimique — et même de communication et de gouvernement — que nous allons trouver les organes du goût et de l'odorat les plus prodigieux. C'est pour décrire ces fantastiques possibilités que le terme « phéromone » fut créé en 1959. Il signifie : signal chimique employé à la communication entre membres d'une même espèce. Il est évident qu'aucun des insectes à forme sociale évoluée, telles les fourmis, abeilles et termites, n'auraient pu, sans les phéromones, développer leurs sociétés rigoureuses et complexes.

Bien que, comme nous l'avons déjà précisé, ils soient sensibles aux vibrations, les insectes vivant en colonies continueraient à prospérer même privés de cet avantage, grâce à leur odorat. Même les abeilles, dont les chants durant la danse frétillante sont d'ailleurs controversés, pourraient aisément communiquer exclusivement par le moyen des messages chimiques primitifs. Ce changement ne serait pas plus pénible aux abeilles qu'aux humains, la disparition soudaine de la télévision.

Nous avons parlé du cri royal et du gémissement des rivales prisonnières, mais ceci constitue peut-être aussi un luxe qui n'est pas entièrement justifié. La reine peut sécréter un minimum de trente-deux substances chimiques distinctes, chacune correspondant à un message précis et irrésistible. Nous ne savons d'ailleurs pas exactement comment agissent ces substances, tellement l'odorat est chez nous un sens dégénéré.

Ces sociétés sont bien entendu basées sur la reine, mère de tous, alors que chez la plupart des termites (un ordre beaucoup plus ancien et phylogénétiquement totalement différent, des fourmis et des abeilles) la reine dispose d'un prince consort permanent. Pour les insectes sociaux primitifs, dont le stade d'évolution se trouve plus de dix millions d'années en deçà des fourmis, abeilles et frelons, le contrôle exercé par une reine unique semble une situation très précaire. Chez certaines guêpes *Polistes* et certains bourdons, l'apparence de la reine ne diffère qu'à peine de celle des autres adultes femelles. Elle ne domine que par son impétuosité et son odeur plus intensément femelle. Dans les sociétés de *Lasioglossum zephyrtum* à peine socialisées, existe une forme de gouvernement instable qui ne tiendra pas plus d'un million d'années sans exploser en familles isolées ou en société socialiste rigoureuse. Pour l'instant, le contrôle est entre les mains d'une caste de reines n'ayant pas le courage de s'affronter en combat pour conquérir la souveraineté et se contentant de se voler mutuellement œufs et couvain pour tâcher d'imposer leur propre descendance.

Cette organisation sexuelle anarchique a besoin pour arriver aux formes rigoureusement policées des hyménoptères de découvrir et d'utiliser les phéromones. Grâce à elles la reine arrive à contrôler totalement les ouvrières, mais également à imposer à celles-ci une régulation de la formation des reines. Sans besoin de pilules les abeilles disposent d'un système *social* de régulation des naissances, bel exemple d'authentique civilisation. Nous sommes donc ici en face d'une monarchie constitutionnelle à parti unique. Mais si les substances chimiques ne sont plus sécrétées, il ne demeure qu'une boîte pleine d'insectes déments et mourants de faim.

On a découvert pour l'instant neuf différentes catégories de substances chimiques de communication. Elles peuvent être orales (agissant par le goût) ou olfactives, selon la partie du corps qui les perçoit. Il existe des phéromones d'alarme, de recrutement, de soins (surtout aux périodes de mue), d'échange de liquides oral ou anal, d'échange de particules solides, d'aide (les équipes de travailleuses sont fréquentes chez les fourmis), de reconnaissance (entre compagnons de nid) et, les plus importantes, de détermination de caste par stimulation ou inhibition.

Une abeille ouvrière est maintenue en servitude et en « virginité » à l'aide au moins de deux substances sécrétées par la reine et suffisamment actives pour paralyser le système endocrinien sexuel de l'ouvrière. L'une d'elles est produite par une glande située dans la mâchoire de la reine, et sécrétée chaque fois que la bouche s'ouvre. Cette substance, à elle seule, supprime tout comportement de reine et entrave le développement ovarien. D'autres phéromones commandent spécialement l'attention ou certains traitements exigés par Sa Majesté. Quand la reine meurt, ou qu'elle est extraite de la colonie, en moins d'une demi-heure, les ouvrières abandonnent leur calme organisation et se précipitent fiévreusement sur le couvain. En quelques heures, elles transforment une ou plusieurs cellules d'ouvrières en cellules royales de secours et fournissent aux larves de la gelée royale. Au bout de quelques jours, certaines ouvrières (et pour des raisons qui demeurent obscures — pas toutes, pourquoi ?) commencent à donner des signes de féminisation, leurs ovaires atrophiés se développent, et elles pondent des œufs qui, non fécondés formeront des faux-bourdons. On a pu découvrir que coïncidant avec cette transformation, le *Corpus allatum* (glande essentielle), dont l'action était supprimée par les sécrétions royales, se développe et déverse une hormone gonadotrope dans le sang.

L'essaim se prépare alors à un nouveau tournoi de jeunes reines et les mâles, jeunes fils d'ouvrières, étant prêts pour le vol nuptial, un nouveau régime monarchique est prêt à fonctionner... la ruche est sauvée.

Chez les termites, société incomparablement plus complexe, la constitution et le contrôle des diverses castes est également dû aux phéromones. Chez les termites les plus pauvrement organisés, la caste clef est formée par les « pseudergates », caste bloquée à un stade proche des nymphes et accomplissant le travail dévolu aux ouvrières des autres communautés. C'est une sorte de robot à tous usages qui peut, par déclenchement chimique venu de la royauté, devenir soldat ou apte à la reproduction. Ici encore les phéromones agissent en influençant les glandes endocrines. Chez les termites plus évolués, seules les nymphes peuvent se transformer en reproductrices. Une solide caste d'ouvrières s'affaire, ne pouvant, elle, subir aucune modification.

Mais une caste à l'intérieur d'une caste existe chez certaines variétés méditerranéennes incroyablement spécialisées. Il peut exister jusqu'à cinquante-six différents types de travailleurs : menuisiers, porteurs d'eau, jardiniers de la champignonnière, sonneurs d'alarmes, gardes, nurses, maçons, soldats, policiers, cuisiniers de la reine, chambellans et valets, etc. Tous maintenus dans les postes de cette société multi-classes par l'absorption des phéromones contrôlant leur système glandulaire (si nous acceptons dans ce cas de considérer le système nerveux central comme une sorte de glande) ou les déterminant à choisir certaines nourritures. Mais qu'est-ce qui les détermine ? Qui équilibre cette société constituée de plus de cinquante syndicats distincts et vivant en harmonie ? Le vertige vous gagne à réfléchir à ces dosages et calculs d'ordinateurs organisant les substances nécessaires, non seulement à la reproduction en elle-même mais décidant du taux optimum de telle ou telle caste à une période donnée.

On comprend Eugène Marais invoquant « l'esprit de la colonie » mais il nous faut invoquer je crois pour justifier ces opérations complexes de chimie biologique, le même principe qui s'est révélé nécessaire aux processus de différenciation des tissus et de l'activité cellulaire : la mémoire transcendentale. Le termite fonctionne avec cette infaillibilité parce que depuis des centaines de millions d'années et d'innombrables billions de générations, il a agi identiquement. La mémoire sociale et la mémoire moléculaire se perpétuent par les mêmes lois et avec la même infaillibilité (1).

Dans certaines colonies de termites primitives, telles que les halotermes, le roi et la reine produisent deux phéromones (phéromone 1 et 2) qui empêchent la progression du pseudergate vers la caste royale. Ces phéromones sont transmises directement par l'air ou par contact et indirectement par les voies digestives. Une autre substance royale (phéromone 3) stimule la femelle pseudergate et la transforme en membre d'une caste reproductrice. Mais elle n'est sécrétée que par le roi, la reine ne possède pas cette prérogative. Lorsqu'il existe un excès de mâles dans la colonie, une réorganisation est provoquée par la phéromone 4 qui déclenche chez ceux-ci des duels meurtriers. Une même chose se produit si trop de femelles royales se sont développées, par l'action de la phéromone 5.

De plus, déterminés par quel agent chimique, nous l'ignorons, les mâles royaux stimulent la production de phéromones 2 chez les femelles royales, tandis que les reines sont à même de stimuler la production chez les rois de phéromone 1. Malgré cette équivalence chimique, il ne faut pas imaginer le roi et la reine entourés de serviteurs, confortablement installés chacun dans la salle du trône. La reine, énorme et suintante, demeure prostrée dans un énorme logement sphérique de dix centimètres de diamètre (dix mille fois la longueur d'un termite ordinaire), appareil à reproduction parfaitement immobile, pondant un œuf toutes les deux secondes. Le roi est difficilement aperçu ; il rampe silencieusement autour d'elle, minuscule à ses côtés et

(1) On attribue depuis peu de temps la différenciation des castes à la nourriture absorbée par les nymphes. Le rôle de la vitamine T, récemment découverte, paraissant déterminant. Cette substance est notamment contenue en assez grande quantité dans les champignons cultivés dans les jardins souterrains des termitières. Mais la question demeure : qui décide de la qualité de la nourriture à distribuer aux larves et comment ces décisions sont-elles transmises ?

occasionnellement se trouve requis de la féconder. Dans certaines termitières contenant plus d'un million d'individus. et où se distinguent des facilités telles que air conditionné à réglage automatique, constitué d'un labyrinthe de conduits aériens, la reine dans la chambre la plus profonde tel un pharaon dans sa pyramide est nourrie par un défilé incessant de serviteurs lui mettant dans la bouche une nourriture pré-digérée et emportant dans les nurseries les œufs nouvellement pondus. (La nourriture des termites est formée de pulpe de bois apportée par les menuisiers et passée par dix estomacs et de nombreuses entrailles avant que tous les éléments nutritifs aient pu en être extraits).

Si la reine meurt, le million de sujets formant la colonie ne se laisse pas mourir en holocauste mystique comme Maurice Maeterlinck le laissait entendre dans son célèbre ouvrage sur les termites. Certaines larves du couvain des travailleurs asexués (la manière dont s'opère cette sélection demeure inconnue) reçoivent une nourriture spéciale, probablement enrichie en vitamine T. Leurs glandes sexuelles se trouvent revitalisées et les larves se transforment en reines parfaites, prêtes, comme chez les abeilles, à l'affrontement du sélectif combat des reines.

Nous n'avons parlé jusqu'ici que des phéromones ayant une action sur les structures glandulaires internes des insectes et que l'on pourrait considérer comme des édits gouvernementaux. Mais il existe aussi des signaux induisant aux travaux ou efforts communautaires indispensables dans ces énormes colonies, spécialement envers la recherche de nourriture et l'approche de dangers. L'infâme fourmi rouge, ennemie principale des termites, est également très organisée. Quand une éclaireuse a découvert une masse de nourriture importante, tel un scarabée mort, elle retourne rapidement vers le nid laissant derrière elle une trace de minuscules sécrétions de la glande de Dufour, située sous son abdomen qui frôle le sol. Cette sécrétion chimique se diffuse dans la terre et forme un tunnel olfactif très actif dont le centre odorant optimum est à peu près d'un centimètre. Durant les cent secondes de son existence, les fourmis se précipitent le long de ce tunnel, les menant droit à la nourriture. Cela correspond à la danse frétillante des abeilles butineuses.

Les phéromones utilisées à fin de rassemblement semblent être aussi utilisées pour les signaux d'alarme. S'il existe une différence chimique entre elles, elle est trop infime pour avoir pu être détectée. La réaction au signal d'alarme peut être prudente chez certaines espèces de termites, mais pour d'autres, les soldats et même les travailleurs, sacrifient leur vie sans hésiter pour sauver la colonie ou tout au moins la reine. Quelquefois, la sécrétion d'alarme peut servir d'odeur d'attraction chez les fourmis. Elle est en ce cas d'une concentration très faible. Il est intéressant de remarquer que nous utilisons les mêmes méthodes dans la fabrication des parfums. L'odeur du musc est difficilement supportable à l'état naturel et même le concret (extrait condensé) de lavande ou jasmin est désagréable sous cette forme très concentrée.

Chez les fourmis rouges, une substance chimique non identifiée sécrétée dans la tête, constitue un signal de panique quelle que soit sa concentration. Le nombre de substances d'alarmes identifiées chez les insectes sociaux dépasse de beaucoup les autres phéromones. La raison en est simple. Les substances d'alarme doivent être très volatiles, caractéristiques, et conservées dans des réservoirs glandulaires facilement accessibles. Cela facilite grandement le travail des chercheurs! Au point de vue chimique il s'agit de molécules de petites tailles et de structures simples. Principalement des aldéhydes et des kétones. Ces messages d'alarme doivent être constitués d'odeurs suffisamment fortes pour être immédiatement reconnues et pouvant malgré tout se diffuser rapidement. Il est donc nécessaire de disposer de matières chimiques fournissant un message court et puissant pouvant facilement s'éliminer ensuite pour que les insectes puissent localiser l'alarme en temps et espaces. S'il n'en était pas ainsi, certains territoires avoisinant les nids demeureraient infestés de l'odeur de la peur, nécessitant d'inutiles détours et constituant une perte de territoire.

La dilution ou le mélange de différentes odeurs peuvent constituer des messages très différents. La phéromone utilisée chez les abeilles par la reine pour le contrôle des ouvrières sert à attirer les faux-bourdons lors du vol nuptial. (Comme nous allons le voir plus loin, il existe une grande différence de sensibilité aux odeurs, entre mâles et femelles.) La phéromone de la glande de Dufour des fourmis rouges est utilisée également dans des contextes différents de la recherche de la nourriture, elle peut servir de signal de rassemblement lors d'une migration en masse. Mélangée à une sécrétion des glandes de la tête, elle signifie danger.

Les ouvrières de la fourmi *Pogonomyrmex* réagissent vivement à de faibles concentrations de substances sécrétées dans la mâchoire. Elles s'approchent les unes des autres en agitant interrogativement leurs antennes. A des concentrations fortes, elles deviennent très agitées et tournent en rond, cherchant l'origine du danger, si la forte concentration est maintenue pendant une minute, beaucoup s'arrêtent, se frottent les pattes et se mettent furieusement à creuser. Ce comportement a pour but de découvrir et sauver la source de l'odeur qui peut être une compagne blessée ou enfermée par un éboulement dans la fourmilière. Les ouvrières qui dans la ruche ont procédé pendant plusieurs heures aux soins de la reine, acquièrent temporairement l'odeur royale combinée avec la leur propre. Cela pousse leurs compagnes à les attaquer. Il pourrait s'agir chez les ouvrières d'un désir d'usurpation, ou tout au moins d'une vanité d'apparaître au-dessus de leur condition, qui se doit d'être vigoureusement réprimée. Certains mâles chez la fourmi *Lasius* possèdent des phéromones utilisées durant le vol nuptial, semblables à celles possédées par d'autres espèces. Danger génétique de très grande importance. L'hybridation des espèces animales est formellement réprimée par l'évolution. Mais les proportions des différentes phéromones varient de telle façon dans chaque espèce qu'aucune confusion n'est possible. Chaque mâle possède son parfum particulier.

Nous n'avons fait qu'étudier superficiellement si l'on peut dire, les problèmes olfactifs des insectes vivant en colonies. Les phéromones de surface, émises et perçues seulement dans le contact des corps, sont chimiquement beaucoup plus complexes et constituées de molécules lourdes qui ont, jusqu'à présent, échappé à l'analyse. De cette catégorie sont les odeurs de colonie (sorte d'odeur de garnison). Chaque colonie possède la sienne, cette odeur est perçue quand un individu se trouve à portée d'antenne d'un autre et constitue un véritable mot de passe. Si une fourmi ne possède pas l'odeur convenable elle est férocement attaquée.

Les batailles de fourmis de même espèce (spécialement les fourmis moissonneuses) peuvent être longues et implacables, se terminant en extermination mutuelle. Les fourmis ont possédé leur guerre de Cent ans. H. G. Wells dans un de ses premiers livres a conçu un État de fourmis ayant inventé des armes redoutables, artillerie raffinée, rayons destructeurs, et se préparant à attaquer les hommes pour imposer leur domination à la planète. Il est évident que si nous transposons la xénophobie féroce des fourmis aux dimensions humaines, nous obtenons... ce que nous avons : l'homme moderne spécifiquement conditionné par ses gouvernements respectifs à la destruction.

L'émission et la détection d'odeurs n'est pas le monopole des insectes sociaux. Les phalènes sont renommées pour leur odorat et cela s'explique facilement. Chez beaucoup de papillons, y compris ceux du ver à soie, le stade volant adulte n'est qu'une brève lune de miel, où tout est axé sur la reproduction. Ils ne peuvent même pas se nourrir, il leur faut se contenter du stock de nourriture contenu dans leur sang. Il est donc essentiel de ne pas perdre de temps dans la recherche d'une compagne, et l'évolution les a dotés, dans ce but, d'une capacité extraordinaire. La femelle du bombyx peut informer un mâle qu'elle est prête à la fécondation, à une distance de deux kilomètres en exsudant un parfum défini d'une glande abdominale.

Pour déterminer exactement la possibilité extrême d'efficacité de cette odeur, des papillons mâles, spécialement marqués, ont été libérés à différents intervalles, d'un train en marche. Certains ont retrouvé leur chemin vers la femelle encagée, de plus de douze kilomètres de distance. Pourtant la femelle ne dispose que d'un millionième de gramme de substance odoriférante et elle la sécrète en plusieurs fois. Aussi, la concentration que le mâle doit être à même de percevoir, est de seulement une molécule par trente décimètres cubes (sans la stimulation de cette molécule le mâle demeure absolument indifférent aux femelles qui peuvent même se trouver sur la même fleur que lui sans qu'il y prête attention). Ce chiffre démontre une sensibilité beaucoup plus élevée qu'aucun instrument inventé par l'homme.

Pour remplir cet office, le papillon possède deux cent mille cellules sensorielles de douze sortes différentes situées dans ses antennes frontales, mais malgré la connaissance de la nature et des détails de construction de ces cellules exceptionnelles, nous n'avons jamais été à même de les égaler. Il y a là pourtant, de quoi faire rêver les ingénieurs de bionique. Détecter à distance les molécules de T. N. T. d'un explosif caché dans un avion, ou les molécules de poudre révélant un revolver, serait très souhaitable à notre époque de violence. Les agronomes sont également intéressés et ont obtenu eux, des résultats. Ils ont assemblé les glandes de plusieurs millions de papillons femelles pour pouvoir obtenir quelques gouttes de l'essence sexuelle odoriférante. Elle a pu être chimiquement définie et synthétisée artificiellement. Il est possible dorénavant, de neutraliser certaines espèces nuisibles sans qu'il soit nécessaire d'employer des insecticides qui, non seulement détruisent sans discrimination amis et ennemis comme le D. D. T., mais contre lesquels les insectes développent une rapide immunité. Le bombyx, papillon du ver à soie n'est pas nuisible, mais la piéride, la zeuzère, la noctuelle et de nombreux autres, constituent un fléau de l'agriculture. Si les femelles ne trouvent pas de mâles, elles pondent des œufs infertiles dont aucune vorace chenille ne pourra émerger.

Martin Jacobson, l'entomologiste américain le plus renommé, souligne qu'en dehors de l'urgence chez les papillons de rencontrer la femelle, leurs heures étant comptées, la présence d'une odeur attirante se révèle indispensable dans le monde des insectes. Des centaines de milliers d'espèces vivent ensemble dans les mêmes lieux. L'intimité n'existe pas dans une telle cohue. Depuis 1960, où Jacobson put imiter l'alcool complexe constituant l'odeur sexuelle de la zeuzère, presque toutes les odeurs sexuelles d'insectes ont été identifiées, mouches et moustiques inclus. Les phéromones mâles sont également courantes. Elles sont souvent aphrodisiaques et ont pour but de rendre l'accouplement plus productif. Certaines substances femelles sont tellement actives qu'elles attirent les mâles d'espèces proches, mais ces tentatives de viol, ou se révèlent techniquement impossibles, ou sont stériles.

Dans certains cas délicats, la coopération d'une plante se révèle nécessaire. Des expérimentateurs de l'Université Harvard ne parvenaient pas à accoupler des papillons polyphèmes en laboratoire. Toutes les conditions se trouvaient pourtant réunies, température, période de l'année et même musique douce. Ce n'est que lorsque, par intuition, l'un d'eux plaça une branche de chêne dans la cage que les insectes passèrent immédiatement à l'action. Il apparaît qu'une émanation non identifiée de la feuille de chêne soit nécessaire aux polyphèmes pour accomplir l'acte sexuel. L'alcool ou l'extrait aqueux de feuille de chêne, exercent la même influence, mais à l'exclusion de tout autre feuillage. Les feuilles de chêne se révèlent être la nourriture favorite des chenilles de polyphème mais les feuilles d'autres arbres dont elles sont malgré tout friandes : érables, ormes, châtaigniers, marronniers, noyers, hêtres ne possèdent, étrangement, aucune vertu aphrodisiaque.

Les relations chimiques entre plantes et insectes sont souvent complexes. Bien que les plantes à fleurs aient habituellement besoin des insectes pour assurer leur pollinisation, elles n'ont pas besoin de *tous* les insectes. En fait, certaines des formes larvaires de ces insectes sont leurs pires ennemies. Les plantes souhaiteraient que tous les insectes aient des comportements bien « convenables » comme les guêpes et les abeilles. En échange des bons offices de ces insectes, les plantes sont prêtes à les récompenser en odeurs suaves, nectar et pétales colorés. Mais pour se protéger des pillards, les plantes ont su développer des odeurs répulsives.

La valériane est une de ces odeurs repoussant les insectes. L'élément odoriférant principal est un terpène ; si vous en laissez tomber une goutte sur la carcasse d'un scarabée traînée par une fourmi — les fourmis sont en général peu appréciées des plantes — elle lâchera promptement la carcasse du scarabée et commencera à se laver avec furie. Toute autre fourmi ayant effleuré la première de ses antennes imitera instantanément ses ablutions. On ne voit pas la raison pour laquelle la valériane excite les chats et les pousse à s'amuser. Mais on se demande si la valériane ne possède pas des molécules semblables à celle des phéromones du chat lui-même. Les terpènes sont largement distribués dans le monde animal, au point que certains insectes les emploient comme odeur défensive, imitant à leur tour le stratagème des plantes. Il est évident que la signification d'une odeur réside dans le nez de celui qui la respire et, à travers le golfe phylogénétique, la même molécule peut parler un langage totalement différent.

Un des insectes les plus nuisibles des forêts d'Amérique du Nord est le scolyte, petit coléoptère creusant des galeries à l'intérieur des troncs d'arbres. Ses dégâts dépassent ceux causés par les incendies (cinq cents millions de francs par an). Le scolyte attaque habituellement les arbres lorsqu'ils sont pauvres en sève, à la suite des feux de forêt. Différents chimistes se sont efforcés d'imiter les phéromones de ces redoutables insectes, mais elles sont très difficiles à synthétiser. Il ne s'agit en effet plus ici d'odeurs sexuelles mais de messages incitant à participer à de nouveaux festins ou à se réunir aux lieux d'accouplement. Ce sont davantage des communications tribales, des sortes de cris olfactifs. « Réjouissons-nous, la forêt brûle » et « sous mon écorce, il y a place pour deux ».

Une question a toujours déconcerté les entomologistes. Pourquoi les moustiques choisissent-ils les eaux stagnantes pour pondre leurs œufs ? Il a été démontré à présent que c'est à la suite de leur odeur appétissante. Le doux parfum des bactéries en activité les attire vers une spécifique pièce d'eau. La destruction des moustiques est donc étroitement liée à la stérilisation des eaux stagnantes ; ce qui est plus facile que leur assèchement.

Depuis 1960, période des premières expériences de phéromones artificielles, des applications inattendues des leurres sexuels ont été tentées. Certaines ont leur point faible. Il est possible d'attirer tous les papillons mâles d'une certaine espèce à un faux rendez-vous, mais ensuite, qu'en faire ? Il faut les tuer ou les laisser mourir de faim et d'impatience, méthode imparfaite et confuse. Une des solutions est d'augmenter le désordre. Si l'odeur sexuelle de la femelle est tellement forte que la présence effective d'une femelle ne puisse plus être perçue, le mâle subit l'équivalent d'une dépression nerveuse. Environné de senteurs séductrices, il ne sait pas où se diriger et fera ce que virtuellement font tous les animaux, à part l'homme, en face d'un problème insoluble, il se laissera mourir.

Nous avons mentionné la sensibilité des barbillons de certains poissons, beaucoup d'insectes possèdent un goût tout aussi développé, mais leurs organes récepteurs se trouvent dans leurs pieds. A l'aide de ses pattes, une mouche peut déterminer la concentration de différentes solutions sucrées tout aussi bien que la langue de l'homme. Le papillon *Limenitis* peut reconnaître le sucre dans une solution deux cents fois plus faible que celle décelable par l'homme. L'araignée possède à l'extrémité de ses pattes des organes sensoriels réagissant aux odeurs et surtout aux goûts. L'araignée mâle reconnaît sa femelle au toucher de sa toile ou à la trace de son odeur corporelle mais rarement, pour ne pas dire jamais, lui est-il possible de la voir ou de l'entendre.

Ces capacités étonnantes ont attiré l'intérêt de nombreux chercheurs, désireux, non point tant de pouvoir détruire certains insectes que de s'instruire grâce à eux. La division d'Aéroneutronique de la compagnie Ford, par exemple, a conçu l'ambitieux projet d'étudier les récepteurs olfactifs de la mouche dorée de la viande, capable de discriminer un grand nombre de substances chimiques demeurant non perceptibles aux humains. Les organes olfactifs et les nerfs qui y sont attachés sont extraits et placés dans une boîte humide en compagnie de substances odoriférantes. Des sondes microscopiques sont reliées aux nerfs par des électromètres. Un amplificateur, enfin, muni d'un oscilloscope mesure l'électricité de la réaction nerveuse aux différentes substances confrontées à l'organe. Les ingénieurs sont convaincus que par ce moyen on peut arriver à créer de nouveaux oscillogrammes ou des codes sonores, à même de percevoir et signaler ce que notre nez jusqu'à présent ignore.

En tant que mammifères il est probable que nous étions dotés de cette faculté de percevoir l'univers chimique, que nous avons commencé à perdre lorsque nous nous sommes installés dans les arbres pour échapper aux rongeurs. C'est sur ceux-ci que nous nous rabattons actuellement pour diminuer notre handicap. Les rats emploient l'odorat et le toucher pour résoudre leurs problèmes et n'utilisent la vue que lorsque c'est absolument nécessaire. C'est exactement l'opposé de notre comportement. Apercevant une rose, l'homme s'approche pour la sentir. Le rat la sentira d'abord et bien entendu n'aura pas l'idée de s'en approcher, une rose ne représentant rien pour lui, ni d'ailleurs pour un chien ou un chat.

Les rongeurs possèdent en général un goût très développé mais capricieux. La réaction aux goûts et odeurs varie aussi selon le sexe. Mâles et femelles boivent la même quantité d'eau. Ils apprécient tous deux l'eau adoucie de sucre ou de saccharine. Mais après quelques jours les mâles ne boiront que l'eau sucrée tandis que les femelles non seulement persévéreront dans la saccharine mais arriveront à absorber des concentrations étonnantes, qu'un mâle n'approcherait à aucun prix. (Cela semble établir un parallèle avec les humains, les hommes préférant en général les amandes salées aux petits fours dont les dames peuvent faire des orgies. Mais gardons-nous de généraliser, la gloutonnerie de certains messieurs seuls, attablés dans les pâtisseries, n'aura certainement échappé à personne.)

En fait, les rats ne sont pas spécialement attirés par les sucreries quand on les compare aux hamsters et aux cochons d'Inde. Les chats n'aiment pas le sucre. Les chiens des campagnes non plus, leur gourmandise est une perversion inculquée par l'homme. Les rongeurs sont plus sensibles au chlorure de potassium qu'au chlorure de soude. L'étude du rat et du hamster a permis d'intéressantes découvertes neurologiques. Un même filet nerveux peut répondre à la stimulation de goûts très différents. Certains sont à même de réagir au sucre, au sel et à la quinine (saveur amère). Un petit nombre néanmoins ne réagit qu'à une seule sorte de goût. Comme un filet nerveux se divise pour innerver plusieurs cellules réceptrices, il est possible que ces cellules diffèrent dans leurs réactions individuelles et que la sensation dans le cerveau du rongeur soit seulement celle d'une partie des cellules commandées par le même nerf.

Les nerfs gustatifs du rat ont été soumis à des tests spéciaux. Il en ressort que la qualité des tissus supportant des bourgeons gustatifs et leurs propriétés, influencent davantage la réaction de ces cellules à des goûts différents, que les fibres nerveuses elles-mêmes. Tous ces filets nerveux sont incroyablement ténus, et rendent leur étude difficile. Le processus de transmission commence au niveau cellulaire. Les ramifications nerveuses comparent entre elles leurs opinions et c'est un compromis de leurs multiples enseignements qui est transmis vers le cerveau. L'acuité de détection de l'animal dépend donc de la rapidité du confrontement des sensations primaires et du diamètre des nerfs communiquant les messages codés. Souvent les organes sensoriels sont dans la position des centraux téléphoniques encombrés, il n'existe plus de lignes disponibles pour transmettre les informations nouvelles. Quand la caractérisation est faite le rat ne perd plus de temps. Il peut très vite sentir la différence entre un mâle et une femelle, mais si le bulbe olfactif est extrait il lui est impossible de s'accoupler.

Comme le chien, le loup marque son territoire par un jet d'urine renforcé par la sécrétion d'une petite glande spéciale. Quand nous voyons un chien tourner d'un air préoccupé autour d'un réverbère, il s'efforce de découvrir *qui* prétend détenir ce réverbère et son nez lui fera reconnaître plus loin son éventuel possesseur. S'il y a contestation ils se battent. Ceci constitue pour le chien une activité sociale essentielle. Comme il ne vit plus en bande, comme les loups ses ancêtres, les questions territoriales sont devenues pour lui primordiales. Le chien sait qu'il possède votre jardin et il l'annonce bruyamment à tous les passants. Mais en dehors du jardin le problème est ambigu et de multiples revendications peuvent avoir lieu. Lors des nombreuses batailles, suites inévitables de ces différends, le chien victorieux lève toujours la patte sur le champ de bataille, pour apposer son sceau sur le terrain qu'il a conquis.

Les loups se reconnaissent entre eux par l'odeur de leurs marques d'urine et chacun d'eux serait immédiatement averti du passage d'un loup étranger sur leur terre. Quand la strychnine est utilisée dans l'absurde et cruel plan de protection contre les loups existant aux États-Unis, lesl oups survivants apprennent vite à découvrir l'odeur douceâtre entourant les carcasses empoisonnées et qui pour eux signifie mort. Les chats domestiques vivant à la campagne peuvent partager les mêmes territoires de chasse en utilisant un horaire précis. L'un chasse pendant que l'autre dort. Quand un chat trouve le repère d'un autre chat dans un passage de chasse, il peut en déduire son âge et bien entendu son sexe. Selon les circonstances, il décidera s'il passe outre ou s'il retourne en arrière.

Pratiquement tous les chiens, à l'exception peut-être des sloughis, possèdent un odorat excellent. En dehors de l'aide qu'il apporte aux chasseurs, on a pu utiliser à de nombreuses fins l'exceptionnel odorat canin. Il a été maintes fois prouvé que le chien peut reconnaître n'importe quelle pièce de vêtement appartenant à une personne donnée. La seule exception à cette règle sont les vrais jumeaux et elle est révélatrice sur la nature de l'odeur du corps humain. Cette identité d'odeur ne vient pas de l'intimité de vie ou de nourriture — dans le cas de jumeaux mariés et vivant dans des villes différentes, les résultats furent identiques — l'odeur humaine varie selon des facteurs génétiques. Votre odeur est proche de celle de votre petit frère, mais pas au point que votre chien ne puisse facilement distinguer vos chaussettes des siennes. Grâce à cette spécifique individualité des odeurs, il a été possible de créer des « chromatogrammes » d'odeurs, homologues des empreintes digitales, pouvant permettre une identification formelle des individus.

Une utilisation peu courante du chien a été faite en Russie dans l'industrie minière. Des chiens sont dressés à reconnaître l'odeur des minerais contenant de la pyrite (sulfate de fer). En Sibérie, un chien découvrit un dépôt de pépites de 3,50 m d'épaisseur se trouvant sous 2,80 mètres d'argile. Cette technique semble avoir été découverte en Finlande en 1962. Un chien finnois a découvert treize cent trente roches contenant du minerai sur un espace de trois kilomètres, alors qu'un prospecteur entraîné n'avait pu localiser que deux cent trente roches dans cette même zone.

Un chien découvre rapidement l'odeur du lapin, mais il est probable que le lapin découvre encore plus vite celle du chien. Un lapin ordinaire possède plus de deux cent millions de neurones sur son épithélium olfactif. Son parent, le lièvre arctique en possède même davantage. Il peut détecter immédiatement la nourriture enfouie sous soixante centimètres de neige. La réaction olfactive paraît de plus, instantanée. Un lièvre courant à toute vitesse exécutera une culbute d'arrêt comme immobilisé par un électro-aimant.

Creusant avec véhémence, il ne tardera pas à découvrir une succulente branche de saule, sa nourriture préférée.

Certains mammifères vivant en colonies établissent des règles sociales au moyen d'odeurs. Sans atteindre un comportement aussi conditionné par l'odorat que les abeilles ou les termites, les chiens de prairie possèdent des tabous olfactifs imprescriptibles. Comme dans les communautés humaines, les immenses villes des chiens de prairies sont divisées en une trentaine de quartiers, habités chacun par un clan d'une quarantaine d'individus. Ces quartiers sont délimités par une invisible frontière d'odeurs. Bien que, contrairement à nos cités, il n'existe pas de quartiers résidentiels et de ghettos, il est strictement interdit de dépasser ces limites qui sont continuellement surveillées par le mâle dominant ou le doyen du clan. On ne passe cette frontière que par une regrettable étourderie ou animé d'une intention belliqueuse délibérée, comme par exemple lorsqu'un jeune mâle, confiant en sa force nouvelle, décide de conquérir un plus grand territoire. Les femelles ont aussi la charge de chasser sans délai toute femelle étrangère au clan.

John King a beaucoup étudié les chiens de prairie au Dakota du Sud, il a fort bien décrit l'affrontement de deux femelles se contestant mutuellement leurs droits. L'une mange tranquillement, ayant involontairement dépassé la limite de quelques centimètres, une autre habitant le quartier envahi, s'approche avec prudence et montre ses dents à l'intruse, signifiant : « Qu'est-ce que vous fichez ici ? » La première, forte de sa conscience pure ne bouge pas, mais quand la menace se précise, elle se retourne, redressant la queue pour exposer son postérieur répondant « il faut vraiment avoir du temps à perdre, mais venez, sentez et reconnaissez votre erreur »! L'autre femelle se retourne à son tour, et exhibe *son* postérieur pour confondre l'insolente. Ce manège se répète plusieurs fois jusqu'au moment où l'une d'elles excédée mord le postérieur de l'autre. C'est évidemment le signal d'un combat interrompu de temps à autre, chacune renouvelant ses démonstrations olfactives. Finalement elles retrouvent l'odorante limite de quartiers et s'en retournent chacune chez elle où, probablement, elles passent leur mutuelle mauvaise humeur sur le reste de leur famille.

Les animaux possédant un odorat particulièrement développé ont la muqueuse olfactive et l'entrée des organes olfactifs, fortement pigmentés. Chez les albinos, accident génétique provoquant une absence de pigmentation, il n'existe pas d'odorat. Les cochons sauvages albinos de Virginie meurent rapidement faute de pouvoir différencier les racines vénéneuses du *Lachnanthes* des autres racines assurant leur subsistance. Ordinairement, les porcs possèdent un excellent odorat. Ils surpassent largement les chiens dans la recherche des truffes en Périgord.

Bien que n'étant pas capable d'accomplir les performances du porc ou du chien, l'homme possède un bon odorat, comme en témoigne l'industrie florissante de la parfumerie. D'importantes recherches ont été effectuées sur l'odorat humain, surtout pour déterminer les senteurs appétissantes à attribuer à certains aliments nouveaux ou aux médicaments oraux. N'oublions pas que les sensations gustatives sont étroitement liées à l'olfaction.

Les odeurs perceptibles à l'homme ont été classées dès 1895 par le physiologiste hollandais Zwaardemaker et cette classification a peu évolué depuis. Il y a neuf catégories principales d'odeurs : les éthérées (fruits, raisins, éther), les aromatiques (camphre, girofle, citron, amande amère), les balsamiques (fleurs, vanille), les ambrées (ambre, musc), les alliacées (hydrogène sulfureux, arsine, chlore), les empyreumatiques (café torréfié, benzène), répulsives (punaise, belladone) et les nauséeuses (pourriture, excréments).

De grands efforts ont été tentés pour développer la microanalyse chimique, la présence très faible de certaines particules pouvant être déterminante dans la qualité d'une odeur. On a également essayé dans le même but la spectrométrie, les résonances magnétiques nucléaires et la chromatographie des gaz et des liquides. Le spectroscope de masse peut, dans les meilleures conditions, détecter un picogramme, c'est-à-dire un trillion de gramme de substances. Mais ce n'est pas suffisant. L'odorat humain peut sentir le skatol, l'offensante particule chimique responsable de l'odeur des excréments, à une concentration de 3×10^{-11} % de son poids dans l'air, mais on a découvert récemment que le skatol n'est pas, en dernier ressort, le responsable de cette odeur. Le skatol purifié est inodore. Il s'agit donc de traces infimes d'un produit inconnu. Cela n'a rien de surprenant lorsqu'on sait qu'un mélange de 99 999 % d'humulène (odeur de bois) et de 0,000 1 % de ionone (odeur de violette) dilué dans l'air, répandra un triomphant parfum de violette. Le seuil de perception est de 10^{-14} grammes pour la ionone, tandis qu'il est seulement de 10^{-7} grammes pour l'humulène.

Des machines ont été fabriquées pour détecter certaines odeurs. Mais même les importantes compagnies pétrolières font davantage confiance au nez humain pour prévoir les réactions de la clientèle à des produits nouveaux.

La membrane olfactive est toujours recouverte d'une mince couche fluide. Les constituants chimiques doivent se dissoudre instantanément dans les tissus de l'épithélium nasal mais ce n'est pas une condition suffisante pour qu'une odeur soit perçue, comme le prouve le dioxyde de carbone, volatil et soluble, mais inodore. Il est probable que les combinaisons chimiques courantes, dont la vie s'est accompagnée depuis le commencement, tels l'eau et le dioxyde de carbone, ne présentent volontairement pas d'odeur, l'évolution ayant décidé que cela représentait une source de confusion inutile. Tous les éléments simples d'ailleurs, à l'exception du chlore, du brome et de l'iode, sont inodores. Les substances d'un poids moléculaire de plus de 300 sont généralement d'odeur imperceptible.

Pendant longtemps la théorie de l'olfaction la plus plausible était celle de Lucrèce (50 av. J.-C.) affirmant que les odeurs sont semblables à des clefs correspondant à certaines serrures. Les chimiorécepteurs sont constitués de telle sorte que seules des molécules d'une certaine dimension et forme, déclenche une réaction. Un raffinement de cette théorie, précisant comment se déclenche l'impulsion olfactive, est proposé par un ingénieur anglais John Davies. Selon lui, la molécule est *adsorbée* sur la terminaison nerveuse qu'elle pénètre formant un minuscule trou, un échange instantané d'ions de sodium et de potassium se produit alors par cette minuscule fenêtre provoquant l'impulsion nerveuse. L'adsorption même d'une seule molécule suffirait à déclencher le phénomène. Le seuil de l'odorat humain est à peu près de huit molécules. S'il y en a moins, le message olfactif ne peut être envoyé. En supposant qu'une seule molécule sur mille pénètre dans les narines, les résultats demeurent cinquante mille fois supérieurs aux techniques raffinées de la chromatographie gazeuse. Bien qu'il soit impossible, en raison de leur petitesse, de compter les terminaisons nerveuses olfactives, elles semblent à même de fournir au cerveau dix millions d'unités d'informations par seconde. Les « renifleurs » professionnels travaillant dans les laboratoires de parfumerie sont capables de distinguer dix-neuf mille odeurs différentes à vingt niveaux d'intensité chacune. Selon une des théories de Freud le sens humain de l'odorat fut réprimé comme l'instinct sexuel à partir d'un certain stade de civilisation. Les enfants ne font, en effet, aucune distinction entre les odeurs agréables et désagréables jusqu'à l'âge de cinq ans. Les enfants de trois et quatre ans trouvent les odeurs de sueur et d'urine plaisantes, ce n'est qu'à partir de cinq ans, sur les injonctions de leurs parents, qu'ils apprennent à considérer ces odeurs comme mauvaises.

Le musc est l'essence la plus ancienne qui ait été utilisée comme parfum. Il est extrait d'une glande située près du sexe chez un cervidé mâle originaire des Himalayas, le porte-musc. Les Chinois ont toujours associé ce parfum à l'attraction sexuelle et ils le considéraient comme un aphrodisiaque. Il existe à présent, de nombreuses qualités de musc classées en : macrocyclique, stéroïde, nitro, indane, naphtalène et benzène.

Il semble certain que l'odeur du musc possède pour les humains une implication sexuelle. Plus de 50 % des hommes ne sentent pas ce parfum et les autres ne le sentent plus à partir d'une dilution dans l'air d'une part pour un million. Les femmes par contre peuvent le percevoir à une dilution d'une part par billion. Durant le cycle menstruel la sensibilité féminine évolue et à la période d'ovulation certaines femmes peuvent même reconnaître une dilution de musc d'une part par *quatrillion.* La raison en est peu claire mais elle est certainement associée aux hormones féminines. Les femmes ayant subi l'ablation des ovaires demeurent mille fois moins sensibles mais retrouvent leur acuité première lorsqu'il leur est administré des œstrogènes.

Si nous n'étions pas noyés dans un torrent chaotique d'odeurs artificielles telles que cigarettes, essence, cosmétiques et pollution atmosphérique, les aspects aphrodisiaques de l'odeur du musc nous apparaîtraient plus clairement.

Il y a quelques années lors d'une recherche de promotion de ventes, des bas identiques furent proposés à la clientèle féminine dont 50 % étaient légèrement parfumés. La majorité des clientes achetèrent les bas parfumés mais interrogées sur les raisons de leur choix, elles invoquèrent la qualité, la texture et l'apparence, jamais l'odeur. Il s'agit probablement d'un effet subliminal. Même l'homme du Néanderthal, vivant il y a 60 000 ans était sensible à la beauté et au parfum des fleurs, bien qu'on ait tendance à imaginer une brute insensible. Il a été découvert dans une tombe en Iraq, un lit funéraire recouvert de restes de jacynthes, de renoncules, de passe-roses et de seneçons.

L'étude scientifique de la chimiosensibilité est entravée par l'impossibilité d'amplifier les odeurs, comme on le fait communément pour le son et la lumière. En effet, le phénomène olfactif n'est lié à aucun mouvement vibratoire. Il est malgré tout possible que la prise de *conscience* des messages chimiques puisse être élargie (amplification interne) par l'emploi de drogues telles que la mescaline ou le L. S. D. Les effets de ces odeurs sont donc renforcés mais la « lucidité corticale » demeure inchangée (les perceptions subliminales). Nous deviendrions, sous l'action de ces drogues de réels connaisseurs pouvant différencier les vins capricants des vins fruités et savourer la subtile distinction existant entre les crus moelleux et les veloutés. Avantage non négligeable. N'oublions pas que sans odorat nous ne saurions pas si nous mangeons une poire un peu dure ou une pomme de terre. L'arôme du café était attribué autrefois, à trente substances chimiques, cette liste est actuellement descendue à quinze mais demeure surtout une matière d'appréciation. En vérité l'odorat, bien que sens très primitif, n'est toujours pas complètement compris.

Les cellules olfactives sont primairement des neurones. L'épithélium nasal est seulement séparé du cerveau par une mince plaque osseuse. La cavité nasale est innervée par des fibres du nerf crânien trijumeau, ne transmettant pas toutes des messages olfactifs. Il a été supposé que ces cellules participaient à l'olfaction en évoquant les possibilités de réactions douloureuses (le système nerveux central signalant : « Attention, odeur dangereuse ! »). Mais il est apparu à présent que ces récepteurs non olfactifs rendent compte des matières inertes telles que la poussière. La terminaison sensorielle de toutes les cellules olfactives possèdent des petits cils se ployant sous la poussée du souffle. Il y a six cils chez l'homme par cellule (quatorze chez le lapin), maintenus constamment humides par le mucus. Les fines extrémités des axones se réunissent en faisceaux et passent à travers la plaque osseuse de la chambre nasale pour atteindre le bulbe olfactif. Là, elles se terminent en minuscules pelotes appelées glomérules. Autrement dit chaque filet nerveux conduit du point de stimulation au bulbe où une jonction supplémentaire les rattache directement au lobe du cerveau. C'est le chemin le plus direct existant entre le monde extérieur et le cerveau. Cela révèle l'importance que l'évolution accorda à une époque reculée, à la chimiosensibilité.

Le bulbe olfactif et ses glomérules est un centre extrêmement occupé.

Considérons que sur les vingt mille axones arrivant dans chaque glomérule, comme chez le lapin, seulement vingt-deux axones mitrales (ou secondaires) se dirigent vers le cerveau. Les messages subissent donc une censure et une classification en traversant les glomérules. C'est comme si les conversations de toutes les Madame Dupont appelant par un standard téléphonique Madame Martin, étaient compressées ensemble et que ce message unique seulement soit acheminé vers le destinataire. Malgré tout, la situation ici est moins confuse. Chez les neurones toutes les Madame Dupont possèdent la même personnalité. C'est donc un *type* de message qui est transmis aux cellules mitrales, l'*essentiel* de ce que les Madame Dupont avaient à dire sera retransmis et non les commentaires insignifiants sur la température, les enfants et la cherté de la vie. Le reste du message acheminé par les filets nerveux demeure subliminal et pourrait peut-être devenir conscient sous l'action de drogues ou d'entraînement spécifique. Mais l'homme peut seul se payer un tel luxe d'expérimentation. Chez un animal, pour qui l'odorat est le principal agent de survie, le parfum des fleurs, l'odeur des voitures ou des insecticides, ne peut être qu'une castastrophique dispersion olfactive.

Nous avons déjà pu comprendre que le bulbe n'est pas, et ne doit pas, être un fidèle transmetteur des messages reçus. Les différentes classes de récepteurs peuvent être distribuées en proportions diverses sur chaque neurone olfactif primaire. Dans le bulbe olfactif de la grenouille, la moitié des neurones réagissent à une substance donnée, mais deux seulement de la même façon. Il semble y avoir d'ailleurs une localisation spatiale dans le bulbe selon le type de message perçu. Chez le chat, la partie postérieure du bulbe est sensible à l'odeur de viande ou de poisson en décomposition. Chez d'autres, les substances facilement solubles dans l'eau agissent sur le devant du bulbe, les substances insolubles, sur l'arrière.

Il ne semble donc pas que des récepteurs spécialisés aptes à ne réagir qu'à certaines molécules, existent. Une odeur biologique importante est plus probablement constituée d'un code chimique complexe et c'est à ce code que le bulbe et le cerveau réagissent.

Nous en savons beaucoup plus sur la réceptivité chimique de la gustation, que sur l'odorat. Nous connaissons, en fait, beaucoup mieux les habitudes gustatives de la mouche à viande, que celles de tout autre animal, l'homme inclus, principalement parce que ses organes gustatifs sont aisément accessibles. Ils consistent en poils situés sur le proboscis de la mouche (sa trompe) contenant des cellules pseudo-sensorielles jouant le rôle de récepteurs. Ainsi la mouche peut être certaine que ce qu'elle aspire par sa trompe est une nourriture à sa convenance, l'ayant déjà goûtée par ses poils sensoriels (ce qui constitue un avantage que peuvent envier beaucoup d'enfants aussi curieux que gourmands). Chaque poil sensoriel du proboscis contient, à sa base, trois récepteurs. Deux des cellules envoient de minces filaments à travers le centre creux du poil, jusqu'à son extrémité. La troisième est une cellule du toucher sensible à la courbure du poil.

La première question à se poser est, comme pour l'odorat : les deux cellules réceptrices sont-elles sensibles aux mêmes substances ? La réponse est non. Sel, acide, alcools et autres substances à l'exception du sucre, provoquent une réaction d'impulsions électriques de l'ordre de trois cents microvolts. Les solutions de sucre, ou autres aliments qu'affectionne la mouche à viande, provoquent une amplitude électrique de deux cents microvolts. Une cellule réagit aux sucres etc. (Le signal voulant dire : « Bonnes choses, à table! ») l'autre aux substances sans intérêt (signal voulant dire : « Beuh! Pas bon. ») Dans un environnement normal où les substances disponibles sont simultanément bonnes et mauvaises, le comportement de la mouche dépendra de la proportion de « Beuh » et de « Bonnes choses » atteignant le cerveau. Et il est rare que les signaux opposés soient de même proportion. Par exemple l'addition à une solution salée, de sucre blanc non seulement active les cellules sensibles aux sucres, mais inhibe partiellement la fréquence des cellules sensibles au sel. Ce phénomène tend à augmenter la différence existant entre les fréquences des deux messages. Comme il est très bon pour la mouche d'absorber du sucre additionné d'un peu de sel, le message sera « Excellente nourriture ». Si c'est de la quinine que l'on ajoute à la solution salée, l'exagération des contrastes provoquera le message « Partons, nourriture exécrable ». A nouveau nous nous trouvons en présence de cette continuelle tendance biologique d'exagérer les contrastes dont l'importance est essentielle pour le comportement de l'individu. La mouche a besoin de signalisations extrêmement définies pour savoir s'il est souhaitable ou non qu'elle absorbe une nourriture.

Un certain délai est malgré tout nécessaire au bon fonctionnement de l'ensemble du processus. Les récepteurs de certains poils sont lents à réagir aux stimuli ou relativement peu excitables, tandis que ceux d'autres poils répondent instantanément. L'avantage de ce déséquilibre se découvre lorsqu'il s'agit de transmettre une stimulation puissante et prolongée. Les récepteurs rapides sont rapidement fatigués et deviennent alors inactifs, tandis que les lents demeurent à même de transmettre les stimuli. Il est également probable qu'une mouche approchant d'un sirop chaud, reçoit par l'entremise d'un poil unique un message complet, c'est-à-dire signalant non seulement une nourriture savoureuse et concentrée, mais également chaude et poisseuse.

L'homme possède des millions de récepteurs olfactifs mais seulement un millier de cellules gustatives. Sur ce millier, seulement quatre goûts de base : sucré, salé, acide et amer. Tous les autres sont issus de distinctions de saveurs tenant compte du parfum, de la consistance, de la température et du rapport fade/épicé.

Tous les acides minéraux possèdent un goût aigre, qui est en réalité le goût d'un ion d'hydrogène. Les acides organiques peuvent, eux, posséder des goûts additionnels. L'acide acétique (le vinaigre) a un goût plus acide qu'il ne l'est intrinsèquement par sa tenue en ions d'hydrogène. Mais dans les acides organiques plus élaborés, la part hydrocarburée de la molécule joue un rôle. L'acide citrique est à la fois doux et acide, tandis que l'acide citraconique est à la fois acide et amer.

La plupart des sels minéraux simples, tel que le chlorure ou sulfate de soude, le nitrate de potasse etc., possèdent un goût salé et amer. Curieusement les sels de béryllium et certains sels de plomb ont une saveur sucrée ce qui est fâcheux pour les enfants car ce sont des poisons violents.

Les sels de poids moléculaire faible sont habituellement salés, mais en augmentant ce poids les sels ont tendance à devenir sucrés. Il n'existe pas de guide de saveurs néanmoins dans les produits chimiques. La saccharine et le cyclamate, les sucres synthétiques pour diabétiques les plus largement employés, ont été des découvertes purement accidentelles.

Les récepteurs gustatifs réagissent de façon semblable à ceux de l'olfaction. La première étape est l'absorption par la surface du récepteur, puis la perforation de la membrane. Les ions sodiques pénètrent, les ions potassiques sortent et le potentiel des fibres nerveuses résultant de l'échange tombe, expédiant une décharge nerveuse pour annoncer au cerveau que quelque chose vient d'être goûté.

Les bourgeons du goût de tous les mammifères sont situés dans la bouche, sur la langue et une partie du palais. Les papilles (qui rendent la langue râpeuse) de l'arrière de la langue sont entourées d'un repli par lequel coule la salive sécrétée par les glandes salivaires proches. Le long de ce repli se trouvent les papilles caliciformes, bourgeons du goût particulièrement développés. Chaque papille possède dix à quinze cellules gustatives rangées en rond comme les quartiers d'une orange. Le nombre de cellules gustatives diminue avec l'âge, ce qui explique l'incrédulité opposée par les parents et grands-parents aux critiques gastronomiques de leurs enfants.

Les adultes possèdent à peu près neuf cents bourgeons gustatifs placés surtout à l'arrière de la langue, le centre en possédant assez peu. La saveur sucrée est signalée par le bout de la langue, la saveur salée par les côtés de l'extrémité, la saveur acide par les deux côtés médians et l'amertume par l'arrière. Si nous plaçons dans la bouche une combinaison chimique à la fois amère et sucrée, nous constaterons la saveur sucrée avant la saveur amère, celle-ci n'apparaissant que lorsque la saveur sucrée commence à décroître. La notion d'après-goût n'est que l'exagération d'une saveur aux dépens d'une autre perçue en second, et que souvent l'on minimise parce que déplaisante. Mais évitons les trop grandes simplifications, même en un domaine relativement simple tel celui-ci.

Isolément les bourgeons gustatifs ne fournissent pas de réponse spécifique. Un même filet nerveux innerve plusieurs cellules du même bourgeon et peut-être que chaque cellule ne peut répondre qu'à une stimulation. Il a été prouvé pourtant qu'une seule cellule peut réagir à plus d'une seule catégorie de goûts. Comme nous l'avons signalé en parlant des rongeurs, il existe une classification préliminaire des réactions effectuées au niveau papillaire. N'ayant aucune raison de croire que l'homme possède une gustation supérieure à celle du rat, nos sensations gustatives doivent elles aussi subir cette consultation entre filets nerveux. Le résultat de cette conférence constitue le message codé transmis au centre cérébral.

Bien que plus simple que l'odorat, la gustation implique un plus grand nombre de nerfs. Un de ceux-ci le *Chorda tympani* affleurant la surface de la peau, peut facilement être étudié par les méthodes électrophysiologiques. Les renseignements fournis par ce nerf représentent la somme des goûts enregistrés par les 2/3 de l'extrémité de la langue. Les nerfs glossopharyngien et pharyngien innervent le reste de la langue et le palais.

Certains composants chimiques possèdent des effets paralysants sur le goût sans affecter l'odorat, la paralysie affectant seulement certaines sensations. Ainsi l'acide gymnemique contenu dans les feuilles de l'asclepias abolit complètement la gustation. Après en avoir mâché une feuille, le sucre en poudre n'a pas plus de saveur qu'une pincée de sable. L'amer est également aboli. Seules les sensations acides et salées demeurent. Les noirs du Nigeria avaient l'habitude d'user du « fruit miraculeux », une baie qui, après avoir été mâchée, abolit les sensations acides — un citron semble plus doux qu'une orange — résultat très important pour les Nigériens se nourrissant de pain de maïs acide et d'aigre vin de palme.

Notre civilisation occidentale décadente s'est amusée un bon moment avec les glutamates, à présent partiellement interdits. Le glutamate de monosodium est connu depuis 1909 et a été utilisé à rendre les bas morceaux de bœuf aussi savoureux que le filet mignon. On a découvert que certaines fibres nerveuses du *Chorda tympani* réagissent à la présence du glutamate en confirmant que les goûts sont effectivement perçus plutôt qu'en modifiant les saveurs elles-mêmes. Il pourrait éventuellement avoir aussi un effet secondaire sur les ions métalliques, rendant davantage de récepteurs aptes à réagir aux stimulations gustatives. Bien entendu, le désir de jouissance des humains s'est emparé de ces deux découvertes et toute une série de symptômes allergiques ont récemment été reliés à l'absorption excessive de glutamate de monosodium. Pendant des années, en Amérique a sévi le « syndrome des restaurants chinois ». Vertiges, migraines et sensations de brûlures étaient causés par les plats raffinés de nids d'hirondelles ou d'ailerons de requins contenant jusqu'à deux cuillerées à soupe de glutamate.

La recherche concernant la saveur des aliments n'a pas seulement concerné les importantes industries de nourriture en conserve. Récemment, elle est venue se rattacher à un problème d'importance planétaire. La saveur, devenue culturelle, dépend de la géographie. Dans l'histoire de notre planète, l'exploration conduisant à la découverte de nouveaux continents permit la connaissance des épices de l'Orient, apportant une plus grande diversité à la nourriture occidentale.

A présent, il s'agit de lutter contre le dégoût des Orientaux envers certaines saveurs, pour les empêcher de mourir d'inanition. Il est inutile de leur expédier du blé quand ils ne se nourrissent que de riz. Les Bengalis ont prouvé en 1944 qu'ils préféraient mourir de faim plutôt qu'employer de la farine de blé. En 1966, de graves émeutes éclatèrent au Kerala, aux Indes, contre la pression du gouvernement voulant inciter la population à consommer du blé. Dans un monde où les deux tiers de la population auront peut-être à affronter la famine avant la fin de ce siècle, il est probable que pour survivre, ce n'est pas au goût de la farine de blé qu'il faudra s'accoutumer mais à celle de poisson et d'algues ou aux protéines extraites du pétrole. S'il était possible de donner à celles-ci le goût du riz, il est probable que cet angoissant problème serait résolu.

Un exemple du problème opposé résolu par les chimistes concerne une boisson extrêmement populaire à Hong-Kong, sorte de coca-cola chinois à base de graines de soja. Une firme américaine importante, la Monsanto Chemical, a fusionné avec la firme orientale créatrice de cette boisson. La popularité de la concoction chinoise tient à son goût de soja. Ce qui constituait un solide atout pour l'Orient fut un obstacle rhédibitoire pour l'Occident. Les chimistes de la compagnie Monsanto ont réussi alors à fabriquer, avec la même base de soja, une boisson au goût de noisette. La couleur, l'odeur et la consistance ont également été réajustées afin que les Occidentaux aient l'impression d'avaler une sorte de lait malté. Les chimistes ont donc réussi le tour de force de transformer un aliment en son apparence contraire.

On a découvert récemment que les Orientaux ne peuvent digérer le lait passé la période d'allaitement du premier âge. C'est pour cela que les tonnes de lait en poudre expédiées aux pays d'Asie et d'Orient comme aide aux pays sous-alimentés se sont révélées une erreur catastrophique. Quand, surmontant le dégoût provoqué par cette nourriture, le lait était absorbé, il produisait des entérites incoercibles.

Même en Amérique du Sud, il est très difficile d'amener les familles pauvres à payer pour se procurer des aliments à haute teneur en protéines, importés des pays plus riches. Ils ne veulent même pas payer un prix minimal permettant de compenser une partie des frais d'importation. Si la nourriture est gratuite ils la mangent sans enthousiasme. Mais s'il faut dépenser quelque chose, ils préfèrent acheter du café.

Nous apercevons dans tous ces cas de préjugés de nourriture, le résultat d'une évolution culturelle aberrante. Comme certains renards arctiques préfèrent mourir de faim plutôt que de déroger à leur régime de lemming, les Orientaux préfèrent la mort plutôt que de faire l'effort de transformer leurs habitudes alimentaires.

L'homme a évolué du primate végétarien au puissant omnivore actuel, principalement parce qu'il a appris à se nourrir de façons très diverses. En Orient, et également en Amérique du Sud et en Afrique, l'homme a passé par un processus d'involution et seules certaines graines peuvent le satisfaire. Bien qu'une solution d'urgence puisse exister, grâce à la chimie alimentaire, il est évident qu'à long terme, le seul remède est un changement de culture. Les mères occidentales apprennent à leurs enfants que la sueur et les excréments sont des choses désagréables et que les pommes de terre sont des choses utiles et bonnes. Les mères orientales doivent apprendre à leurs enfants que le blé, par exemple, est une chose bonne et utile. Et il existe beaucoup plus de mères orientales que de mères occidentales!

4. LA TEMPÉRATURE, LE TOUCHER ET L'ÉNIGME DE LA DOULEUR

Tous les unicellulaires peuvent être considérés comme possédant un sens tactile. Je sais qu'un biologiste pourrait nier que cela constitue un sens puisqu'il refuse de leur attribuer un système nerveux. Mais je combats ce point de vue. Non seulement le comportement des unicellulaires correspond à celui des créatures pourvues de système nerveux, mais anatomiquement on peut apercevoir des fibrilles miniaturisées à l'intérieur de leur cellule, et ils possèdent aussi des éléments chimiques associés à l'activation et à la conduction nerveuse.

Nous approchons ici d'une distinction profonde qui s'applique non seulement au sens du toucher, mais à n'importe quelle sensation. Le fonctionnement de tous les sens d'un métazoaire, tel qu'un insecte ou un homme, est similaire au processus de réalisation d'un film de cinéma.

Le metteur en scène préside à la prise de milliers de mètres de pellicules mais ne montre à la fin aux spectateurs qu'une fraction équilibrée de ce métrage. Identiquement — bien que les récepteurs biologiques enregistrent, eux, sans relâche — seule une partie des enregistrements sensoriels sont suffisamment puissants pour pouvoir être retransmis par les nerfs. Le caractère hiérarchique et inhibiteur des fibres nerveuses correspond au « montage » des films. La représentation sensorielle que nous possédons du monde extérieur, ne correspond pas plus à la réalité que Donald Duck à un canard sauvage. Cette déformation se justifiant par l'exigence du possesseur de ces sens, de préserver sa vie et sa descendance.

Chez les unicellulaires les sensations (provoquées par les substances chimiques, la pression de l'eau ou le contact) ne subissent évidemment pas toutes les modifications et censures de celles des multicellulaires. Chaque mètre de film est développé et utilisé. Il est philosophiquement intéressant de s'apercevoir que seuls les animaux les plus primitifs perçoivent le monde tel qu'il est. Tous les autres se trouvent liés par les mécanismes, en ce qui concerne l'homme peut-être anachroniques, de traduction, censure et montage.

Peut-être parce que très primitif, le sens du toucher ou de la pression est chez tous les animaux évolués, extrêmement mal compris. Il est subordonné à la vision et mélangé de la plus subtile et vexatoire façon avec la sensation que nous nommons « douleur » qui n'est peut-être pas du tout une sensation mais une mesure concertée de sécurité accomplie par les nerfs. Même chez un protozoaire, si pauvrement équipé qu'il ne possède ni cils, ni poils, le contact peut provoquer une meurtrissure ou écorchure de la membrane cellulaire externe. Ce qui provoquera une charge électrique potentielle, puisqu'il se produit une fuite infinitésimale d'ions.

L'amibe perçoit qu'elle a touché quelque chose parce que sa peau a été pénétrée suffisamment pour permettre le mouvement d'ions hydrosolubles. Un raffinement essentiel — qui constitue probablement la plus grande innovation de l'évolution et qui s'est prolongée jusqu'à l'homme — est l'apparition des cils ou poils servant de médiateurs entre le milieu extérieur et la membrane. Le cil peut sentir l'approche d'un objet avant qu'il n'ait heurté la précieuse et délicate enveloppe externe.

Quand nous arrivons aux animaux chez qui certaines cellules sont spécialisées aux fins de recevoir les signaux tactiles perçus par la peau, ils possèdent invariablement organes et muscles. Aussi un toucher *interne* (proprio-cepteur) est nécessaire pour que l'animal puisse savoir que son estomac est plein, ou qu'il doit déféquer, ou en quelle position se trouvent ses pattes ou ses jambes d'un moment à un autre. Ce toucher (pression ou tension) est déterminé par des cellules sensorielles spécifiques attachées aux muscles volontaires ou involontaires. Elles peuvent être considérées comme des « transformateurs » ainsi que toutes les cellules réceptrices. Elles convertissent une forme d'énergie en une autre, dans notre cas, énergie mécanique en électrique.

L'effet transformateur accompli par les mécanorécepteurs fut démontré pour la première fois en 1950 à Londres. La contraction d'un fuseau musculaire (le mécanorécepteur construit à l'intérieur d'un muscle) est le générateur d'un courant électrique local à l'intérieur de ce qui est appelé les corpuscules de Pacini. Lorsque le courant atteint une certaine intensité, il déclenche l'émission d'une pulsion dans un filet nerveux. Chez l'homme par exemple, le message se transmettant ainsi vers le centre cérébral peut être : « Bras gauche se levant et pliant vers l'arrière, prêt à donner direct sur le coin du menton interlocuteur. »

Des corpuscules de Pacini similaires se trouvent dans la peau. C'est un organe sensoriel agréable à étudier. Il est spectaculaire et suffisamment grand pour être observé à l'œil nu. Pourtant l'essentiel de sa substance ne semble être que simple rembourrage. Il est construit comme un oignon. Chaque couche conjonctive peut être pelée, l'une après l'autre. 99,9 % de l'oignon peut être retiré sans pour cela diminuer la sensibilité du corpuscule. Apparemment ces multiples couches ne constituent que la protection de la terminaison nerveuse que des chocs brutaux ou des vibrations trop intenses pourraient détériorer. La membrane recouvrant l'extrémité nerveuse en forme de massue, constituant la partie active du corpuscule de Pacini est le siège du potentiel générateur déclenchant ou non l'impulsion nerveuse. Dans des conditions de repos (et il est difficile d'imaginer de réelles conditions de repos pour un récepteur cutané, à moins que le corps nu et détendu ne soit suspendu dans un air immobile), la résistance de cette membrane est si grande qu'aucun réseau ionique ne peut s'échapper. Le contact de quelque chose ou de quelqu'un produit une distorsion de la membrane permettant aux ions de la traverser. Ce phénomène produit un abaissement du potentiel engendré par le repos, et du flux de courant local. Il s'agit de courant *générateur*, perçu par les protozoaires mais pas forcément par les multicellulaires. Pour provoquer une sensation chez de tels animaux le courant générateur doit être suffisamment fort pour pouvoir à son tour exciter le courant d'action dans les extrémités nerveuses connectées aux corpuscules de Pacini.

Les expériences de Loewenstein prouvent que les excitations de la membrane réceptrice sont bien provoquées par les distorsions de celle-ci. L'addition de deux courants, ou davantage, chacun émis par une différente partie active de la membrane, explique pourquoi l'intensité du courant générateur est proportionnelle à la force du stimulus.

Les Neurologues définissent à présent les cellules sensorielles comme une membrane pourvue de trous, du moins de trous potentiels. Ils sont semblables à un morceau de gruyère recouvert de cellophane. En état de repos les trous sont trop petits ou la cellophane trop résistante pour que des ions puissent passer. Les déformations mécaniques ouvrent ces trous. Quand des courants générateurs se sont formés à divers emplacements de la membrane, causés par la piqûre d'une épingle par exemple, ces courants sont suffisamment puissants pour déclencher l'impulsion nerveuse, l'intensité de la piqûre ressentie étant signalée par la fréquence de l'impulsion. La fibre nerveuse ne peut donner une indication d'intensité que de cette manière. A une telle indication peut s'ajouter le message de la douleur mais il s'agit là d'une forme de codage plus complexe et plus mystérieuse.

Les récepteurs sensoriels du toucher peuvent également faire la grève sur le tas. Ce qui signifie qu'ils diminuent leurs réactions ou s' « adaptent » après un certain temps à une pression spécifique. Un stimulus produisant un courant générateur de cent unités dans un récepteur totalement au repos ne fournit plus après cinq mille stimuli (à la fréquence de cinq cents à la seconde) qu'un courant de dix unités, et plus de courant du tout au-delà de sept mille stimuli. Quelque chose, et nous ne savons pas quoi, s'est épuisé et a besoin de restaurer ses forces. L'apparition de ces états réfractaires se remarque dans d'autres organes sensoriels comme les disques de Merkel et les corpuscules de Meissner. Cette adaptation aux fréquences répétées de stimuli mineurs est une fort bonne chose. Autrement l'eau, le vent, le port de vêtements nous seraient insupportables. Aucun signe de fatigue n'est jamais manifesté par les corpuscules de Pacini ou les organes de Ruffini, concernés par les sensations internes qui sont, bien entendu, continuelles. S'il n'en était pas ainsi, nous ne pourrions ni marcher, ni travailler, ni nager, ni conduire une voiture.

Comme nous l'avons mentionné plus haut pour les unicellulaires, les organes annexes ciliaires sont très importants. Ils sont extrêmement sensibles aux proies recherchées par ces animaux minuscules. Ces cils réagissent différemment aux stimuli désagréables ou dangereux, bien qu'il est peu probable que l'on puisse parler de douleur, sensation réservée par l'évolution aux animaux plus évolués.

En général, l'orientation de l'évolution des sens a été du petit au grand nombre, du général à la subdivision et du composé au simple. Ainsi le sens du toucher est assimilé, chez certains animaux non évolués, au sens du froid, et transmis par les mêmes fibres nerveuses. Quand nous en arrivons aux insectes dotés de sens hautement évolués, nous constatons qu'il existe cent fois plus d'influx nerveux pénétrant dans le système nerveux central que de fibres nerveuses en sortant pour transmettre les signaux d'action. Ce rapport est seulement de cinq chez l'homme. Cela indique moins une dégradation du champ sensoriel qu'un enrichissement en nerfs efférents transmettant les ordres de comportement. Il est beaucoup plus facile à l'évolution d'empiler les dispositifs sensoriels que de fournir un mode de réaction adapté à chaque catégorie de signal. C'est peut-être pour cette raison que certaines araignées filent chaque soir une toile nouvelle. Elles n'ont rien d'autre à faire.

Même les éponges possèdent le sens du toucher. Dans les colonies de spongiaires, le sens tactile est aussi sensible que chez certaines plantes carnivores. Les déplacements aquatiques les plus faibles sont ressentis. Si un copépode (animalcule formant le plancton) approche d'une colonie de spongiaires, il ne provoque aucune réaction tant qu'il demeure immobile. Dès qu'il bouge, l'éponge la plus proche se penche gracieusement, comme une fleur et dévore le petit animal. Les vers plats possèdent des récepteurs sensoriels et également des récepteurs spécialisés appelés « rhéocepteurs » qui détectent les courants aquatiques. On suppose que le ténia possède exclusivement le sens du toucher, bien qu'à certains moments de sa vie au cycle compliqué, des récepteurs chimiques aient un rôle à jouer.

Les nématodes sont très particuliers. Leurs fibres nerveuses fusionnent de telle manière que ce qu'ils ressentent ne pourrait être perçu dans une modalité différente (toucher, odorat, température). Les enseignements fournis à ce corps très richement innervé suffisent à provoquer un comportement approprié aux circonstances. Les organes sensoriels et terminaisons nerveuses (poils, papilles, cellules...) délivrent un message intégré, d'une sorte telle qu'il ne nous est pas possible d'imaginer nos perceptions s'effectuant en *séquences*. Nous pouvons distinguer au loin un quadrupède dans un champ, en nous approchant entendre : « Beeeeeh », en approchant encore sentir l'odeur de la chèvre et reconnaître l'animal. Mais imaginons une chèvre dans l'univers du nématode, plusieurs sens combineront instantanément leurs messages afin de délivrer, non une image visuelle, tactile ou chimique, mais simplement un message unique : chèvre.

Il nous faut également considérer une autre possibilité. Il se peut que les nématodes soient les seuls multicellulaires à même de pouvoir émettre des messages gradués. Au lieu de l'impulsion nerveuse courante « oui-ou-rien » les nématodes ont des pulsions nerveuses progressives, ce qui leur permet d'avoir une image très complète de leur petit univers. Ils voient tout, savent tout et peuvent tenir compte de nuances infimes échappant à d'autres espèces. C'est peut-être le secret de leur succès dans le monde animal.

Les poils cuticulaires sont les récepteurs tactiles les plus communs chez les arthropodes, principalement chez les crustacés. La sensibilité locale est extraordinaire. Si vous touchez le poil protecteur du stigmate d'un arthropode, ce stigmate se fermera immédiatement. Les myriapodes eux réagissent à un contrôle plus central. Ils fermeront *tous* leurs stigmates. Chez les insectes la blatte est l'animal de laboratoire employé le plus couramment pour étudier le sens tactile, tout comme la mouche l'est pour l'étude des récepteurs chimiques. Chez les bivalves mollusques, comme les palourdes les récepteurs sensoriels sont à même de trier et choisir les particules de nourriture. Les gastéropodes (escargots) ont un pied très richement innervé, ce qui laisse supposer un toucher raffiné bien que les tests n'aient pas prouvé de sensibilité très remarquable. On peut supposer que cette innervation surprenante est en rapport avec un sens autre que le toucher, mais nous n'avons pas réussi à en découvrir les modalités. Il faut nous contenter d'observer avec respect le nombre surprenant de ces terminaisons nerveuses et passer le problème à de nouvelles générations de malacologistes possédant plus d'affinités que nous avec un mode de vie rampant.

Les reptiles possèdent un merveilleux toucher. On sait rarement que la carapace de la tortue est très sensible. Les grandes tortues marines aiment que l'on gratte légèrement leurs écailles. Elles peuvent détecter une paille promenée sur leur dos. Les oiseaux ont hérité de la sensibilité des reptiles et souvent sur des parties inattendues de leur anatomie. Il existe des corpuscules sensibles à la pression sur le dos du canard et sur la cire (la partie de la tête continuant le bec).

Tous les nocturnes et les mammifères fouisseurs possèdent une grande sensibilité tactile. Chez les chats et les souris, les *vibrisses*, appelées communément moustaches, servent à sentir les objets dans l'obscurité. Les rats aiment à se frotter les uns contre les autres (la tendance à *toucher* est très développée chez les mammifères). Les jeux violents sont très appréciés parmi les rats, et peuvent devenir très brutaux (mais pas plus au fond que certaines équipes de rugby françaises). Ils frappent des pattes de devant, ruent des pattes arrière, mais les morsures ne sont jamais pratiquées entre rats de la même bande. Pour éviter les batailles quand on met plusieurs rats dans une même cage, il faut les manier chacun, juste avant de les réunir pour leur donner une odeur commune. Chez les saccophores, ce ne sont pas seulement les vibrisses qui sont sensibles, mais aussi la queue, dépourvue de poils et riche en cellules tactiles, qui les aide, lorsqu'ils veulent reculer dans leurs terriers.

Du point de vue sensoriel l'évolution des primates s'effectuait jusqu'ici en fonction des progrès techniques accomplis par la vue et le toucher dans les activités quotidiennes. La sensibilité tactile de la main (ou de la queue) devient à un certain stade tellement importante qu'elle requiert une large part du cerveau. Lorsque la paume est exempte de sécrétions huileuses ou sébacées et que la peau est striée de sillons, la prise de la main est ferme et la discrimination tactile améliorée. Les griffes à ce stade ne sont plus nécessaires en général, les ongles plats suffisent aux tâches à accomplir. Certains primates conservent malgré tout des griffes résiduelles sur un ou plusieurs doigts. Aucun lémurien ne possède de contrôle digital réel. La précision de la prise est remarquable, mais les doigts ne peuvent agir indépendamment.

Les atèles ou singes-araignées ne possèdent pas de pouce, par contre leur queue est prenante. Ils ont, comme certains autres primates la queue partiellement dégarnie de poils et pourvue de dermoglyphes comme le bout des doigts. Il serait donc possible pour ces espèces d'obtenir des « empreintes caudales ». Sur les parties du corps non couvertes de poils, telles que lèvres, plante des pieds, paume des mains, la densité des corpuscules de Meissner et des disques de Merkel est très grande. Une superficie étonnamment étendue du cerveau représente les sensations tactiles des lèvres. C'est peut-être pour cette raison que le baiser est un mouvement si spontané et agréable et que l'érotisme oral est si largement répandu en Occident.

Le baiser le plus long de l'histoire est une peinture. Un violoniste digne et moustachu tient d'une main son violon, et de l'autre soulève de son tabouret son accompagnatrice en lui donnant un baiser passionné. Ce baiser fougueux est, bien évidemment, l'illustration Second Empire d'une « passion dévastatrice ». Une compagnie de parfum utilisa il y a trente ans une reproduction de cette peinture pour sa publicité. L'impact en fut si satisfaisant qu'elle l'utilise encore. Cette reproduction publiée plus de dix mille fois a atteint un demi-billion de personnes. Le tableau s'intitule « Sonate à Kreutzer ». Cette œuvre est attribuée avec quelque hésitation à un peintre français mineur, René Princete, complètement inconnu avant la publication de cette reproduction. Il paraît que l'original se trouve dans le coffre d'une banque anglaise en compagnie d'autres « trésors artistiques » de valeur. (Entre autres des dessins obscènes de Turner, exécutés lors de ses visites de travail dans les maisons closes.)

Nous avons maintes fois parlé du processus complexe d'inhibition et d'exaltation de la retransmission sensorielle, provoquant une sensation beaucoup plus nette et précise. Comme la vue et l'ouïe, le toucher possède cette faculté. Bien qu'il s'agisse chaque fois d'une déformation du signal perçu, la sensibilité aux vibrations et aux pressions subit un filtrage et une amplification notable, de telle sorte que nous ne percevons que ce qui est le plus important pour nous. Tout au moins important dans l'optique évolutive.

Von Bekesy s'est attaché à l'étude des impressions sensorielles que nous recevons simultanément de deux points cutanés de stimulation, au fur et à mesure de leur éloignement. Les stimuli adjacents sont renforcés tandis que les plus éloignés sont inhibés. On peut en conclure que chaque point d'excitation de la peau produit une zone de sensation entourée d'une zone d'inhibition. Mais pour être pleinement efficace dans le monde tactile, la zone inhibitrice doit être plus étendue que la zone sensibilisée et son action doit augmenter en rapport direct avec l'intensité de la stimulation. Si je suis piqué, je ressentirai la piqûre avec d'autant plus d'intensité que les terminaisons nerveuses avoisinantes transmettront au thalamus qu'il n'y a rien à signaler. Cela rend le stimulus de piqûre d'autant plus évident ; il est transmis ensuite au cortex qui prend alors les mesures nécessaires à la cessation de la piqûre.

La localisation des vibrations dans le corps peut être réalisée en tenant compte du décalage entre deux vibrateurs. Ce procédé est semblable à celui de la localisation du son par les deux oreilles, avec la différence que les récepteurs sensoriels cutanés possèdent des « indicatifs locaux » indiquant leur position dans l'espace. Même lorsque deux vibrateurs sont placés verticalement sur le même côté du corps, il est au moins possible de percevoir la partie du corps d'où surgissent ces vibrations. Ainsi, la localisation ne se trouve pas liée aux interactions des deux hémisphères cérébraux comme elle l'est pour l'ouïe. Il est significatif que pour la localisation tant sonore que tactile, les meilleurs résultats sont obtenus lorsque le déclenchement est abrupt.

Comme nous ne percevons pas une large zone traversée d'ondes lorsque le corps reçoit les vibrations, le processus d'acheminement de la localisation doit être de l'ordre du millième de seconde. Le déplacement de l'origine d'une vibration, autrement dit le sens de la localisation nous renseigne par le délai apporté par le cortex à prendre connaissance de ce déplacement sur la vitesse de la transmission nerveuse. Von Bekesy estime que la vitesse de transmission des vibrations cutanées est de deux cent huit mètres à la seconde et non cinquante ou soixante comme on le croyait au XIXe siècle.

Il est évident qu'il existe deux vitesses de conduction nerveuse, une rapide pour les réactions inhibitrices nécessaires à la localisation, une autre lente acheminant les progressions d'intensité. Cette dernière sensation arrivant après avoir subi le processus local d'inhibition-exaltation, a de fortes chances d'être codée et dirigée vers le cerveau.

La localisation est déterminée en deux ou trois millisecondes, mais le temps nécessaire à l'achèvement de la sensation peut demander vingt millisecondes pour l'ouïe et jusqu'à une seconde pour le goût, l'odorat et la sensibilité aux vibrations. La vitesse de retransmission sensorielle est également perturbée par des températures excessives et par la douleur. Si un choc électrique est administré à un animal, dix secondes avant la mesure de la transmission nerveuse, la vitesse de transmission sera réduite. Des vitesses de transmission très faibles se produisent sous anesthésie.

Un phénomène amusant fut découvert en étudiant la vibration au niveau des genoux. Lorsqu'il existe un intervalle de temps entre la stimulation des genoux, la vibration est ressentie tantôt dans un genou, tantôt dans l'autre. Lorsque la vibration est produite simultanément dans les deux genoux, les vibrations sont ressenties dans un espace situé *entre* les genoux.

Asenath Petrie a établi un rapport fort intéressant entre certaines réactions sensorielles et certains aspects psychologiques et même psychiatriques de comportement. Son étude est basée sur un test très simple. Les sujets doivent suivre du doigt les arêtes d'un cube de 6 cms de côté pendant une minute, puis juger, seulement par le toucher, des dimensions d'un second cube de 3,5 cms. Certains sujets trouvent le second cube plus grand qu'ils ne l'auraient fait sans avoir tâté le premier, d'autres plus petit.

Mlle Petrie les appelle respectivement amplificateurs et réducteurs. Les amplificateurs supportent plus difficilement la douleur que les réducteurs. Ils succombent plus facilement aux états dépressifs, étant continuellement concernés par leur corps. Les réducteurs par contre sont souvent atteints d'ulcères à l'estomac indolores. Ils supportent difficilement l'isolement sensoriel et préfèrent même la douleur à l'absence de sensation. Si ces tests peuvent être renouvelés et conduire aux mêmes conclusions, il sera prouvé qu'une modalité sensorielle aussi élémentaire que celle du toucher est en étroite relation avec l'immense agrégat d'enchaînements nerveux que nous appelons caractère ou personnalité.

Une vogue de « happening » a sévi dans, ou autour, des campus américains pendant les années 1967-1968. Il s'agissait de groupes formés par diverses « universités libres » composés d'étudiants et quelquefois de jeunes professeurs craignant les « complexes ». Les sessions les plus populaires étaient celles de « sensations ». Nul n'a jamais su si c'était une thérapeutique ou un mode d'expression, néanmoins un adolescent n'était pas censé pouvoir dépasser ses problèmes sans ces cours particuliers. Le professeur ou moniteur demandait aux étudiants étendus par terre de se bander les yeux, puis il ordonnait : « Ressentez votre tête, la nuque, la jambe gauche à présent. A quoi ressemble-t-elle ? A présent touchez la personne à votre gauche. Est-ce un garçon ou une fille ? » A ce point de la cure, ou peu après, toutes les inhibitions d'une adolescence difficile étaient, paraît-il, surmontées.

Les sensations corporelles de chaud et de froid dépendent de deux sortes de récepteurs bien distincts : les corpuscules de Krause réagissant au froid et les organes de Ruffini réagissant au chaud. Pour le monde scientifique, c'est un véritable scandale que l'on sache si peu de choses sur la manière dont fonctionnent ces récepteurs.

Il existe un fait curieux. Les récepteurs de chaud, froid, sensation et peut-être même douleur, semblent uniformément répartis sur toute la surface de la peau. Malgré cela, certains points semblent plus particulièrement sensibles à un type de réaction qu'à un autre. Mais examinés au microscope, ces points ne comportent pas une plus grande densité nerveuse.

Chaque type de sensation cutanée est pris en charge par une sorte différente de fibre nerveuse, fibre myélinisée ou non myélinisée. Les réseaux thermiques ne sont pas encore très connus mais il est admis que les baisses de température sont enregistrées par de longues fibres myélinisées, tandis que les hausses sont signalées par de petits axones non myélinisés.

On a longtemps cru que la sensation de la douleur était liée comme les autres modalités, à des terminaisons nerveuses spécifiques (bien que ne s'élaborant pas en organes distincts comme pour le toucher ou le sens thermique). Que ces fibres nerveuses criaient « aïe » et que le message bénéficiant d'une priorité absolue se dirigeait directement sur un centre de la douleur dans le cerveau. Celui-ci après une assemblée instantanée avec l'ensemble du cortex décidait de la solution à prendre. Il était même admis que les fibres non myélinisées extrêmement fines se trouvant dans toutes les parties du corps, étaient responsables de l'acheminement de ces sensations douloureuses.

La douleur n'est en fait que l'aboutissement d'une stimulation excessive, quelle que soit la stimulation d'origine, pression ou température. On a supposé que la douleur était seulement un avertissement indiquant un danger menaçant la peau. A une température de 35° la peau commence à être endommagée, mais ce n'est qu'à 45° qu'un objet est ressenti comme brûlant. Certains biologistes ont pensé alors que tous les stimuli douloureux libéraient une substance chimique en provenance de cellules détériorées mais cette simplification du problème n'a jamais pu être étayée par quoi que ce soit. D'après les théories modernes, la douleur n'est pas une modalité sensorielle mais une sorte de réaction nerveuse *concertée*. La sensation de douleur est l'acte de réaction à un stimulus dangereux. Dans ce sens, la douleur est un phénomène intérieur auquel l'organisme réagit comme un tout. Il n'est pas plus lié à des fibres spécifiques que la jouissance sexuelle ne l'est à des fibres de « plaisir » innervant les organes sexuels.

La douleur est un élément indispensable à qui veut subsister comme le démontrent les enfants qui naissent dépourvus de cette sensibilité! S'ils atteignent la puberté, ce qui est rare, c'est couverts de brûlures et d'ecchymoses, ils se mordent également la langue en mastiquant leur nourriture au point de ne pouvoir apprendre à parler.

Même lorsqu'un animal est à même de ressentir la douleur, une éducation semble nécessaire. La douleur doit être interprétée et cette interprétation doit se graver dans la mémoire sensorielle. Un chiot élevé dans l'isolement — et qui n'a donc connu aucun coup de pattes, d'ongles et culbutes familières à ses frères — sera, parvenu à l'âge adulte, un chien très vulnérable. La vue du feu ne le fera pas reculer. Il se brûlera plusieurs fois la truffe, souffrant sans savoir que faire. Il réagira à peine à la piqûre d'une épingle. En contraste un chien de même race et du même âge reculera aussitôt devant une allumette enflammée, et on ne pourra pas l'approcher deux fois une aiguille à la main.

Le chien artificiellement « retardé » par cette éducation isolée possède un équipement sensoriel normal. Ces réflexes prouvent qu'il ressent la douleur, mais elle n'est pas reliée émotivement à son système nerveux central. Ce chien est comme une ville en guerre dont les habitants ignorent la signification du son de la sirène. Ceci prouve donc que la théorie de la douleur enclenchant automatiquement un signal d'alerte et de défense est erronée. L'intensité et la qualité de la douleur sont déterminées par le souvenir d'expériences semblables et une éducation émotionnelle appropriée.

En Occident l'accouchement est considéré généralement comme une épreuve pour la mère, et dans le passé s'accompagnait de sombres pressentiments. La condamnation biblique « Tu enfanteras dans la douleur » semble avoir pesé lourdement sur les esprits. Il existe de nombreuses cultures au contraire où la mère met au monde sans le moindre désagrément. Elle peut donner naissance à son enfant dans un coin du champ qu'elle est en train de cultiver. Comme il n'existe aucune différence entre les dimensions ou l'innervation des organes reproducteurs des femmes des peuplades primitives et de celles des pays civilisés, il s'agit bien ici de deux traditions émotionnelles différentes. Les primitifs ont aussi quelquefois des traditions qui sont pour nous inconcevables. Dans certaines sociétés polynésiennes le mari se couche après la naissance de l'enfant pendant que la femme retourne aux champs. Cette coutume s'appelle la « couvade » et se manifeste chez plusieurs peuplades primitives. Ce phénomène a provoqué de violentes discussions chez les anthropologistes. Lévi-Strauss suppose que le mari ne cherche pas à s'identifier à la femme, mais à l'enfant.

L'influence prépondérante de l'attitude nerveuse dans la sensation de la douleur est révélée par toutes les observations médicales effectuées en temps de guerre. Un sur trois blessés graves seulement réclame de la morphine. Il ne s'agit pas d'insensibilité due à un état de choc, ces blessés réagissent à la minime piqûre de l'aiguille hypodermique. Dans les cas de blessés civils ayant des plaies similaires, quatre sur cinq se plaignent de ressentir de vives souffrances et réclament la morphine. Quelle est la différence? Quiconque a connu la guerre pourra vous répondre. La réaction essentielle de tout blessé de guerre est le *soulagement*. Il est toujours vivant et va être dirigé sur un hôpital loin des combats. L'euphorie éloigne la conscience des sensations de souffrance. Il y a d'autres exemples. Les sportifs concentrés sur la compétition ou sur un adversaire à vaincre, peuvent être blessés sans même s'en apercevoir.

Les expériences de Pavlov ont également démontré que la douleur peut être conditionnée. Le chien se sent blessé et humilié lorsqu'on lui administre un choc électrique violent dans la patte. L'idée de Pavlov fut de donner régulièrement aux chiens leur nourriture *après* le choc électrique, et les chiens attribuèrent au choc une signification nouvelle. Le choc les faisait saliver et remuer la queue. Ce comportement persista même quand l'intensité électrique fut augmentée et accompagnée de brûlure. Des chats ont pu, par une méthode identique, être habitués à s'administrer eux-mêmes le choc électrique, en allant appuyer leur patte sur un circuit ouvert dans un coin de leur cage.

Il est évident que le facteur psychique joue dans la douleur un rôle prépondérant et complexe. Il est peut-être lié à l'hypnotisme, phénomène qui demeure complètement inexpliqué. On peut s'efforcer de définir l'état hypnotique comme : transe où une attention intense est fixée sur l'hypnotiseur au détriment de presque tous les autres stimuli. Mais qu'est-ce que la transe? Nul ne peut le dire. Il est en tout cas significatif qu'un certain pourcentage d'individus peut être plongé dans une transe hypnotique suffisamment profonde pour qu'ils puissent subir une opération chirurgicale sans anesthésie.

Les fanatiques Indous marchant pieds nus sur des charbons ardents au cours de certaines cérémonies sont visiblement en un état d'auto-hypnose. Mais il est difficile d'expliquer son action et la manière de la pratiquer. La plante de leurs pieds brûle et fume, mais l'appareil nerveux paraît paralysé par une attitude interne spécifique. Ce phénomène n'a rien à voir avec certaines démonstrations de fakirs apparaissant le buste bardé d'aiguilles et de flèches. Ceux-là connaissent simplement la géographie nerveuse du corps. La peau sous-claviculaire, la partie antérieure du bras sur le triceps, l'avant-bras en général et les côtés de la poitrine au niveau des côtes flottantes, sont des points particulièrement insensibles. La peau est aussi suffisamment lâche pour être pincée sans douleur. C'est ce qui permet au fakir d'enfoncer sa spectaculaire panoplie sans endurer de réelle souffrance.

La crainte de la douleur détermine son intensité. Au cours d'expériences en Angleterre on a remarqué que la seule vue du mot « douleur » dans une page d'instructions avait été suffisante pour faire ressentir comme douloureux, à des sujets anxieux, des chocs électriques expérimentés préalablement comme inoffensifs. L'action de sédatifs comme la morphine est également liée à des facteurs psychiques. L'effet principal de la morphine est une dispersion de l'anxiété (c'est peut-être la raison de ses propriétés d'accoutumance). La morphine calme les douleurs si le degré d'anxiété du malade est élevé et n'a pas d'action si l'anxiété a déjà été calmée par une médication tranquillisante.

Bien entendu la crainte est à la base de la structure douloureuse. Ce fait reste reconnu depuis longtemps et a déterminé l'usage des placebos. Presque 35 % des malades souffrant de douleurs violentes ont été soulagés par les placebos (qui ne sont que du lactose ou de l'eau distillée). Comme la morphine, même à haute dose, ne soulage que 75 % des patients, il est facile, par simple arithmétique, de s'apercevoir que la moitié des médications sédatives agissantes sont des placebos trouvant leur efficacité dans l'élimination de l'anxiété.

Comme il est pleinement prouvé que l'activité cérébrale modifie la structure des impulsions nerveuses produites par une blessure, il est naturel que les psychologues et neurologues se soient attachés à découvrir le système de communication par lequel se manifeste cette modification. Des recherches ont eu lieu dans plusieurs pays et ont permis de découvrir la présence de réseaux nerveux nouveaux descendant du cerveau supérieur pour se rallier aux troncs des nerfs transporteurs de messages de la moelle épinière. Il ne s'agit plus des axones efférents habituels transportant les commandes musculaires. Ces fibres sont à considérer comme des émissaires spéciaux envoyés comme agents médiateurs. Si une activité électrique se dirige vers le cerveau supérieur, ce groupe d'émissaires peut supprimer ou modifier le message à son arrivée. Ce message peut ne jamais dépasser le système nerveux central ou être transformé en un message complètement différent. Ces émissaires peuvent décider que le message n'est pas de nature à être soumis aux centres cérébraux attelés à une tâche plus importante, ou que ce message n'implique pas un danger mais la satisfaction d'un appétit, et donc dévier le message en conséquence.

L'origine et la terminaison de ces fibres émissaires n'ont pas encore été découvertes. Néanmoins si nous tenons à conserver la notion d'un réseau physique de communications existant dans notre corps, il nous faut imaginer un modèle physiologique s'accordant avec l'indubitable réalité de l'interférence psychologique à tous les niveaux de la perception sensorielle.

Étudions ce qui se passe lorsque nous nous brûlons un doigt. L'énergie calorique se trouve transformée dans les récepteurs cutanés en un code d'instructions nerveuses électriques. Il est admis que les récepteurs réagissant aux événements dangereux sont des faisceaux de fibres pénétrant les différentes couches cutanées de telle façon que les champs récepteurs se chevauchent abondamment. Une détérioration à un point quelconque de la peau déclenchera le signal au moins de deux ou trois de ces réseaux et la transmission d'impulsions commencera le long des filets nerveux, du doigt à la moelle épinière. Avant que le message codé adéquat puisse être dirigé vers le cerveau, il lui faut, au moins partiellement, subir le contrôle de denses paquets de fibres nerveuses communiquant entre elles. Ces paquets ou ganglions se trouvent placés tout le long de la moelle épinière ; il s'agit de la chaîne ganglionnaire entourée elle-même de fibres auxiliaires. C'est ici que l'impulsion primaire peut être modifiée ou même arrêtée.

Patrick Wall a découvert que chez l'homme des piqûres d'épingle et des chocs électriques normalement perçus comme douloureux sont ressentis comme beaucoup plus faibles lorsque la peau avoisinante est stimulée par un vibrateur. Bien que la priorité des impulsions douloureuses soit classiquement établie, voici un exemple où cette priorité se perd dans le labyrinthe des interférences de signalisation.

Pour les impulsions qui arrivent à surmonter le bureaucratique contrôle de la moelle épinière, il existe au moins cinq acheminements différents pour atteindre simplement le cerveau antérieur. Trois d'entre eux (le faisceau fondamental, le faisceau spino-thalamique, le faisceau cérébelleux) sont les voies principales d'acheminement des messages sensitifs, en effet leur activité électrique peut être complètement annihilée par des analgésiques tels que le protoxyde d'azote sans que l'ouïe ou la vision en soient affectées. Les analgésiques sont aussi très efficaces sur la quatrième voie, le faisceau du cordon postérieur. La cinquième voie, la voie lemniscale joue un rôle ambigu dans le processus général de la douleur et se trouve surtout étudiée parce qu'elle n'est pas affectée par les analgésiques ou les anesthésiques.

Un travail intense a été exécuté sur les chats qui sont, au moins en ce qui concerne la douleur, aussi complexes que l'homme. Les chats atteints de lésions du faisceau spino-thalamique ou du faisceau cérébelleux les rendant inopérants, ne ressentent pas une stimulation douloureuse normale. Par contre lorsqu'ils sont atteints au niveau lemniscal, la douleur est immédiatement ressentie. Les lésions du faisceau fondamental rendent les chats hypersensibles à certains stimuli, ils peuvent même ressentir des « douleurs spontanées » en l'absence de toute stimulation externe.

Les souffrances horribles occasionnées par certains cancers au stade terminal ont, bien sûr, toujours été étudiées, spécialement lorsque les médicaments les plus puissants n'agissent plus. A Boston, deux médecins opèrent les cancéreux n'arrivant plus à être soulagés. Ils pratiquent une légère incision sur la partie du thalamus recevant les fibres du faisceau spino-thalamique ainsi que celles s'élaborant dans la formation réticulée. Si l'incision se fait par erreur, quelques millimètres en avant de cette zone détruisant les fibres thalamiques de la voie lemniscale, les souffrances demeurent inchangées.

Quelques éclaircissements, mais hélas, quelques théories fantasques aussi, ont accompagné les études poursuivies sur le phénomène effrayant connu sous le nom de « membre fantôme ». Il s'agit de douleurs précises en provenance d'un membre absent, qu'ont à subir 30 % des amputés. Pour 5 % d'entre eux ces douleurs sont intolérables. La douleur paraît irradier d'une partie très précise du bras ou de la jambe amputé.

Une jeune femme souffrant de son bras fantôme décrivait son poing fermé, le pouce à l'intérieur des doigts et les ongles de ceux-ci pénétrant profondément dans la paume lui causant d'atroces souffrances. Son unique souhait était d'arriver à décrisper ce poing, ouvrir cette main imaginaire. Quand, à la suite d'un traitement adéquat, elle réussit à se convaincre que c'était possible, elle y réussit et les douleurs disparurent.

Les phénomènes de cette sorte ne sont pas expliqués par les théories classiques de la douleur. La prise de conscience du membre fantôme peut se produire soudainement. En assistant à un film violent ou en étant le témoin d'une scène brutale ou de conflits. Même la solution désespérée consistant à sectionner l'acheminement spino-thalamique ne soulage aucunement ces malades. Comme il est bien évident que le système nerveux central est hautement concerné par ces troubles, on pourrait s'attendre à de bons résultats en utilisant l'hypnotisme. Mais on sait rarement qu'il existe peu de personnes dans le monde susceptibles de provoquer la véritable hypnose.

Livingston suggère que le traumatisme engendré par l'amputation pourrait modifier l'agencement interne des ganglions et des jonctions de la moelle épinière. Il s'agirait d'un phénomène de réverbération. Les impulsions qui devraient normalement correspondre à des sensations superficielles, déclenchent une énorme activité des neurones qui émettent des rafales codées correspondant à une vive douleur, vers les centres cérébraux.

La lobotomie préfrontale révèle amplement les deux niveaux de la douleur, l'émotionnel et le purement sensoriel. Dans la lobotomie, les lobes préfrontaux sont complètement isolés chirurgicalement du reste du cerveau. Après une telle opération, les patients continuent à percevoir la douleur, mais n'en sont plus incommodés. Pourtant, comme dans le cas des blessés de guerre, ils sont prompts à se plaindre d'une piqûre ou d'une brûlure légère. Simplement la grande anxiété et la peur de mourir qui les habitait a disparu et les douleurs, mêmes pénibles, sont acceptées comme part de leur destinée et ne provoquent plus de préoccupations morbides.

La douleur, plus que jamais, nous apparaît comme une manifestation nerveuse complexe engageant l'organisme entier. On ne peut plus la considérer comme une impulsion sensorielle spécifique provoquant une réaction prévisible. C'est la réaction d'un comportement nerveux que nous ressentons dans la douleur, plutôt qu'un stimulus. Bien que normalement la réaction (donc la souffrance) doit augmenter en proportion de la partie du corps atteinte, nous avons vu dans les exemples précédents que ce n'est pas toujours le cas. Dans cette optique, il faut nous rendre compte que la douleur — le mal, la personnification même du malin, — n'est pas une inévitable calamité.

Sa complexité n'aide pas à la supporter et bien au contraire peut mener au désespoir.

Dans un essai sur la maladie Virginia Woolf écrivait : « La angue anglaise qui peut exprimer les préoccupations de Hamlet et le drame du roi Lear, n'a pas de mots pour le frisson ou la migraine... Chaque écolière amoureuse a Shakespeare et Keats parlant pour elle, mais qu'une malade s'efforce de décrire une douleur de tête à son médecin et le langage se tarit. » Ce que déplore Virginia Woolf est bien sûr valable pour toutes les langues.

Il ne faut pas croire que la douleur, phénomène nerveux tellement complexe, soit l'apanage de l'homme ou d'autres mammifères. Les neurologues spécialisés dans l'étude des invertébrés demeurent très prudents à ce sujet. Un homard ou une pieuvre ne peuvent pas vous signaler que vous leur faites mal, ils ne peuvent hurler non plus comme un humain brûlé vif sous prétexte de quelque absurdité religieuse. S'appuyant sur cela, les gens simples estiment que la pieuvre ou le homard n'ont rien à redouter de la religion ou de la douleur physique. Ils ont tort !

Les neurologues affirment qu'un état équivalent à la douleur existe chez les invertébrés si les animaux manifestent des « comportements réactionnels semblables à ceux d'un homme souffrant ». Que font un crabe ou une langouste quand ils sont ébouillantés vifs ? Ils sont agités de hideuses convulsions semblables à celles d'un homme dans les mêmes conditions. S'ils ne crient pas c'est qu'ils ne possèdent aucun équipement vocal. Combien de cuisiniers réputés hommes raffinés et intelligents, affirment avec calme que la façon la plus douce de tuer un crustacé est de le précipiter dans l'eau bouillante. Combien de gastronomes ont de ces morts horribles sur la consciences !

Ces tortures sont d'autant plus inexcusables qu'elles sont inutiles. Presque toutes les créatures marines vivent l'été dans une eau dont la température atteint leur limite de tolérance. Tout comme certains poissons de l'Antarctique ne peuvent survivre dans une eau considérée pourtant par nous comme froide, les crabes et langoustes que nous mangeons ne peuvent survivre à une température de 36°. Ainsi un crustacé, dans une casserole d'eau froide posée sur un feux doux, passera en quelques minutes de vie à trépas sans souffrance, (une mort apparemment similaire à la mort par le gel chez les animaux à sang chaud). Il sera de plus parfaitement tendre, la mort s'étant produite avant la coagulation des protéines.

La tradition qui veut que les crustacés ne soient bons qu'ébouillantés n'est que superstition. Il pourrait en fait s'agir du contraire. L'agonie, chez toutes les créatures possédant glandes et nerfs, diffuse dans les chairs les poisons produits par une mort brutale et horrible. Il ne serait que justice, pour le crabe et la langouste, que la torture que nous leur infligeons soit leur vengeance, et se transforme pour nous en indigestion.

5. COMMENT S'EN SORTIR?

Voyageurs sans bagage.

L'homme moderne en tant que créature sensorielle affirme avec partialité que l'essentiel est de voir, entendre, sentir, goûter et toucher le monde, et que de s'y déplacer est de peu d'importance. Du point de vue épistémologique, le problème pourtant demeure entier. Est-ce que ces différentes façons d'approcher l'univers nous communiquent davantage de certitudes que la reptation d'un petit invertébré, interprétant ses informations nerveuses proprioceptives le renseignent, non seulement sur la distance qu'il a parcourue et sa direction, mais aussi s'il est parvenu à une barrière rocheuse ou à un phagocyte dans le sang humain?

John Locke affirma avec présomption que la conscience est la mémoire explicitée d'expériences sensorielles passées ; il a eu tort. Le monde proprioceptif peut à la fin se révéler comme, non seulement le monde le plus important, mais aussi le plus subtil. Il s'agit certainement d'un des stades d'existence le moins exploité scientifiquement et qui offre les solutions les plus plaisantes aux problèmes nous oppressant d'autant plus que nous ne pouvons les concevoir.

Si cela vous paraît de l'obscurantisme, laissez-moi vous donner quelques exemples. Il est possible de dresser certaines fourmis à suivre un chemin invariable et dépourvu d'odeur les éloignant, puis les ramenant à leur nid. Ceci grâce à leur capacité d'emmagasiner dans leur mémoire neuromusculaire tous les méandres de la route que leurs pattes ont eu à parcourir. Nous acceptons cela comme une des particularités des fourmis semblable au sens de l'orientation des marins ou au système infaillible de guidage des missiles. Mais continuons.

Supposons que sur le parcours de ces fourmis, il y ait une grosse pierre que les fourmis contournent, comme nous ferions nous-mêmes d'une montagne. Que se passe-t-il si l'on retire la pierre ? Les fourmis seront-elles troublées ou la routine les fera-t-elle toujours contourner un obstacle qui n'existe plus ? Elles traverseront sans hésiter l'emplacement de la pierre, prenant un raccourci parfaitement géométrique et gagnant quelques secondes sur le trajet total. Certains penseront « Les fourmis ont vu que la pierre n'y était plus et elles ont spontanément continué à marcher tout droit. » Non, de toute évidence les fourmis n'ont jamais *vu* la pierre et donc n'ont pas remarqué son absence. Les fourmis n'usent pas de moyens aussi approximatifs. La décision de supprimer le détour dès que l'obstacle ne l'a plus rendu nécessaire est une décision proprioceptive des plus troublantes. La topographie est la grande spécialité des fourmis parce que *se déplacer* sur la surface compliquée de la terre a été leur objectif et leur problème depuis des millions d'années.

Il est possible que dans notre univers en expansion, beaucoup de pierres et de rochers ne soient que des barrières imaginaires au travers desquelles nous pourrions progresser si nous possédions la perspicacité des fourmis. Une de ces barrières pourrait être la conviction que notre univers se limite à trois dimensions. Si nous souhaitons réellement sortir de cette fausse boîte nous cachant l'horizon, ce n'est pas tant d'une topologie élaborée dont nous avons besoin, que d'une exploitation plus circonspecte de nos propres proprioceptions.

Étudions donc d'un peu plus près dans ce but, non seulement la proprioception mais aussi la locomotion à l'aide d'un échantillonnage du monde animal.

La triste vérité, en ce qui nous concerne est que lorsque nous observons un unicellulaire se déplaçant dans son univers, nous ne comprenons rien à sa manière de procéder. La plus simple créature ambulante n'est même pas pourvue de cils ou de flagelles, mais se déplace par une méthode appelée amiboïde. Il fut un temps où l'amibe était supposée se déplacer comme une gouttelette d'huile ou de mercure. Il est possible de déplacer une telle gouttelette en la touchant d'une sonde fine, le contact diminue la tension superficielle de telle façon qu'une légère masse de matière inorganique étend un mince doigt, telle l'amibe projetant un pseudopode, et que la gouttelette se déplace. On réalisa promptement qu'une différence profonde existait entre les deux modes de locomotion, le mort et le vivant. Dans l'un des cas, phénomène d'inertie, dans l'autre, animal vivant cherchant à se nourrir et à se défendre.

Une des théories classiques est actuellement basée sur l'intrinsèque contractilité du protoplasme et il s'agit moins d'une théorie que d'une simple observation. Elle établit que l'amibe est semblable à un morceau de muscle, mais qu'est-ce qu'un morceau de muscle?

Quand l'animalcule *Arcella*, qui vit dans une minuscule coquille se déplace, son pseudopode se contracte et tire l'amibe et sa coquille dans cette direction. Il y a des héliozoaires ou des foraminifères qui étendent de minces filets de protoplasme comme les rayons d'un minuscule soleil symbolique. Si la longueur d'un pseudopode est sectionnée, la surface coupée se cicatrise abandonnant la partie sectionnée comme une amibe miniature, composée simplement de membrane cytoplasmique, sans granulés, ni nucleus. Malgré tout, ce fragment se déplacera par mouvements amiboïdes pendant plusieurs heures. Des protéines contractiles semblables à celles des muscles des multicellulaires ont pu être extraites des amibes géantes appelées *Mycetozoa*, possédant des milliers de noyaux et qui se multiplient dans les bois pourris en minces amas de plasma pouvant atteindre la taille d'une pièce de un franc.

Plus compréhensible, la théorie « sol-gel » définit le mouvement des amibes en une série d'altérations entre la condition gelée (gel) et solution colloïdale (sol). Si le pseudopode de *l'Amiba proteus* est observé au microscope on peut apercevoir au centre du mouvant pseudopode un flux de protoplasme granuleux. Petits cristaux, mitochondries, vacuoles alimentaires et nucleus sont acheminés en avant par ce courant comme des détritus dans un conduit d'égout. En bordure de ce flux et l'enveloppant entièrement, se trouve une couche protoplasmique continue, sous forme de gel, dans laquelle les granules demeurent stationnaires. Sur la partie avancée du pseudopode, le centre du flux protoplasmique se répand latéralement et se solidifie, allongeant la manche gélifiée. A l'extrémité arrière de l'amibe la surface interne du gel se fluidifie et s'ajoute au flux liquide.

Le processus de locomotion est donc une alternance continuelle d'état solution et d'état gel. Mais qui commande le flux ? Qui l'arrête en commençant la décisive coagulation ? Qui coordonne l'alternance de liquéfaction et de solidification ? Nous nous penchons ici sur un des miracles de la vie, aussi mystérieux et inexplicable que l'araignée filant sa toile ou la naissance d'une idée. On peut simplement supposer que ce souple cycle de colloïdes constitue un comportement fondamental inséré dans la mémoire transcendentale. Le système de communication reliant ces différentes actions étant la proprioception à son niveau le plus bas.

Évidemment on peut étudier plus extensivement ce mécanisme. Les contractions de la membrane jouent le rôle de la contraction musculaire des animaux plus évolués. Le pseudopode peut adhérer aux objets, une feuille, une lame de verre. Une vague de constriction (acte proprioceptif typique) se forme alors en arrière repoussant le contenu de la membrane. Il est possible que dans une amibe intacte, le gel se contracte autant que la membrane. Nous savons que le calcium est indispensable au processus, ce qui est aisément démontré en plaçant les amibes marines dans de l'eau salée décalcifiée. Elles s'immobilisent aussitôt. Il est aussi bien connu que le calcium est indispensable aux contractions de la fibre musculaire. Quand les vagues de contractions se terminent à la « queue » de l'amibe, elles y abandonnent souvent une petite masse irrégulière de protoplasme appelée « uroïde ». Il est important pour les animaux dont le sang est constitué partiellement de globules blancs, ce qui est le cas de l'homme, que ces cellules puissent se déplacer, comme les amibes. Les globules blancs forment également des uroïdes. De temps à autre ces uroïdes sont libérés, (peut-être un acte d'excrétion) un nouvel uroïde se forme un peu plus tard.

En effectuant un léger saut en avant, nous arrivons au stade d'évolution des protozoaires, tels les flagellés qui, comme leur nom l'indique, possèdent un moyen de navigation efficace. Il existe, fondamentalement, peu de différence entre les flagellés et les ciliés, si ce n'est que les cils vibratiles sont généralement plus courts que les flagelles et en plus grand nombre. Beaucoup de flagellés ont deux flagelles, un devant, l'autre derrière. Certains en ont plusieurs. Ces fouets semblent pousser à partir d'une granule basale du cytoplasme, nouvelle indication de ce que ces organismes sont beaucoup moins primaires qu'on ne le croit. Sous un puissant microscope le flagellum apparaît d'une structure complexe. A ce grossissement toutes différences entre ciliés et flagellés ont disparu. Il y a deux fibres centrales entourées d'une gaine tubulaire. A l'extérieur un cercle de neuf fibres chacune également gainée.

L'action des flagelles est complexe. Chez *Puranema* l'unique flagellum est dirigé vers l'avant et seule l'extrémité s'agite comme une langue de serpent. Chez *Euglena* le flagellum est à l'arrière en un angle de 45° avec l'axe du corps. C'est dire que la poussée du flagellum est semi-latérale et que *Euglena* pivote vers l'avant comme ascendant un invisible tire-bouchon.

Chez les ciliés plus élaborés, l'animal est mû par le battement de milliers de cils vibratiles. Ce battement est aussi discipliné que les pattes du myriapode. Des vagues actives successives passent sur chaque rangée de cils. La coordination de l'ensemble est assurée par des fibrilles constituant l'appareil neuromoteur. Ainsi cet animal composé d'une seule cellule est-il néanmoins considérablement innervé. Les fibrilles sont peut-être trop petites pour être appelées neurones, mais le résultat de leur activité est coordonné par ce qui constituerait un ganglion chez les multicellulaires.

Ces animaux, en plus du contrôle de battement possèdent un contrôle directionnel. Ils peuvent se diriger vers l'avant et vers l'arrière, mais aussi tourner à droite (pas à gauche). Ils peuvent aller lentement ou vite, avancer en spirales rapides, effectuer un brusque virage à droite ou un tour circulaire à gauche et s'éloigner en marche arrière.

La différence de parité entre la gauche et la droite est curieuse, mais ne doit pas être confrontée à une parité similaire chez l'homme. Plusieurs insectes évolués (la fourmi), et crustacés (cloportes) manifestent une tendance à tourner d'un certain côté, due probablement à la position du soleil ou à la rotation de la terre. A ma connaissance, aucune étude de l'influence de la latitude sur ce curieux comportement n'a été effectuée.

Avancer comme un ver.

On pourrait croire que les vers se déplacent comme les serpents. Il n'en est rien, ils sont loin de posséder la subtilité des reptiles. Les vers plats et la majorité des vers de terre se déplacent à l'aide d'une sorte de mouvement péristaltique semblable à ceux de l'intestin. La partie arrière se contracte tandis que l'avant s'allonge et quelquefois se dresse, à la recherche aveugle d'une nouvelle prise. La prise effectuée, le reste du corps est tiré en avant et progresse d'un bon centimètre. Si nous observons ces mouvements de plus près, nous pourrons remarquer que, d'une position de repos, le mouvement péristaltique commence toujours par une contraction du tissu musculaire de l'avant du ver, se propageant comme une vague vers l'arrière. L'avancée du ver se fait donc en direction opposée des mouvements péristaltiques.

Les polychètes ou vers marins peuvent se prévaloir de nombreuses caractéristiques supérieures aux vers de terre, entre autres leurs deux modes de locomotion : ramper sur une surface solide en utilisant leurs bras latéraux et, formule plus rapide, l'utilisation simultanée des bras et des muscles latéraux. Différents également des vers plats sur ce point, les polychètes possèdent des muscles alternés, gauche et droit, et leurs contractions se dirigent vers l'avant, dans le sens de la locomotion. (Ces vagues de contractions sont semblables au mode de locomotion adopté par un homme couché pieds et poings liés. Il rampera sur le sol à l'aide des mouvements alternés du côté gauche et du côté droit de son corps.)

Le mouvement débute par la contraction de la partie antérieure (bras seuls, ou associés aux muscles, les deux côtés toujours en phase opposée). Puis une rapide ondulation vers l'arrière active les segments par section de quatre ou de huit et, finalement, la vague réelle et efficace se déclenche animant les segments un par un. La liaison au système nerveux central et l'indépendance des réflexes est ici beaucoup plus grande que chez les vers de terre. Si l'on sectionne les nerfs, la coordination de l'ensemble des mouvements est supprimée, mais une section de vers, même ayant perdu ses bras latéraux, continue à manifester les vagues de contractions.

La nage de la néréide, polychète bien souvent étudié, est d'un principe semblable à l'ondulation que nous venons de décrire, seulement plus rapide. La propulsion est due aux bras latéraux jouant le rôle de rames. Sans ces rames la néréide progresserait en marche arrière. C'est-à-dire dans la direction opposée aux mouvements du corps. La sangsue *Hirudo* nage de façon différente. Les muscles se contractent symétriquement, mais alternativement sur la face dorsale et la face ventrale. Après section des nerfs, la sangsue continue à se mouvoir, mais une moitié du corps peut nager et l'autre ramper ou chaque moitié nager sans coordination, ce qui stoppe toute progression.

La sangsue réagit aux messages proprioceptifs lui apprenant si elle se déplace dans une eau claire ou une boue visqueuse.

La suppression du cerveau chez un ver ne bouleverse pas son avancée ; mais possesseur d'un cerveau, il s'arrête dès que ses premiers anneaux se trouvent dans le vide, et se met à réfléchir aux conséquences d'une telle catastrophe topographique. Sans cerveau, il continue à avancer et tombe d'une table. On peut en déduire que la fonction principale du cerveau est de freiner ici, un esprit d'aventure trop entreprenant.

En correspondance avec leurs capricieux modes de vie, les mématodes ont des formes de locomotion extrêmement variées. N'étant pas annelés, possédant des muscles longs et un système nerveux, certains se déplacent par ondulations comme les serpents. Certains glissent comme des patineurs, d'autres rampent en allongeant et raccourcissant alternativement leur corps. D'autres encore rampent le corps raide, avançant semble-t-il par la puissance de leur volonté. Certains marchent sur des poils latéraux. Certains enfin, s'incurvent comme la sangsue. Cette classe gigantesque d'audacieuses petites créatures paraît très bien savoir où elle veut arriver et comment y parvenir.

Dans l'eau, sur la pointe des pieds.

Dans la section des retardés, l'évolution conserve quelques pièces de collection qui n'ont pas transformé leur mode de vie depuis la période du précambrien. Les cténophores en font partie. Leur charmant et indolent mode de déplacement consiste à agiter leurs peignes sous l'eau. Une sorte d'extrapolation des vagues propulsives des protozoaires ciliés, à qui ils ressemblent mais très agrandis. Le concombre de mer ou holothurie, animal également très ancien, se déplace en allongeant de petits tubes pédestres terminés par des ventouses. Ils s'attachent ainsi à n'importe quel objet et halent ensuite leur corps. On peut fréquemment les voir grimper le long de la glace verticale de leur aquarium.

Les crinoïdes, ressemblant à de petits cocotiers, sont des échinodermes déjà complexes. En nageant, ils alternent leurs dix bras de façon que cinq d'entre eux battent l'eau vers le bas tandis que les cinq autres flottent vers le haut, un filament bifide joue le rôle d'unité propulsive, la stimulation d'un bras provoquant le mouvement contraire du filament. Quant ils ne nagent pas, ils avancent de deux façons. Dans la première un bras dirige, l'autre flotte en arrière et huit autres jouent le rôle de rames. La seconde est la plus raffinée. Le disque central ou tête s'élève entre deux bras demeurant fixes, les autres se recourbent et servent au crinoïde à se déplacer comme une ballerine sur ses pointes.

L'étoile de mer, ou astérie, échinoderme comme l'holothurie, peut se déplacer dans n'importe quelle direction. Aucun bras ne sert de guide, ils sont entièrement indépendants. Les changements de direction semblent se produire spontanément et dans n'importe quel sens. La lumière tombant sur un bras peut lui donner l'initiative de commencer un déplacement, mais une stimulation électrique le rendra au contraire totalement passif. Quand l'initiative directionnelle doit passer d'un bras à un autre, tout mouvement cesse. Il semble exister un temps de concertation avant que le nouveau mouvement ne se produise. Chaque bras de l'étoile de mer est nerveusement équipé de telle sorte que son action peut être indépendante. Aucun neurologue n'est parvenu à expliquer comment ces cinq entités distinctes parviennent à se coordonner en un tout cohérent. Ce mystère se révèle encore plus troublant quand on voit l'étoile de mer se retourner. Cette action est en fait une complète séquence de comportement. Un bras (le premier qui y pense ?) se doit de conduire la manœuvre. Mais pour qu'elle puisse s'effectuer, les autres bras doivent détacher leurs pieds du rocher et demeurer passifs jusqu'à ce que le bras en action ait suffisamment poussé pour que la position soit modifiée. Si chaque bras voulait se déplacer et diriger la manœuvre, il est évident que le retournement serait impossible. Comment s'effectue cette indispensable coordination ? C'est encore un mystère.

Les mollusques sont rarement associés à la notion de déplacement. Cette vaste classe animale comprend pourtant les grands maîtres de la propulsion sous-marine. Les scaphopodes ne possèdent qu'un pied en forme de tige, mais il est puissant. La large surface de ce pied leur permet de s'attacher fortement et de se déplacer en alternant succion et contraction. Mais le comportement le plus typique du scaphopode est de creuser rapidement le sable afin de s'assurer un refuge contre ses prédateurs.

Les bivalves sont spécialistes en la matière. Le couteau est une machine hydraulique très ingénieuse. On sait depuis longtemps que le liquide contenu dans le manteau d'un bivalve est utilisé comme le fluide d'un système hydraulique, à mouvoir les muscles de la coquille qui allongent ou rétractent le siphon et ouvrent les valves. L'action fouisseuse est constituée par les mouvements musculaires du pied stimulés par un afflux de sang.

Quand les coquilles sont fermées, une forte pression existe dans le sang et les feuillets du manteau. Cette pression est appliquée au creusement. Tous les bivalves vivant dans le sable ou la vase procèdent identiquement. Le pied est tendu, le siphon se ferme ainsi que la coquille, puis le pied enfle, les muscles se contractent et le coquillage s'enfonce dans le sable. Ensuite, il y a une petite pause de détente pendant laquelle les coquilles s'ouvrent, puis le cycle se reforme. Quelquefois en fermant les coquilles le liquide est éjecté pour liquéfier le sable (spécialement lorsque le coquillage creuse à marée basse) et permettre un travail plus rapide.

Un des mollusques aux déplacements les plus rapides est la coquille Saint-Jacques *Pecten*. Elles ont la possibilité de contrôler leur nage en refermant leurs valves et en dirigeant le flux liquide par la bordure du manteau.

Les chercheurs s'intéressant aux divers modes de locomotion animale sont toujours impressionnés par la richesse des formules adoptées par les gastéropodes alors que l'homme courant n'associe à cette classe animale que le banal escargot, la limace et le limaçon. Or les gastéropodes pour se déplacer sont aptes à adopter toutes les fantaisies. En plus des mouvements ondulatoires et péristaltiques, ils peuvent nager en agitant des appendices existant sur leurs pieds. Ils peuvent se cambrer, se tordre, danser et même galoper. Chez les ptéropodes le pied a transformé son lobe antérieur en deux organes semblables à des ailes. Chez les hétéropodes, le pied entier s'est transformé en nageoire et l'animal nage en arrière en l'agitant comme un bateau avançant à la godille.

Avec les céphalopodes, nous entrons en contact avec la technologie moderne. L'organe essentiel de locomotion de tous les céphalopodes (comprenant les nautiles aussi bien que les pieuvres et les seiches) est « l'entonnoir » qui est une partie modifiée du pied des mollusques moins évolués. Cet entonnoir donne sur le capuchon, cavité que le céphalopode remplit d'eau. Quand il a refermé le capuchon par une constriction musculaire de l'entonnoir, il peut contracter le capuchon et libérer brutalement un jet propulsif. Il avance ainsi par à-coups, ses tentacules flottant derrière lui.

Les seiches parcourent ainsi librement les mers. Les pieuvres, plus sédentaires, restent aux alentours de leurs creux de rochers. A l'exception de certains insectes aquatiques, ce mode de locomotion appartient spécifiquement aux céphalopodes mais il comporte un petit inconvénient. Il ne peut, comme le principe « à réaction » inventé par les hommes, fonctionner de façon continue, et sa vitesse est donc automatiquement réduite.

Le sépia à dix bras possède, lui, une technique supérieure à celle des sous-mariniers pour contrôler sa flottabilité. Au lieu d'un compresseur pneumatique libérant les ballats d'eau de mer, il peut manier une énergie osmotique qui lui est fournie par la différence de concentration saline entre le fluide interne qu'il constitue et son propre sang. Au moindre changement de pression de l'eau de mer, sa pression osmotique se transforme afin d'équilibrer la pression extérieure. Chez certaines seiches le fluide constitue les deux tiers du poids de l'animal et sa densité est beaucoup plus faible que celle de l'eau de mer. Le sépia possède en même temps un squelette de support et un appareil de flottaison. Au fur et à mesure de sa croissance, une succession de chambres vides indépendantes se remplissent de gaz et de liquide. Comme un sous-marin, le sépia monte en sécrétant du gaz et s'enfonce lorsque ses chambres sont inondées. Le gaz se forme la nuit, quand le mollusque chasse. Si on le place deux jours dans un réservoir obscur, son degré de flottaison est tel qu'il ne peut plus demeurer immergé.

Nager comme un poisson.

La plus importante invention de la locomotion marine a été faite au niveau d'une créature si primitive qu'elle ne possède ni crâne, ni cerveau, ni cœur, ni mâchoires, ni même de réelles nageoires. Il s'agit du lancelet (*Amphioxus*) créateur de la propulsion par ondulation latérale, qui demeure la façon la plus rapide de progresser dans l'élément liquide. Les mammifères les plus avancés tels les dauphins ou les baleines se déplacent de cette manière. Cette faculté innovatrice étonnante du lancelet fut possible seulement à l'apparition d'un nouveau point d'appui. Il est en effet nécessaire, pour que l'ondulation soit efficace de posséder rigidité et flexibilité.

Le lancenet, en effet, possède un organe de soutien longitudinal élastique : la chorde dorsale, qui permet à la paire de muscles antagonistes qu'il possède de se fixer à quelque chose, et aussi de ne pas neutraliser leur action mutuelle. (Deux muscles sans support central rigide ne peuvent pas plus onduler qu'un morceau de gélatine.) L'*Amphioxus* n'est donc pas seulement le premier nageur ondulatoire, mais notre ancêtre à tous, nous les vertébrés ayant évolué des poissons à squelette.

Les poissons possédant des arêtes rigides et non plus des chordes élastiques sont à même d'augmenter la fréquence de leurs mouvements dans les eaux douces des rivières. Tout au long de centaines de millions d'années, de nombreux poissons pour de nombreuses raisons, ont découvert de nouvelles façons de progresser dans l'eau. La forme de nage où les nageoires pectorales deviennent de véritables propulseurs devint la plus commune. Certains poissons apprirent à marcher et certains à glisser dans les airs. Du point de vue évolutif, l'hippocampe et l'aiguille de mer sont sans doute les plus intéressants. Mais leur raffinement leur a fait perdre toute prétention à pouvoir aborder les eaux douces ou à se déplacer avec rapidité. Ils usent de leurs nageoires médianes comme d'une godille. Les nageoires dorsales battent dix fois par seconde. Malgré cela, traverser une baignoire leur demande plusieurs minutes d'efforts.

Les poissons volants (*Cypselurus*) ne battent pas des ailes dans l'air, ils planent plutôt comme les écureuils. Lorsqu'ils sont prêts à quitter l'eau pour effectuer un vol plané, ils accélèrent leur nage. En arrivant à la surface de l'eau ils ouvrent leur paire de nageoires membraneuses et leur queue s'élargit pour pouvoir donner la poussée nécessaire au décollage. Ils ne s'envolent pas dans le vent, ils préfèrent s'introduire de biais dans un courant d'air. Le vol dure rarement plus de vingt secondes. On présume que cette faculté fut développée par l'évolution pour que cette espèce puisse, le cas échéant, échapper à des prédateurs tenaces.

La raie a développé un mode de locomotion qui la fait ressembler à un oiseau sous-marin. Ce poisson n'a pas de nageoire ni dorsale, ni caudale, ni anale. Les nageoires pectorales, elles, se sont transformées en ailes. Bien que l'on éprouve de l'antipathie pour la raie, connaissant le danger du dard dissimulé que portent de nombreuses espèces, on ne peut nier la beauté des lentes ondulations de son corps. Un mouvement sinueux se dessine de la queue vers la tête, rempli de grâce, évoquant les palpitations d'un large foulard de soie.

Parmi les grands poissons qui ont toujours fasciné les hommes par l'ampleur de leurs mouvements et la vitesse qu'elle leur permet d'atteindre se trouvent l'espadon et son proche parent le pèlerin. L'espadon peut atteindre la vitesse incroyable de cinquante nœuds. En effet au musée de Kensington de Londres, est exposé un bateau de chêne, dont la coque de trois centimètres d'épaisseur et recouverte de cuivre, a été traversée par le bec de la mâchoire supérieure d'un espadon. Il faut être animé d'une vitesse minimale de cinquante nœuds pour réaliser un tel exploit.

L'espadon se met facilement en colère, surtout lorsqu'il est dérangé par les appareils nautiques des humains. En 1967, un espadon attaqua le petit sous-marin expérimental *Alvin*, contenant trois hommes. Il enfonça son bec entre les deux sections de fibre de verre constituant la coque. On estime que le pèlerin peut atteindre soixante-dix nœuds, bien que cela n'ait jamais été confirmé scientifiquement.

Les torpilles créées par l'homme n'ont jamais pu dépasser la vitesse de trente nœuds, aussi la U. S. Navy s'est-elle beaucoup intéressée aux modalités de la nage de ces grands poissons. Quand ils sont immobiles, leurs nageoires nécessairement s'agitent. L'eau est rejetée par les ouïes avec plus de force qu'elle n'est avalée par la bouche, réalisant l'action propulsive « à réaction ». Il s'agit donc de neutraliser cette action. Les nageoires pectorales et latérales évitent, elles, le retournement des poissons. Les poussées d'accélération sont réalisées grâce aux ondulations violentes du corps (à large amplitude) la tête se déplaçant latéralement.

A vitesse moyenne, la plupart des nageoires sont repliées contre le corps, les mouvements d'ondulations suivent une courbe sinusoïdale (il s'agit du plus simple mouvement périodique symétrique d'ondulation). A vitesse maximum (celle adoptée quand il se bat avec les sous-marins) des ondulations rapides parcourent l'arrière du corps, dessinant une courbe sinusoïdale *multiple*. L'amplitude et la longueur diminuent mais la fréquence augmente. Les nageoires sont presque toutes repliées. Le secret de cette grande vitesse réside dans la « participation corporelle » que ne peut réaliser un corps inanimé. Le corps du poisson crée ce qui est appelé en hydrodynamique, une turbulence (comme lorsque l'hélice d'un bateau est emballée) au niveau du remous produit par ses ondulations puissantes. Ce brassage neutralise le remous et la résistance de l'eau à sa nage devient plus faible. Quelques tentatives, approchant cette technique de « participation corporelle » ont été réalisées par certains ingénieurs, nous en reparlerons à propos des dauphins.

Un ingénieur allemand, Heinrich Hertel, affirme que les fuselages d'avions actuels sont mal conçus, basant sa thèse sur le corps du thon, modèle d'hydrodynamique. La conception actuelle « en goutte » des cylindres circulaires est loin d'être celle offrant le moins de résistance à l'air. Si la silhouette du thon servait de modèle, par exemple au Boeing 747, le fuselage pourrait contenir trois fois plus de passagers et le Boeing voler plus vite. Hertel recommande spécialement cette nouvelle forme de fuselage pour les avions du futur à décollage vertical.

Le saumon du Pacifique ne bat aucun record de vitesse, ses exploits se cantonnent dans l'endurance. Les deux sexes remontent les rivières au cours rapide et souvent les torrents, pour que leurs œufs naissent dans la sérénité des eaux ancestrales. Ce cycle éternel entre les eaux douces et salées constitue une performance exceptionnelle. Au moment du frai le saumon quitte la mer pour retrouver les lieux de sa naissance. Il se met donc à nager, nuit et jour sans se reposer, ni absorber aucune nourriture. L'effort que demande une nage, à contre-courant dans des eaux beaucoup plus chaudes que la mer, est considérable. Le saumon possède la possibilité d'augmenter de vingt fois la puissance énergétique exigée par une nage aussi rapide dans des conditions aussi défavorables. Cela permet de ranger le saumon dans la même catégorie que le cheval de course. Les études accomplies sur le saumon confirment l'évidence de ce que les gros poissons nagent plus vite que les petits. Mais la différence n'est pas en directe proportion de leur taille. Si nous envisageons ces vitesses en termes de *longueur de poisson par seconde*, ce sont les petits poissons qui sont les plus rapides.

Quand un saumon remonte la Fraser River au Canada qui a un courant de cinq kilomètres à l'heure, il parcourt neuf cent soixante kilomètres en vingt jours. Comme le maintien d'une telle vitesse est physiologiquement impossible, il faut bien en déduire que le saumon sait profiter de « raccourcis hydrodynamiques », choisissant les passes où les eaux offrent le moins de résistance. A la fin de son voyage, après avoir pondu ses œufs, la femelle a consumé 96 % de ses corps gras et 53 % de ses réserves de protéines. Elle n'est plus qu'un ovaire entouré de tissus cutanés. Une part considérable de son énergie a été perdue lors du développement de cet ovaire. Le mâle ne se trouve pas en de meilleures conditions. Le débit d'énergie quotidien demandé par la remontée de la Fraser River a été de 80 % de leur vitesse maximum. La marge laissée aux situations dangereuses imprévisibles et aux sauts des écluses est vraiment faible.

Ici également, l'efficacité hydrodynamique dépend de la participation corporelle. La résistance à l'avancée est, chez un saumon vivant, bien moindre que sur un modèle identique inanimé, excepté lorsque le mouvement est très lent. Pour que le saumon puisse réaliser sa mission procréatrice suicidaire, l'évolution l'a pourvu de muscles aussi exceptionnels que son entêtement.

Certains poissons ont décidé de marcher. Pour les gens ignorant cette détermination ce spectacle peut couper le souffle. Certains poissons-chats sautent hors de leur aquarium et (s'il n'y a pas de chat aux alentours) se promènent sur le tapis comme de petits hommes en s'appuyant sur les coudes.

La Floride a connu quelques jours de stupeur quand un certain nombre de poissons de la famille des claridés, originaires d'Afrique et d'Asie, fraîchement importés, prirent la fuite à travers champs. Équipés d'un appareil respiratoire amphibie, ils se sont déplacés, se nourrissant d'escargots et grenouilles. Certains habitants ont rapporté avec excitation qu'il leur était possible de faire des sauts d'un mètre vingt.

Le grondin rouge, poisson volant méditerranéen, respire par la bouche. Son gosier et la partie inférieure de sa bouche se dilatent à la place des ouïes. Une transformation élaborée des nageoires pectorales, possédant trois appendices mobiles semblables à des doigts, lui permet de marcher sur les fonds marins tel une araignée.

Mais le champion des marcheurs est la « perche escaladeuse » des Philippines. Son corps est protégé d'une épaisse cuirasse d'écailles. Ces écailles se chevauchent comme les ardoises d'un toit. Chaque opercule possède une épine dirigée vers l'arrière. Ce poisson est doué d'une vue aérienne. Un organe semblable au poumon, logé dans une cavité au-dessus des ouïes, lui permet aussi de respirer dans l'air. En fait, ses ouïes ne sont pas adaptées à une vie totalement aquatique. Il lui faut de temps en temps monter à la surface pour mieux respirer. Quand la perche décide une promenade terrestre, elle s'approche du bord et s'appuie sur ses nageoires pectorales, frétillant de la queue pour faciliter ses déplacements. Sa peau épaisse retarde la déshydratation, l'humidité lui étant aussi indispensable que pour une grenouille sa peau.

De tous ces poissons, le plus étrange est certainement le *Periophthalmus*. Il grimpe aux arbres à l'aide de ses nageoires pour chasser les insectes. Il est aussi agile, à marée basse, à attraper les vers qu'un rouge-gorge sur une pelouse. Il possède également une vision aérienne et son comportement est tout à fait surprenant pour une créature marine. Il sait ruser et se dérober en vous regardant avec insolence de ses yeux exorbités, comme un animal terrestre.

Premier vol sur la terre.

C'est presque honteux à admettre, mais ni les entomologistes, ni les ingénieurs d'aérodynamique n'ont réussi à comprendre comment volent les insectes. Grâce aux films au ralenti, il est possible de décrire de façon détaillée toutes les modalités de leur vol, mais il est impossible de découvrir comment de ces mouvements résulte le vol ascensionnel. Dans le cas d'insectes aux corps frêles et légers, la charge des ailes est si faible que le « coefficient d'élévation » peut être minime. Pour des coléoptères comme le hanneton (*Melolontha vulgaris*) pesant presque un gramme, les mathématiques aérodynamiques indiquent la nécessité d'un coefficient d'élévation de deux à quatre pour qu'ils puissent s'élever du sol. Or, Léon Bennett de New York, qui a construit pour étudier leur vol une réplique agrandie des ailes de hanneton, ne peut obtenir de coefficient supérieur à un. Les appareils les plus perfectionnés conçus par l'homme, légers et puissants aux ailes perfectionnées à cambrure basse, n'ont de toute façon, jamais pu dépasser un et demi.

La supériorité du hanneton en aéronautique est donc écrasante. Il est bien évident qu'il existe quelque chose dans les ailes du hanneton ou dans sa manière de les employer, qui échappe à l'attention des meilleurs experts. Cette situation est assez semblable au dilemme du pèlerin, se déplaçant, grâce à la participation corporelle, toujours plus vite qu'un mécanisme identique créé par l'homme. Or la réponse pourrait dans le cas des coléoptères être la même ; le corps de l'insecte crée moins de résistance et une plus grande force ascensionnelle que la masse mécanique. Il est certain que la découverte de ce qu'est la nature de cette mystérieuse facilité à échapper aux lois de l'aérodynamique serait d'une importance pratique et théorique incalculable pour l'homme. Pour pouvoir devenir ange, devenons d'abord hanneton. Mais étudions plutôt les points qui nous sont connus.

Les premiers insectes terrestres ont sans aucun doute rampé. Ce n'est que lorsque la végétation — première source de nourriture — a commencé à se développer hors de son atteinte, que l'insecte dut apprendre à voler. Cette évolution se réalise d'une manière révolutionnaire. Ce ne furent pas les pattes ou les doigts qui se modifièrent (comme chez les oiseaux et chauves-souris plus tard) mais, par un saut évolutif surprenant, une partie de l'appareil respiratoire. Plus spécifiquement, les orifices thoraciques — on pourrait presque dire les « auvents » — du système trachéen, se sont transformés en ailes. L'évolution déploie ici des qualités imaginatives supérieures aux artistes de la Renaissance italienne, leurs anges et leurs séraphins sont des monstruosités aérodynamiques, comme l'avait remarqué Léonard de Vinci.

Un insecte très semblable à l'éphémère fut, il y a plus de cent cinquante millions d'années, l'ancêtre de tous les arthropodes ailés. Après la découverte du vol l'insecte se trouva définitivement adapté à la terre. Il existe très peu d'insectes adultes dans l'océan, mais les œufs et larves de nombreux insectes continuent à se développer dans les eaux douces. Un grand nombre d'animalcules aquatiques comme les copepodes (petits crustacés) s'élevant et s'abaissant au rythme de la lumière, sont quotidiennement dévorés par les larves du moucheron, qui suivent les mouvements ascensionnels de leur nourriture par la compression, ou l'expansion de deux paires de bulles gazeuses. Les larves des moucherons, libellules, phryganes et agrions possèdent des ouïes (un système trachéal fermé) et n'ont pas besoin d'aller respirer à la surface. Les nymphes de libellules (stade postérieur des larves) possèdent des ouïes près du rectum. L'eau est aspirée et rejetée, cette réjection effectuée avec suffisamment de force — minuscule système à réaction — permet à la nymphe de se propulser.

Pour les insectes ayant préféré comme habitat la terre, les adaptations ont été nombreuses depuis les hydromètres, (ordre des rhynchotes) glissant sur la surface de l'eau grâce aux coussins d'air maintenus sous l'extrémité poilue de leurs pattes, aux argyronètes araignées d'eau tissant une cloche étanche sous les eaux qu'elles remplissent d'air pour en faire leur gîte. Il y a aussi les podures, notonectes et dytiques, insectes carnivores complètement adaptés à la vie aquatique. Leurs pattes se sont transformées en rames puissantes leur permettant de se déplacer rapidement.

Si l'on se penche sur un insecte ailé et que l'on étudie avec l'œil d'un anatomiste son système de propulsion, on remarque que les ailes sont attachées aux coins supérieurs de la cage thoracique. Cage thoracique qui n'est pas rigide, mais souple. Les contractions de larges muscles font s'affaisser le thorax et dresser les ailes grâce à leur articulation spéciale. D'autres muscles s'étendant horizontalement permettent aux ailes de se rabattre en plissant le dessus de la cage thoracique. Tous ces muscles agissent indirectement. Ce sont les déformations du thorax qui provoquent le mouvement des ailes. Il existe malgré tout d'autres muscles agissant directement sur les ailes pour leur permettre des mouvements plus subtils que le battement propulsif de base.

Quand l'aile s'élève, ces muscles directs font déplacer la partie postérieure de l'aile vers l'arrière et ensuite vers l'avant lorsque l'aile s'abaisse. De plus, en vol, les ailes tournent sur leur axe. Nous voyons donc que les ailes d'un insecte sont plus proches des pales tourbillonnantes d'une hélice que des ailes fixes d'un avion. Le battement de quatre ailes mécaniques rigides, n'approchera jamais le vol d'un insecte. L'extrémité de leurs ailes dessine la figure d'un huit. Un huit non vertical mais de travers. Les mouvements propulsifs sont dirigés vers le bas et vers l'avant. Cela peut surprendre, certains pourraient même croire que la progression serait facilitée par des mouvements vers le bas et vers l'arrière, mais c'est tout simplement parce que l'on ignore les principes du fonctionnement des propulseurs à hélice. Les mouvements vers le bas et vers l'arrière sont accomplis par les insectes lorsqu'ils souhaitent demeurer immobiles, comme le font les syrphides, les sphinx et les abeilles lorsqu'elles se préparent à recueillir nectar ou pollen sur les fleurs.

Comme les insectes possèdent généralement quatre ailes, il est intéressant d'apprendre de quelle manière ils ont résolu le problème de la « turbulence » produite par les ailes antérieures sur les ailes postérieures. Les diptères (mouches, moustiques) ont résolu définitivement le problème en supprimant une paire d'ailes. La paire postérieure est devenue boutons, appelés « haltères » dont nous exposerons plus loin les fonctions. Beaucoup d'insectes évolués possédant quatre ailes, papillons, phalènes, abeilles ont réuni les deux paires fonctionnant dorénavant en tant qu'unité. La libellule — la plus compétente car la plus ancienne — apprit il y a plusieurs millions d'années, lorsqu'elle était de la taille de l'aigle, à alterner les battements de ses deux paires d'ailes si parfaitement, que les ailes postérieures rencontrent en se rabattant un air calme non encore troublé par la turbulence des ailes antérieures (1).

Le système de contrôle du vol des criquets pèlerins a été étudié à l'université de Stanford. Les conclusions des chercheurs sont importantes pour distinguer les impératifs proprioceptifs — qui, nous l'avons vu, peuvent se manifester dans la section d'un ver marin — des actions non réflexes contrôlées par le système nerveux central. Le criquet est un insecte très ancien et détesté de l'homme pour son socialisme effroyablement destructeur. Même sous la forme de nymphe, les criquets, quand leur sang manque de potassium, se déplacent en troupes comme une armée de conquête. Les stupéfiantes migrations redoutées de tous les cultivateurs ne sont pas orientées par la recherche de nourriture. Il semble que le temps et la température soient déterminants. Il arrive même aux criquets de s'éloigner de toute nourriture. Un nuage de criquets estimé à cent vingt-quatre billions d'individus s'est abattu un jour dans les Montagnes Rocheuses. Le déplacement de ce nuage faisait retentir le ciel comme une cataracte.

Au XIXe siècle, certains États d'Amérique du Nord ont eu tellement à souffrir des ravages causés par les criquets que les chartes constitutionnelles qui les régissaient ont dû être recomposées. Le Nébraska possède ainsi un document appelé « la Constitution des sauterelles ».

(1) L'aérodynamique et les réactions complexes des fluides compressibles constituent des domaines difficiles que j'ai préféré ne pas infliger aux lecteurs. Certaines conclusions de Léon Bennett, d'après ses expériences sur le hanneton artificiel, me semblent d'ailleurs exemplaires. Il lui paraît que le vol du hanneton ne peut absolument pas être expliqué par les règles ordinaires de l'aérodynamique stable. Il s'agit d'effets *instables* principalement dans le vol des insectes. Il n'est pas exclu que le hanneton emploie une méthode audacieuse, testée actuellement sur des types d'avion nouveaux, consistant en une circulation d'air forcée le long des ailes supérieures, pour éviter les pertes de vitesse.

Le professeur Wilson, de Stanford, a longuement étudié le comportement de vol du criquet. Suspendu à un balancier devant une soufflerie, l'insecte transmet ses mouvements à un rhéostat réglant le volume de la soufflerie. Ainsi quand le criquet vole vers l'avant, la force de la soufflerie augmente et vice versa. Également la position du corps, ailes et pattes est minutieusement enregistrée. Ce que Wilson tâche de découvrir est si les mouvements de vol sont le résultat d'un réflexe aux informations proprioceptives acheminées par les nerfs, ou au contraire s'il existe un système incorporé commandant au criquet son attitude. Lorsque le nerf sensoriel apportant les informations concernant le vol est sectionné, aucun changement n'intervient (seules certaines manœuvres difficiles se trouvent perturbées). Le récepteur d'extension mesurant la position et l'angulaire des ailes sectionné ou brûlé, réduit simplement la fréquence des battements d'ailes. Même lorsque *tout* le système de liaison nerveuse est supprimé, le criquet vole en réagissant à un léger choc électrique à la tête. La coordination des muscles des ailes semble donc dépendre d'un système incorporé réagissant à n'importe quel stimulus interne. Pourquoi alors existe-t-il des récepteurs d'extension contrôlant le mouvement et l'amplitude des ailes? Pourquoi la fréquence n'est-elle pas codée également dans le cerveau?

Il existe une réponse révélant le compromis effectué par le criquet en tant qu'animal génétiquement codé et le criquet en tant qu'individu. Les ailes, muscles et squelette d'un animal en vol forment un système résonnant possédant une fréquence préférentielle à laquelle la conversion du travail musculaire en puissance aérodynamique est la plus efficace. Cette fréquence préférentielle dépend de la taille de l'insecte, qui peut varier même entre sujets de mêmes parents. Donc chaque adulte doit ajuster la fréquence de ses battements d'ailes aux dimensions de son corps. C'est le réflexe d'extension qui régularise automatiquement les battements d'ailes à la fréquence résonnante souhaitée.

L'évolution est allée plus loin. Même avec une paire d'ailes en moins, le criquet fournit une excellente performance. Pouvoir voler après une telle mutilation demande un réajustement total de la distribution et de l'intensité nerveuse. Le criquet volant en liberté possède au moins deux sources proprioceptives supplémentaires. Les renseignements fournis par les yeux, et ceux transmis par les poils sensitifs directionnels qu'ils possèdent sur la tête et qui réagissent au vent de sa course. Ces signaux aident le criquet à voler en droite ligne même en cas de déficience ou d'erreur anatomique. Donc, le système de contrôle en vol du criquet consiste seulement en un type de comportement incorporé (ce que l'on appelle en électronique un « score »). Ce système de contrôle révèle une grande adaptabilité. On peut donc conclure qu'il n'existe pas en général chez les insectes de pur enregistrement moteur interne ou de type de contrôle unique se référant à un gabarit. Les systèmes de locomotion des invertébrés, et même des animaux plus évolués, combinent l'enregistrement interne et l'ajustement sensoriel automatique (1).

Revenons à l'aérodynamique. Les ailes du criquet ont une force ascensionnelle constante en vol normal. Lorsque l'angulaire du vent se trouve artifilement modifié de 15°, les ailes s'inclinent de manière à ce que la force ascensionnelle demeure inchangée. Le tangage et le roulis sont contrôlés et modifiés sur les indications fournies par la vue. Le mécanisme contrôlant les embardées ne nous est pas connu.

La vitesse du vol de nombreux insectes a donné lieu à de violentes discussions dans le passé, parmi les entomologistes. Depuis la découverte du radar les suppositions ne sont plus de mise. Les radars détectent facilement les insectes même lorsque cela n'est pas souhaitable. Ils sont la cause des échos fantômes (appelés « anges » dans le jargon électronique) que l'on remarque sur les écrans signalant par ailleurs une atmosphère claire et vide. Les sphinx, les daphnis, même les libellules et les abeilles ont pu être ainsi étudiés au radar.

Le plus rapide insecte connu est l'*Austrophlebia*, classe des libellules, qui peut atteindre cinquante-cinq kilomètres à l'heure au régime de trente battements d'ailes à la seconde. Les abeilles lorsqu'elles rapportent un important butin de nectar et de pollen ont évidemment un vol beaucoup plus lent ;

(1) D'autres moyens de locomotion sont chez les vertébrés influencés par les réflexes. La tarentule possède une démarche très caractéristique comportant des rythmes diagonaux. Si la tarentule perd une patte ou même plusieurs, elle peut malgré tout continuer à marcher. Elle adapte les relations existant entre les pattes qui lui restent pour maintenir les rythmes diagonaux. La nature exacte de la boucle nerveuse constituant ce réflexe nous est inconnue, mais visiblement elle est de telle sorte qu'elle peut être réajustée de manière à compenser les accidents imprévisibles pouvant arriver à l'animal. Wilson affirme que c'est le rôle de base des réflexes. Équiper l'animal afin de surmonter les catastrophes anatomiques.

aussi leur vitesse varie-t-elle de sept à vingt et un kilomètres à l'heure, à un régime de deux cent cinquante battements à la seconde. La mouche ne peut dépasser la vitesse d'un homme marchant à grands pas. Lorsque nous nous efforçons de les attraper les mouches nous semblent se déplacer à une vitesse beaucoup plus élevée, illusion d'optique causée par la disproportion entre la taille de l'insecte et ce qui l'entoure. Les insectes étant à sang chaud, il leur est nécessaire, dans la froideur de certains matins, de se réchauffer en faisant précautionneusement vibrer leurs ailes dans un petit coin de soleil.

La classification de vol des insectes dépend de la qualité de leur carburant et de la manière dont ils l'utilisent. Les graisses sont trois fois plus efficaces que les nectars. Le taon peut faire quatre-vingt-dix kilomètres sans s'arrêter, alors que l'abeille, brûleuse de sucre, ne peut parcourir que la moitié de cette distance. Les criquets du désert parcourent trois cents kilomètres sans se sustenter. Certains papillons peuvent atteindre l'altitude de six mille mètres. Le papillon migrateur monarche (*Danaus plexipus*) est une brillante exception de la classe des brûleurs de sucre. Il lui est possible de parcourir neuf cents kilomètres sur la même ration de nectar. Le *Vanessa cardui* est un grand migrateur, il aime passer l'hiver au Mexique et a pu être observé au-dessus du Pakistan volant à plus de cinq mille mètres. Les noctuelles, papillons de nuit, sont encore plus inconséquentes que les criquets dans leurs migrations, elles se déplacent parfois en masse vers le nord, ce qui constitue un suicide assuré.

Ce dernier exemple nous indique une voie à suivre, à ma connaissance non encore exploitée, dans la destruction des insectes nuisibles. Développer leur instinct grégaire en névrose. Toutes les colonies d'insectes essaimants possèdent leurs faiblesses sociologiques, il suffit de peu de chose pour rompre cet équilibre instable et provoquer des hécatombes. Songeons aux guerres fratricides que se livrent les colonies de fourmis de même espèce.

Tôt ou tard, chacun de nous s'est surpris à étudier les mouches, compagnes forcées de tous nos étés. Avez-vous jamais imaginé ce qu'il y aurait à faire si vous étiez mouche, pour atterrir la tête en bas sur le plafond ? En étudiant la mouche filmée au ralenti, tout est fort clair. La mouche monte verticalement jusqu'à ce que ses pattes de devant entrent en contact avec la surface au-dessus d'elle, puis les autres pattes s'attachent à cette surface en exsudant une substance gluante. Autrement dit la mouche accomplit la moitié de l'acrobatie d'aviateur classique appelée « looping », mais avec une telle aisance qu'il faut réfléchir un instant avant d'admettre qu'il s'agit d'une opération assez complexe.

La mouche, et d'ailleurs tous les diptères, sont équipés de manière à effectuer aisément cette manœuvre. Les « haltères » — la seconde paire d'ailes transformées — constituent un système de contrôle, semblable à un gyroscope, qui est plus subtil que le récepteur d'extension des criquets. Les haltères en se déplaçant transmettent leurs vibrations au thorax, renseignant ainsi le cerveau sur les rotations d'un axe vertical ou horizontal traversant leur champ vibratoire. La différence entre la perception des mouvements de roulis et de tangage est rendue possible par la réception simultanée des vibrations des haltères durant le tangage, tandis qu'en cas de roulis, les vibrations sont hors phase. L'ablation d'un haltère a peu de répercussion sur le vol en droite ligne de la mouche, mais les répercussions sont graves sur tous les mouvements de rotation lorsque les yeux sont recouverts, ce qui démontre les liens unissant la vue au réflexe des haltères. Contrairement à l'abeille, qui utilise le poids de son ventre de débardeur à mesurer la gravité, la mouche ne réagit aucunement à la seule gravité et ne comprendrait jamais les lois de Newton.

Les haltères constituent la preuve d'une évolution déjà avancée. En effet, dans les expériences de mutation artificielle provoquées chez la mouche du vinaigre, il est fréquent d'obtenir des souches sans haltère où la seconde paire d'ailes a réapparu. Ces haltères se révèlent absolument indispensables à la survie de certaines espèces. Chez la mouche *Sarcophaga*, la perte de ses six pattes ne l'empêche pas de voler, tandis que la perte des haltères est rédhibitoire. Chez la *Tipula*, l'ablation d'un haltère ne provoque pas d'importants changements mais après l'ablation des deux, elle se traîne misérablement sur le sol, le vol lui étant devenu impossible. La mouche *Philonicus* elle, ne peut même plus marcher après l'ablation des ailes et des haltères.

Il existe plusieurs facteurs déterminant le vol, le plus important étant le réflexe tarsien, quand l'insecte n'est plus en contact avec le sol. Le vent ou un courant d'air sont souvent nécessaires, les antennes de la mouche étant extrêmement sensibles. Les insectes carnivores transportant leur proie, (comme les guêpes) commencent à agiter les ailes les tarses posés sur le sol, pour pouvoir décoller sans effort. Les insectes suspendus par des fils, en laboratoire, cessent de battre des ailes quand ils sont fatigués, mais même alors, un mouvement de chute déclenche toujours les mouvements de vol. Chez la mouche commune, l'excitation de certains nerfs (probablement de l'organe de Johnston) régularise le mouvement des ailes en rapport avec la résistance de l'air. Également les poils du minuscule petit organe sensoriel de la tête (sensilla) doivent être stimulés pour que les mouvements de vol se poursuivent. Même la tête sectionnée, le réflexe tarsien suffit à provoquer un vol, il est vrai très gauche (semblable à la course réflexe du poulet décapité). Les antennes doivent jouer le rôle d'un indicateur de vitesse, les mouches sans antennes s'écrasent sur les obstacles en atterrissant.

Chez la libellule, ce vétéran de l'aéronautique, les mouvements de la tête, dans le plan du thorax, excitent de petites plaques velues se trouvant sur celle-ci. C'est-à-dire que de brusques mouvements de roulis lui envoient la tête en arrière et que celle-ci enregistre et utilise ces mouvements désagréables. La merveilleuse flexibilité de la jointure de la tête et du thorax permet à la libellule de regarder en vol, en-dessous et derrière elle, ce qui donne une grande précision à ses déplacements. Elle peut voler en avant ou en arrière avec la même aisance et la même rapidité.

La mouche parasite *Pyrgota* bat tous les records de précision dans les bombardements en piqué. Elle s'attaque aux hannetons, mais seulement en vol, la dureté de leurs élytres les rendant au sol invulnérables. La mouche repère un hanneton femelle dans les airs, se précipite sous les ailes, et là, pond son œuf dans les muscles dorsaux tendres, avant que le hanneton ait pu se douter de ce qui lui arrive.

Les nuées de petits insectes volants, tels que les moustiques et moucherons, sont souvent des sujets de curiosité ou d'effroi. Ces nuages sont quelquefois si denses qu'on peut croire à de la fumée (les pompiers ont été appelés en Hollande, la tour d'une église ayant été crue en feu). Les moustiques recherchent les endroits chauds et humides pour accomplir leurs rites d'accouplement. Quand le soleil se couche, la cime des arbres devient un réservoir d'air chaud et d'humidité, constituant un lieu de rendez-vous idéal.

Avant d'aborder la locomotion des vertébrés terrestres, un mot sur les araignées, mille-pattes et autres arthropodes marcheurs. Chez la iule, diplopode aux pattes innombrables, nous nous trouvons confrontés à nouveau au problème du contrôle central opposé au contrôle périphérique réflexe.

Comment expliquer, non seulement la marche de ces impressionnantes rangées de pattes, mais encore que leur déplacement soit si précis que les pattes postérieures marchent exactement dans les traces des pattes précédentes ? L'ablation du cerveau provoque, paradoxalement, une activité plus grande, probablement parce qu'il contient le centre optique qui n'est actif que dans l'obscurité. L'ablation de la tête supprime la coordination des pattes dans certaines espèces, dans d'autres le « modèle » de mouvement est à peine transformé. Les ondes reliant les centres nerveux jouent un beaucoup plus grand rôle chez les myriapodes marcheurs que chez les insectes et les crustacés.

La féroce mante religieuse possède plusieurs façons de se déplacer selon ses intentions : se promener, fuir, intimider, attaquer, etc... Cela lui est rendu possible grâce à la grande spécialisation de ses pattes prothoraciques dont elle peut se servir pour courir, grimper et tuer. Les pattes de la blatte ont une caractéristique curieuse. Une décharge nerveuse détend le muscle d'une patte si elle n'est plus en contract avec le sol. Ainsi c'est toujours la patte ayant à supporter le moins de poids qui entre en action. Si ce pas soulage une autre patte du poids qu'elle supporte, la séquence est alternée. Aucune patte ne se soulève sans que la patte qui la suit soit fermement posée sur le sol. Il est clair que la stabilité de la blatte est parfaitement assurée.

L'instinct de grimper le plus haut possible est une caractéristique très importante des jeunes araignées. Il s'agit d'un facteur essentiel de propagation, et donc de survie de l'espèce. Quand, ayant découvert sous elle un espace vide, l'araignée émet du sommet d'un buisson son fil et se laisse flotter par lui au gré des vents, son enfance est finie. Elle ne grimpera désormais plus que pour tisser sa toile.

Les pattes des araignées ont la curieuse faculté de ne pas être mues par des muscles mais par la pression sanguine. De simples muscles fléchisseurs agissent sur les vaisseaux sanguins. Chez les araignées sauteuses une valve contrôle dans chaque patte la circulation du sang. Avant un saut, la pression du sang peut devenir cinq fois plus forte que lorsque la patte est en position de repos. Les araignées tissant des toiles, comme *Agaléna*, se déplacent par une combinaison de sensations visuelles et kinesthésiques (proprioceptives). La manière dont elles filent leurs remarquables toiles et demeurent attachées à un modèle complexe immuable, demeure un mystère complet.

Après une demi-heure d'exploration, *Agalena* est parfaitement familiarisée avec sa toile et ses environs et elle peut tendre un fil en droite ligne du point le plus bas à n'importe quelle partie de la toile. *Agalena* possède également cette étrange connaissance proprioceptive que nous avons signalée chez la fourmi. Si une route indirecte lui est enseignée entre sa toile et une source de nourriture, elle prendra, sitôt l'obstacle enlevé, le chemin le plus court sans la moindre hésitation.

Marcher ou ramper.

Avant les serpents (relatifs nouveaux venus dans le monde des vertébrés) il y avait les lézards et il semble que les lézards actuels regrettent énormément d'être demeurés sauriens. La moitié de la famille entière des lézards comprend des espèces sans pattes, ou trop petites et faibles pour servir à la marche. Cette tendance évolutive à perdre les pattes est moins associée à une tendance rampante qu'à un besoin de s'enfouir. Les fossiles montrent avec évidence que les pattes informes observées chez certains lézards ne signifient pas que les animaux fouisseurs acquièrent des pattes, mais qu'ils les perdent au contraire par le processus traditionnel de dégénérescence.

Serpents et lézards, à un moment ou un autre de la grande parade biologique, se sont efforcés de voler et un lézard récemment (le dragon volant d'Asie) a acquit une sorte de vol plané, semblable à celui du polatouche, l'écureuil volant. A une époque reculée, les reptiles ont volé puis ensuite ont oublié la recette. Les chauves-souris volent de leurs mains et les oiseaux de leurs avant-bras, mais le ptérodactyle du secondaire volait à l'aide de ses annulaires monstrueusement développés.

A l'intérieur de cette obscure lubie, poussant les lézards à perdre leurs pattes, on découvre une certaine régularité génétique. On peut trouver dans le même genre une espèce aux jambes fortes et une autre possédant des appendices sans aucune utilité. Cette transition locomotrice (et on devrait plutôt dire ambiguïté) est surtout évidente chez le minuscule lézard teiide d'Amérique du Sud. Il peut marcher, tel un respectable quadrupède. Néanmoins en cas de danger, son allure se transforme en une reptation reptilienne rapide, ses pattes inutiles battant l'air désespérément. Quelquefois, comme chez le scinque des sables d'Afrique septentrionale et de Floride, les jambes ont été clairement reconnues comme superflues et même gênantes, aussi l'évolution a prévu des fentes latérales dans lesquelles se placent cet encombrant supplément de bagage.

Ce que la plupart des lézards souhaiteraient avec évidence, c'est d'être débarrassés de leurs pattes de devant. Ils pourraient ainsi, comme le lézard aux doigts fimbriés, plonger dans le sable et littéralement « nager » sous sa surface. Chez ce petit animal les courtes pattes antérieures se collent au corps et le mouvement « natatoire-fouisseur » est facilité par la poussée des pattes postérieures tandis que le corps et la queue ondulent comme un serpent.

Certains lézards font malgré tout exception et préfèrent détaler sur leurs pattes. Le basilic tropical est connu pour sa rapidité, il peut même accomplir quelques brèves glissades à la surface des eaux comme les pétrels. (On ignore en général que le nom de pétrel est dérivé du nom de saint Pierre qui, selon la tradition, réussit dans des circonstances particulières à marcher sur les eaux).

Certains lézards ont des modes de locomotion tout à fait étranges. Le gecko par exemple, animal très commun en Asie ; on le décrit en termes zoologiques comme possesseur de « disques à succion ». Ses doigts en fait possèdent à leur surface inférieure des milliers de petits crochets, impossibles à apercevoir à l'œil nu. Ces crochets à leur tour, possèdent des disques adhésifs encore plus petits. Les crochets n'expliquent pas comment le gecko peut monter le long d'une vitre ou marcher au plafond. Les pieds ne s'attachent pas à l'aide d'une sécrétion gluante comme c'est le cas pour la mouche, le gecko ne possède aucune glande de cette sorte. Il ne peut non plus créer un vide sous les disques comme le font les mollusques, un gecko peut grimper verticalement le long d'une jarre où on a fait le vide! On pourrait supposer que les poils minuscules de ses pattes peuvent alors s'introduire dans de fines irrégularités de la surface du verre, mais le gecko ne pèse pas quelques décigrammes comme la mouche, ses poils crochus s'arracheraient sous son poids.

Le mystère concernant la locomotion du gecko demeurait donc entier jusqu'à ce qu'on utilise les puissants microscopes électroniques. Ces microscopes, n'utilisant plus la lumière mais un flux d'électrons permettent d'obtenir des grossissements plus de cent fois supérieurs aux meilleures performances des microscopes optiques. Leur utilisation a permis aux biologistes de réellement découvrir l'univers cellulaire. Biophysiciens et biochimistes n'ont jamais été aussi intéressés par les moindres détails des membranes vivantes, qui semblent aussi importants à l'évolution de la cellule que les molécules d'A. D. N. Que peut-on faire pour *voir* plutôt que déduire par le raisonnement les transformations dynamiques de particules aussi infimes? Actuellement on recouvre la structure extérieure de la membrane d'une épaisse couche d'or (évaporé sous vide et condensé sur la surface à étudier). L'or permet à ces minuscules portions de vie de se révéler aux instruments dont les indications sont ensuite traduites par les savants en termes de physique traditionnels.

Dans le cas qui nous occupe le microscope électronique nous renseigne avec la plus grande précision sur l'extraordinaire habileté du gecko, et tous les mystères se dissipent. Les crochets digitaux sont formés d'un grand nombre de poils submicroscopiques et ils possèdent effectivement de puissants disques à succion. Nous avons appris qu'un nombre considérable de coupelles de cette sorte arrive à déployer une puissance incroyable. Sous l'énorme grossissement du microscope électronique, nous avons pu voir que chaque division de poil possède à son extrémité une structure arrondie de deux millionièmes de centimètre de diamètre, (impossible à déceler dans un microscope optique). En étudiant ces coupelles extraordinaires on s'aperçoit qu'elles possèdent une membrane si mince et si active, qu'elle peut se modeler aux irrégularités de n'importe quelle surface (même le verre et l'acier poli). Le gecko a donc simplement découvert que ce que nous considérons comme lisse est très relatif, et l'évolution lui a donné les armes nécessaires à le prouver.

Il était également important de découvrir comment ce lézard, particulièrement tenace, arrive à redescendre de la vitre verticale ou du plafond. Dès qu'il retrousse ses doigts vers l'arrière, la prise se relâche. Retrousser les doigts provoque l'aplatissement de la rangée de poils et les coupelles se détachent instantanément de la surface à laquelle elles étaient fixées.

Ceci constitue un exercice de coopération plus surprenant qu'il n'apparaît au premier abord. Si vous étiez un animal essentiellement composé de millions de disques de succion semblables à celui d'une fléchette-jouet, comment assureriez-vous la transmission de l'ordre « lâchez tout, repos! »

et son exécution immédiate ? On s'attend à un nécessaire délai d'exécution, et donc, que les déplacements du gecko soient lents et gauches. Il n'en est rien. Il attrape les mouches avec une dextérité magistrale et se déplace remarquablement vite.

Grâce au microscope électronique nous avons pu, une fois de plus, comprendre. Les deux mille ou plus coupelles se trouvant le long de chaque poil ne sont *pas fixées* comme la ventouse d'une fléchette-jouet d'enfant et c'est là le secret de ce lâcher prise immédiat. Chaque coupelle est attachée le long du poil, constamment à un angle de quarante-cinq degrés. Quand arrive l'ordre du lâcher prise, il ne s'agit pas tant de redresser que de glisser les coupelles. La glissade demande bien peu d'efforts ; durant son parcours la succion prend fin et le doigt est libre.

Nous pouvons voir que l'évolution a su depuis toujours, utiliser les lois que nous avons tendance à attribuer à Galilée, Archimède, Newton ou Edison.

Que les lézards deviennent un jour serpents est possible, puisque leurs ancêtres y sont parvenus, mais quels sont donc les avantages de cet état ? Comment le serpent s'en sort-il ? La réponse est difficile et il a fallu attendre plusieurs décennies de controverses passionnées pour que les erpétologistes arrivent à s'entendre. Pour la généralité des serpents il existe, par ordre d'importance, quatre types de locomotion (aucune d'elle ne s'approche du processus fantastique expliqué dans certains ouvrages anciens de sciences naturelles et dans les bandes dessinées où le serpent ondule comme une mèche de fouet, tel un mythique serpent de mer).

Le type le plus répandu est l'ondulation horizontale. Le serpent se propulse par un jeu d'ondulations longitudinales successives comme lorsqu'il nage. Ces amples courbes sont facilement exécutées grâce à ses nombreuses vertèbres. Le serpent avance en se repoussant à l'arrière de chaque courbe, ce qui provoque de petits entassements de poussière ou de sable, trace de sa progression. Ce mode de propulsion exige un milieu visqueux (comme l'eau) ou rugueux. Si la surface est lisse, comme le verre, le serpent fait du « sur place ».

Beaucoup de gros serpents avancent en progression rectiligne comme les chenilles. Leur ventre est recouvert d'écailles étroites qui se chevauchent leur permettant des mouvements d'extension et de contraction en avant et en arrière. Une portion du ventre est soulevée, et avance avant d'être reposée sur le sol, écailles écartées, ce qui augmente l'adhérence et favorise la progression. Contrairement à la croyance populaire, les vertèbres ne participent en aucune façon à ce processus. La peau et les puissants muscles transversaux suffisent à assurer les mouvements. L'avance rectiligne peut s'effectuer sur du verre, il n'y a que lorsque le verre est huilé que la progression s'avère impossible.

Il existe encore le mode de locomotion appelé « en accordéon ». Le corps du serpent forme une série de courbes allongeant alternativement la partie avant, et ramenant la partie arrière. Ce n'est pas une très heureuse façon de se déplacer, elle n'est ni rapide, ni efficace.

Enfin il existe le déplacement latéral, utilisé spécialement par les serpents de désert vivant dans les sables. Quand un de ces serpents, comme le crotale, se déplace, il semble *couler* en oblique. Ses traces sont une suite de dépressions parallèles prouvant que le serpent a fort peu touché le sol. C'est une manière fort adroite de se déplacer. Les parties en appui sur le sol restent immobiles tandis que les anneaux glissent en avançant. Les mœurs de ces serpents sont fascinantes à étudier. Ils possèdent par exemple un appareil détecteur de température incroyablement précis, situé dans des alvéoles placés de chaque côté de la tête.

Pour grimper à un poteau ou à un arbre (à condition qu'ils ne soient pas trop lisses) les serpents habitués à ces aventureuses ascensions, emploient une modification de la méthode « accordéon » consistant en une série d'emboîtements et de lâcher prise. Pour leur faciliter la tâche, les écailles des deux côtés de l'abdomen ont une forme angulaire spéciale. Une erreur pardonnable du grand Sherlock Holmes — que beaucoup de personnes respectables du XIXe siècle et peut-être du XXe ont considéré comme une sorte de génie de la détection — se trouve dans « La bande mouchetée ». Dans cette histoire Holmes, à sa manière habituelle impénétrable et débonnaire, relate comment la victime fut tuée par une vipère de Russel que l'on avait fait grimper le long du cordon de sonnette de sa chambre. (Un gentleman, comme l'on sait, ne pouvant pas vivre sans un valet de chambre, ni sans sonnette pour l'appeler). Ce que Holmes ne savait pas, c'est que la vipère de Russel n'est pas un *constrictor*. Ce serpent est incapable d'effectuer les mouvements d'accordéon nécessaires. S'il avait été attaché au cordon de sonnette par un criminel dément et ignare, le serpent n'aurait pas tardé à choir et aurait très probablement été se lover dans le pot de chambre. (Lieu certainement très inattendu à l'époque victorienne pour accomplir un meurtre, mais gîte très adéquat pour un serpent privé de liberté.)

Il existe une superstition largement répandue concernant la rapidité des serpents. Quand j'étais enfant, j'ai entendu de nombreux récits mettant en jeu le terrifiant « coureur rouge » rattrapant un homme à la course. Les tests prouvent que le plus rapide de tous les serpents le *Masticophis flagellum* peut atteindre l'allure vertigineuse de... cinq kilomètres à l'heure. Il s'agit de la même illusion que dans le cas de la mouche, le serpent nous semble aller vite à l'échelle des pierres, racines et touffes d'herbes parmi lesquelles il rampe. De plus, en déplacement rapide, le serpent se fatigue très vite, son sang étant pauvre en oxygène.

Nous avons déjà mentionné les milliers de témoignage enregistrés dans divers pays, rapportant le spectacle de serpents se mordant la queue et dévalant les collines comme des cerceaux à une vitesse effrayante. Il est étrange que cette espèce de serpents puisse s'arrêter et adopter une reptation modeste, dès qu'elle aperçoit un erpétologiste!

Voler comme un oiseau.

Pour faire voler les oiseaux, l'évolution dut se pencher à nouveau sur son aérodynamique et utiliser, sur un autre mode, ce qu'elle avait appris bien longtemps auparavant des insectes. Il existait bien sûr une variante d'échelle et de conception organique. Quatre ailes avaient, dans le passé, jailli de la cage thoracique des insectes, leurs six pattes demeurant inchangées. Transformer un reptile à quatre pattes en machine volante était une autre histoire. L'évolution décida que l'extrémité des pattes antérieures serait pourvue de plumes aérodynamiques et deviendraient des membres susceptibles de « battre », formant une créature bipède capable de marcher lorsqu'elle serait sur le sol.

Les paléontologistes pensent que l'apparition des plumes, protection contre les intempéries plus efficaces que les écailles, se manifesta avant que les oiseaux commencent à voler. Les animaux à sang chaud exigent une protection particulière pour pouvoir survivre dans les régions froides. Les plumes et la fourrure des mammifères furent des innovations révolutionnaires et firent leur apparition approximativement à la même époque géologique.

La conception d'un animal volant relativement grand posait de graves problèmes. Nous nous retrouvons en face de notre vieux dilemme géométrique : le volume (ou le poids) augmente au cube de la dimension linéaire (par exemple à la longueur d'une côte), tandis que la surface (ailes incluses) n'augmente qu'au carré. Ceci signifie qu'un grand oiseau doit avoir des ailes très vastes et disproportionnées au reste du corps. En considération des moments d'inertie des larges ailes, il est difficile de les obtenir suffisamment fortes pour voler sans que leur poids soit trop élevé. Les grands oiseaux comme le condor représentent la limite des possibilités d'évolution physique d'un oiseau. Le condor arrive à voler avec une marge de sécurité très réduite, uniquement grâce à son habileté à savoir utiliser les courants aériens verticaux. (L'oiseau Roc des *Mille et une nuits* est aussi improbable que les têtes ailées des chérubins de la peinture italienne.)

Le poids d'un oiseau est limité à dix-huit kilos. Les oiseaux tels que l'autruche, le nandou et le casoar, victimes de leur gloutonnerie, sont condamnés à la terre. Le kiwi ne pèse que deux kilos, mais dans le confort insulaire de la Nouvelle-Zélande ses ailes sont demeurées chétives. Le pingouin a choisi l'océan, et a appris à nager plutôt que de voler. Sa nage il est vrai est un modèle de style et d'efficacité. Il n'existe d'oiseaux terrestres d'eaux douces que dans les régions tempérées.

Les limitations de taille ont une double conséquence. Quand la taille est réduite le rapport surface/volume augmente de telle façon que la déperdition de chaleur diminue jusqu'à atteindre un point critique. Ainsi nous voyons l'oiseau-mouche haleter tout le jour à la limite des possibilités de résistance, et la nuit sombrer dans une sorte d'hibernation où sa température descend au niveau de l'air ambiant, pour lui permettre de récupérer la fatigue de ses frénétiques journées de petit hélicoptère vivant.

N'importe quel oiseau ordinaire constitue une merveille de réalisation aéronautique. Comparez, en ce qui concerne la consommation de carburant, un homme et un oiseau en vol. Un pluvier doré parcourt trois mille six cents kilomètres en consommant un kilo de graisse, ce qui correspond à faire voler avec un litre d'essence soixante kilomètres à un petit avion. Par contre, l'oiseau a le handicap d'une importante perte de chaleur et d'une assez grande résistance à l'air. Il n'est pas conçu uniquement pour voler mais pour pouvoir aussi se nourrir, se protéger et se reproduire. Si certains de nos avions sont armés pour se défendre, aucun d'eux ne va s'abreuver aux puits de pétrole, ni ne conçoit de petits aéroplanes.

Pour nous pénétrer du raffinement atteint dans la conception de l'oiseau, considérons une plume légère et souple, les minces parois de support construites autour de la structure centrale mousseuse, mais solide, forment un matelas très résistant et pourtant aussi léger qu'un tube de caoutchouc. Les « rémiges », ou plumes de vol, des cygnes ou des faisans varient dans l'épaisseur de leurs parois. Une plume est plus résistante, poids pour poids, qu'aucun de ses substituts créés par l'homme. Sitôt formée, la plume est une structure cornée inerte, ne contenant plus de cellules vivantes. Les plumes se développent par la base et jamais par l'extrémité.

La plume est une association d'éléments divers mais coordonnés. Les barbes latérales sont maintenues entre elles par de petits crochets microscopiques. La barbe externe maintient donc toutes les autres ensemble et leur permet de faire toujours face au vent. Chez certains oiseaux comme la chouette le système de crochetage des barbes est si ingénieusement conçu que les ailes battant l'air ne font pas le moindre bruit, assurant à ce prédateur nocturne utile, une beaucoup plus grande efficacité.

Les plumes *primaires* sont celles qui sont placées sur ce qui aurait été la main de l'oiseau s'il avait évolué vers les primates. Elles sont très exactement fixées sur le troisième « doigt ». Les plumes *secondaires* sont placées sur l'avant-bras. Le nombre des rémiges de l'aile et de la queue d'un pigeon ou d'une poule est toujours le même. Il est aussi rare de découvrir des anomalies en ce domaine que de rencontrer un homme à six doigts.

Les pennes des ailes se recouvrent partiellement. La surface de l'aile est close et imperméable lors de l'abaissement, mais à l'élévation les plumes peuvent s'ouvrir comme un store vénitien, pour laisser passer l'air.

Pour bien comprendre le vol de l'insecte et le vol de l'oiseau, il ne faut jamais oublier que dans le vol ramé, l'aile est en même temps hélice. La « main » de l'oiseau, avec ses longues pennes, assure la propulsion tandis que les plumes secondaires de l'avant-bras assurent l'élévation. Durant le vol, les mains dessinent un mouvement ovale en huit, tandis que le bras et l'avant-bras changent peu de position. L'ablation de l'extrémité des plumes primaires d'une colombe l'empêche de voler, mais si l'on cisaille les secondaires en diminuant de 55 % leur surface, son vol en est à peine embarrassé. Seul le vol plané est perturbé et la colombe n'est pas un oiseau planeur. Chaque aile est en fait conçue pour procurer la forme de vol la mieux adaptée au mode de vie de l'oiseau.

L'oiseau possède quelques plumes sur le « pouce ». Il s'agit de l' « aile bâtarde » ou alule dont le rôle est le même que les cannelures sur les ailes d'avion. Il ne faut surtout pas négliger la queue des oiseaux. L'abaissement de la queue agit sur le courant aérien horizontal et soulève le corps. De nombreux mouvements de queue facilitent l'équilibre, la conduite et le freinage. Les oiseaux aux queues courtes comme le canard, sont obligés de faire de longs virages. Certains oiseaux aquatiques ont même des queues si courtes, qu'ils utilisent leurs pieds palmés en guise de gouvernail.

Le vol le plus facile à comprendre est le vol des oiseaux planeurs, battant peu des ailes et maladroits en s'envolant ou atterrissant. La majorité de leur vie active se passe en l'air, à voguer le long des courants aériens et des vents. Les meilleurs planeurs possèdent des ailes longues et étroites comme celles de l'albatros ou du puffin. Les aigles et faucons, qui doivent être à même de déplacer des proies importantes et lourdes, possèdent des ailes longues mais larges.

Aérodynamiquement parlant, il existe trois sortes de vols planés. Deux utilisent les courants aériens ascendants, thermiques ou déflecteurs, la troisième dépend d'une faculté dynamique permettant à l'oiseau d'aller dans le sens, ou contre un vent horizontal. Les oiseaux planeurs thermiques (vautours, faucons) utilisent l'air chaud s'élevant des champs brûlés par le soleil ou des rochers surchauffés. (Ces courants ascendants sont à l'origine de la formation des nuages appelés cumulus). L'oiseau utilisant ces courants thermiques, s'élève en larges cercles. Les courants ascendants déflecteurs, sont formés par les montagnes dont la masse dévie un vent continu vers le haut. L'utilité de tels courants peut être remarquée en Amérique, lorsque arrive l'automne. Des masses de faucons migrateurs suivent alors les nombreux courants déflecteurs existant le long de la bordure est des monts Appalaches. Ce mode de transport de tout repos leur permet de parcourir ce corridor aérien à une vitesse de soixante kilomètres heure. Pour assurer aux ailes une bonne sustentation les cannelures sont nécessaires. Un écartement des plumes particulier procure à l'aile ces nervures, canalisant les filets d'air, et lui permettant d'éviter les pertes de vitesse. Chez le condor de Californie, planeur excellent, 40 % de la surface de l'aile est cannelée de cette manière. Cette particularité ne peut être utilisée dans les vols océaniques. Les plumes mouillées ne sont pas facilement disposées dans la configuration cannelée.

Le vol plané dynamique est la méthode employée par les oiseaux marins comme le pétrel et l'albatros. L'oiseau se déplace contre le vent en une série de manœuvres cycliques. Il se laisse monter tout d'abord le long du courant à un angle de quarante degrés jusqu'à ce que sa vitesse diminue, alors il tourne et se laisse descendre rapidement jusqu'au ras des flots. Là, il exécute une manœuvre remarquable, il vire rapidement et se laisse remonter par la vitesse acquise au sein du vent dans un angle d'attaque dynamique. Il peut donc à nouveau se laisser porter vers le haut, et le cycle se reforme. Cette manière d'utiliser le vent est extrêmement judicieuse. Son efficacité est semblable à un homme sautant d'un autobus en marche pour, aidé de son élan, monter une déclivité. Les oiseaux usant de cette technique passent leur vie dans la ceinture des grands vents océaniques. L'albatros est, aérodynamiquement, adapté à la perfection à ce mode de locomotion. Le rapport d' « aspect » entre la longueur et la largeur de ses ailes est de dix-huit à un. L'albatros est l'oiseau dont les ailes possèdent la plus grande envergure : trois mètres soixante. Les vers de Baudelaire dans le poème *l'Albatros* sont non seulement fort beaux, mais correspondent à une réalité précise, ce qui n'est pas le cas de tous les poèmes, quand il conclut : « Ses ailes de géant l'empêchent de marcher ».

Contrairement au vol à voile, le vol ramé est très difficile à analyser. Presque tous les oiseaux sont à même, comme les insectes, d'accomplir cette opération très complexe. Le vol tout d'abord est différent chez les petits et chez les gros oiseaux. Quand un petit oiseau décide de s'envoler d'un buisson, ses ailes se dirigent vers le bas et vers l'*avant* dans l'abaissement du bras (ce que nous avions déjà précisé à propos des insectes). L'aile profilée se plie vers le haut et prend la forme d'une hélice qui *tire* l'oiseau vers l'avant, les pennes mordant dans l'air par le dessous comme les pales d'une hélice. Dans le battement ascendant, les ailes se tournent vers l'arrière, mais aucune force de propulsion ne résulte de ce battement.

Chez les grands oiseaux, les mouvements ascendants doivent également participer à la propulsion, le poids de leurs larges ailes ne leur permettant pas de tolérer la moindre perte d'énergie. En se soulevant, l'aile se plie légèrement au « coude » et au « poignet » et tout le bras (l'humérus) se tourne, à l'articulation de l'épaule, vers l'arrière. De cette façon, les plumes primaires peuvent à présent pousser sur l'air par leur face *supérieure*, et propulser l'oiseau vers l'avant. L'abaissement de l'aile se pratique comme chez les petits oiseaux.

Le colibri, ou oiseau-mouche, est un cas à part. Il s'agit moins ici de propulsion par hélice que par hélicoptère. Le colibri peut voler pour une courte distance en marche arrière et demeurer sur place à se balancer. Il utilise la flexibilité très particulière de ses ailes et, bien entendu, des mouvements adéquats. Ses ailes sont pratiquement toute « main » et ne comportent pas de plumes secondaires. Dans le vol stationnaire le corps est redressé et l'angle d'attaque des ailes très grand. Elles battent à un rythme de soixante-quinze mouvements à la minute, poussant l'air vers le bas aussi bien par le battement ascendant que par le descendant. L'homme a fait mieux en utilisant cette technique. Comparé aux battements des pales d'un hélicoptère, (l'évolution n'a jamais utilisé la roue) le vol frémissant si rapide du colibri se révèle très inefficace et exige une énorme dépense d'énergie. Les muscles de la poitrine du colibri représentant 40 % de son poids total.

Les oiseaux volant en groupes possèdent une connaissance innée des lois de l'aérodynamique. L'espacement de la file est tel que chaque oiseau brasse le remous ascendant provoqué par les ailes de celui qui le précède. En général ils battent des ailes à l'unisson et si un des oiseaux n'est pas dans le rythme, c'est qu'il est malade... ou stupide. Et dans les deux cas, il est prié d'aller se chercher une autre escadrille. Dans les formations en V des oies et des canards, l'extrémité interne des ailes brasse le cortex ascendant de l'air provenant de l'oiseau qui précède.

Certains oiseaux pratiquent le « vol glissant ». Ils sautent en l'air battant violemment des ailes, et généralement avec bruit, puis se laissent glisser sur les airs en planant. Ceci est typique des cailles, faisans et autres gallinacés.

Les ailes peuvent être cambrées (recourbées de manière que la surface soit concave en dessous et convexe au-dessus, pour procurer plus de portance). Dans ce cas la surface supérieure procure 75 % de la portance (il se forme une dépression au-dessus des ailes quand la vélocité de l'air est grande, autrement dit un oiseau obtient sa portance en se laissant *aspirer* vers le haut par cette dépression plutôt qu'en se poussant sur la surpression du dessous de l'aile). Pour une aile donnée, l'angle auquel la force ascensionnelle décroît, est l'angle critique. Cet angle peut être augmenté (et donc la perte de vitesse diminuée) si l'air du dessus des ailes peut ne pas former de remous. Les cannelures de l'aile permettent aux filets d'air de s'écouler ainsi régulièrement, sans causer de turbulence.

La forme de l'aile est toujours adaptée au comportement de l'oiseau. Les ailes elliptiques sont réservées aux oiseaux forestiers. L'oiseau doit évoluer dans un espace limité. Le taux d'aspect est faible, les pennes ne sont pas longues et les cannelures nombreuses sur les plumes primaires des extrémités. C'est le type d'aile des colombes, picverts, et de la plupart des oiseaux percheurs.

Les ailes de « vitesse » sont nécessaires aux oiseaux se nourrissant en vol ou accomplissant de longues migrations. L'aile est peu cambrée, a un taux d'aspect élevé. Sa forme est plus élancée comme d'ailleurs la silhouette générale de l'oiseau. Ces caractéristiques d'ailes et de corps sont celles des oiseaux de rivages, du faucon, du martinet et du moineau. Le faucon pèlerin plonge à deux cent soixante-dix kilomètres à l'heure. Certains oiseaux rapides possèdent des déflecteurs, sorte de chicane, devant les narines pour éviter, en vol, une pression excessive à l'intérieur des poumons. La maubèche peut voler à cent soixante kilomètres à l'heure tandis que le canard garde longtemps une vitesse régulière de soixante-quinze kilomètres à l'heure. Les ailes spécialisées possédant une forte cambrure, un taux d'aspect modéré et fortement cannelées sont réservées aux grands rapaces. Tout en un oiseau est conditionné au vol, son anatomie, sa nourriture et son comportement. Par exemple, en lissant ses plumes avec son bec, il étale l'huile sécrétée par ses glandes uropygiennes. Les os sont creux, très légers tout en étant solides (Darwin fumait une pipe dont le tuyau était fait de l'os de l'aile d'un albatros). L'os métacarpien de l'aile du vautour est très semblable aux éléments utilisés dans la construction des ponts ou dans l'aéronautique.

Les dents sont trop lourdes pour encombrer la tête d'un oiseau, tout comme les mâchoires et les muscles devant les mouvoir. Aussi la mastication de la nourriture est-elle assurée par un gésier musclé. Les côtes sont longues, plates, minces, jointes et recouvertes. Un oiseau ne s'encombre pas de vessie et ne possède pas d'urètre, l'acide urique passe directement dans le cloaque dont les parois absorbent l'eau. Les muscles les plus forts sont faits de fibres fines et réservés aux muscles des ailes et quelquefois des pattes, comme chez les dindes et les poules. La saison de la pariade est strictement limitée pour que les oiseaux ne soient pas encombrés d'organes génitaux congestionnés. Beaucoup d'oiseaux aquatiques perdent brutalement, à l'époque de l'accouplement, toutes leurs plumes primaires ce qui empêche tout envol pendant plusieurs semaines. Pour un oiseau terrestre, ce traitement serait fatal. L'adoption du nouveau plumage permet aux canards de s'apparier dès l'hiver sans attendre la période d'activité sexuelle du printemps. Leurs organes sexuels ne sont irrigués qu'après la migration traditionnelle vers le nord.

Le bréchet est la partie essentielle où sont fixés la plupart des muscles de vol. L'importante paire de muscles pectoraux arrive à constituer la moitié du poids d'un oiseau comme le pigeon. L'action de voler demandant un sang d'une température élevée, certains oiseaux possèdent une température ordinaire qui serait mortelle pour un mammifère : 43° chez certains moineaux, 44° chez les grives. Les globules rouges (hématies) sont chez les oiseaux migrateurs plus nombreux et plus petits. Ceci illustre encore une fois l'importance du rapport surface/volume. Le total de la capacité de transfert d'oxygène d'un grand nombre de corpuscules est plus grand que celui d'un même poids d'hématies de plus forte dimension.

Disposant de tant d'énergie l'oiseau doit disposer d'un système refroidisseur très développé. Un pigeon volant à soixante kilomètres à l'heure produit vingt-sept fois plus de chaleur que lorsqu'il reste perché sur une statue du jardin du Luxembourg. Ce problème de refroidissement est résolu facilement par le système de sacs aériens possédé par les oiseaux. Ce système était à l'origine employé à évaporer l'humidité de l'air sifflant à travers les sacs, sorte de conditionneur d'air incorporé.

Il n'existe pas de tolérance dans l'espace. Quand un animal volant rencontre un appareil volant, c'est un accident toujours désastreux pour l'oiseau et quelquefois aussi pour les passagers de l'avion. En 1962 la collision de deux cygnes et d'un appareil Viscount provoqua l'écrasement de l'appareil. Cygnes, oies, mouettes et étourneaux ont été la cause en Amérique d'une douzaine d'accidents d'avions durant les derniers dix ans. Les étourneaux n'ont provoqué aucun dommage par collision, ils ont été *aspirés* dans l'entrée d'un réacteur d'avion. Les cigognes, corneilles, pluviers, mouettes ont causé partout des accidents graves, à tel point qu'au Pakistan, la fauconnerie traditionnelle a été encouragée pour éloigner les oiseaux des abords des champs d'aviation. L'homme possède d'autres moyens d'immobiliser les oiseaux. Le prouvent l'oie gavée pour que son foie enfle et dégénère, le cygne qui s'efforce de s'élever au-dessus des eaux à l'approche de la migration mais ne peut y arriver, sa jointure métacarpienne ayant été sectionnée. Au cours de l'hiver de 1968, on crut que trente canards sauvages avaient été saisis par le gel sur le lac Aracataw dans le Michigan. Ils étaient en fait trop gras pour pouvoir voler. Ils avaient été trop nourris par les résidants du bord du lac. Même dans nos efforts de fraternisation les plus spontanés, nous n'apportons aux animaux que désagrément et mort.

Les versatiles mammifères.

L'ancêtre de tous les mammifères (y compris le phoque, la baleine et le Président des États-Unis) eut à se déplacer sur quatre pattes comme un lézard, et c'est encore à l'heure actuelle ce mode de locomotion qui prédomine chez le plus grand nombre de mammifères. La simple marche (pas la course, ni le trot) sur quatre pattes a, pendant des milliers d'années, été mal observée, du moins depuis que l'homme s'est efforcé de dessiner, de peindre ou de sculpter. Pratiquement tous les portraits et sculptures de l'histoire, même ceux d'animaux étant de fidèles compagnons des hommes comme les chiens ou les chevaux, les montrent se déplaçant d'une manière qui les ferait choir instantanément. Cette impossibilité à pouvoir représenter la marche d'un animal aperçu quotidiennement, démontre le peu de lucidité que l'homme exerce sur ce qui l'entoure. Presque tous les quadrupèdes marchent de même façon, avec une notable exception : les primates. Mais ce ne sont que les animaux adultes qui choisissent la « marche fausse ». Les lémuriens marchent, dans leur enfance, selon la séquence immémoriale adoptée par les bébés humains, les chevaux, les éléphants, les chats, les chiens, les chameaux, les girafes, les lézards, les amphibies et même le paresseux, lorsqu'il descend interminablement de sa branche.

Quelle est donc la « vraie marche » telle qu'elle a été fixée par l'évolution pour le premier mammifère? La séquence de départ est la suivante : patte droite arrière — patte droite avant — patte gauche arrière — patte gauche avant. La patte de devant ne commence à s'avancer que lorsque la patte arrière du même côté a terminé son mouvement. Si l'on examine ceci du point de vue du support mécanique, on s'aperçoit que c'est la meilleure manière d'obtenir, par les mouvements des jambes et des pieds, une série de solides trépieds de sustentation supportant le poids du corps. Dans aucune des cinq autres séquences possibles, les trépieds ne seraient aussi solides. Ou l'animal perdrait l'équilibre, ou il aurait tendance à s'emmêler les pattes. Il est extrêmement important de bien considérer cette formule, il est évident qu'à un certain moment d'évolution cette forme de marche était la manière d'obtenir la plus grande vitesse possible. Course, trot et galop vinrent plus tard. L'idée originale était de trouver une manière adaptée aux mouvements « planagrades » d'échapper à la force de gravité, sans pour cela tomber.

Un gros dictionnaire préciserait, je pense, que dans la marche, deux des quatre pieds des quadrupèdes sont constamment sur le sol, mais il ne préciserait pas *quels sont* ces deux pieds. Il devrait pour bien faire, préciser qu'il s'agit d'un pied d'une des deux paires, soit de devant, soit de derrière.

Si le triangle formé par les pieds est petit et ne se trouve pas sous le centre de gravité, cela pose un problème. Dans le cas de la « marche fausse », si répandue des fresques égyptiennes aux peintres contemporains, la séquence est : *patte droite arrière — patte gauche arrière — patte gauche avant — patte droite avant*. Superficiellement cela semble pratique et gracieux, mais c'est mécaniquement impossible, les triangles de sustentation étant mauvais et supportant peu. Un animal lourd, comme un éléphant ou un cheval, ne se risquerait jamais à cette acrobatie, il craindrait trop la chute. Certains animaux parfois utilisent la « démarche du penseur » où les mouvements d'un côté sont synchrones, de telle façon que la marche ressemble à un trot. Cela doit arriver lorsque l'animal « pense » surtout à sa digestion embarrassée ou à quelque mystérieux et évocateur assemblage d'odeurs, autrement dit une humeur peu fréquente dans la vie des quadrupèdes.

Si l'on veut observer la marche vraie dans toute sa simplicité, il suffit de suivre un chien d'arrêt dans la campagne et l'observer lever un gibier. Parfaitement immobile et équilibré sur ses trois pattes, il peut demeurer ainsi sans effort. Un chien de chasse voulant essayer la marche fausse provoquerait le déshonneur de sa race, le mépris de son maître... et une bonne chute sur le nez!

L'axe de la démarche fausse des lémuriens porte la trace de leur confusion entre, d'un côté la marche à quatre pattes et l'escalade, et de l'autre la marche sur les pattes postérieures. La plupart des singes grimpent aux arbres en utilisant leurs quatre membres et sautent de branche en branche comme les écureuils. Chez les platyrhiniens, seul le singe-araignée se déplace à bout de bras, sous les branches.

Le premier déplacement vers les arbres pour changer de mode de vie dut se produire il y a cinquante millions d'années environ. Les fossiles de lémuriens de cette époque révèlent la posture « d'attache verticale » qui encourage les pattes de derrière longues et celles de devant courtes. Se déplacer dans les arbres est devenu un art magistral chez le gibbon qui de tous les anthropoïdes est le plus éloigné de l'homme.

Le gibbon possède un corps aussi bien équipé pour se balancer dans les branches que celui de l'homme pour marcher sur deux pieds. Il est tout à fait curieux que le gibbon soit le seul singe anthropoïde à ne pas faire de nid dans les arbres bien qu'il y dorme. Cette habitude chez le gorille, le chimpanzé ou l'orang-outan est une survivance du sentiment de sécurité procuré par la vie arboricole. Pour la nuit, où la défense et la fuite sont impossibles, l'arbre est un logement temporaire rassurant.

Certains orang-outans adultes, pesant plus de cent kilos, ont par expérience appris à grimper aux arbres avec beaucoup de précautions, comme de vieux acrobates. Ces précautions sont justifiées, les squelettes d'orang-outans portant souvent des traces de fractures produites dans l'enfance. Un tiers porte des marques de fractures des membres inférieurs. Ces chimpanzés, malgré les déploiements acrobatiques qu'on leur voit accomplir en captivité, préfèrent passer leur vie active sur la terre ferme. Dans la marche le gorille place son long pied solidement à plat sur le sol. Il ressemble à un homme relevant d'une longue maladie, la ressemblance est renforcée par un début de talon se manifestant sur la plante des pieds.

La marche sur deux pieds demeure la plus grande invention accomplie par les primates. Juste avant cet événement, des changements climatiques importants se sont produits. Le proconsul (l'animal le plus proche du « lien manquant » entre l'homme et le singe) vivait à la période du miocène, époque de la naissance des grandes chaînes montagneuses. Les Alpes, l'Himalaya, les Andes et les Rocheuses ayant dressé leurs titanesques épaules, des transformations climatiques se produisirent. La savane herbeuse fit son apparition. Dans ce domaine, de nouvelles formes de végétation se créèrent (spécialement en Afrique où l'homme est né), et peu à peu elles prirent la place des interminables forêts pluvieuses de l'éocène et de l'oligocène. Mais les savanes ne sont pas l'endroit idéal pour établir de nouvelles règles de vie. Trop de félins vous observent, cachés dans les buissons. Une aire mieux adaptée à l'étude des nouvelles techniques de locomotion fut la savane non plus herbeuse, mais *boisée.*

Il est rassurant d'avoir constamment à sa portée un arbre sur lequel bondir et grimper des mains et des pieds. (Attitude actuelle des chimpanzés et des vervets.) Les australopithèques ont probablement appris à marcher sur deux jambes dans ces espaces inégalement boisés, mais ils n'y ont pas encore appris la marche vraie. Durant le pléistocène cet anthropoïde était déjà bipède, mais il se déplaçait sans doute en une espèce de trot. C'est ce que l'on peut déduire du moins de leurs squelettes.

Le degré d'extension des jambes exigé par la marche ne peut être atteint que si l'ischion de l'os illiaque est court, et les muscles de la hanche et de la cuisse bien développés. Mais l'ischion de l'australopithèque est aussi long que celui du singe et ses muscles pauvrement formés. Ce trot nerveux est une manière bien inefficace de se déplacer et il dépense une grande quantité d'énergie. Néanmoins ce changement a dû représenter une révolution dans le régime alimentaire de cet homme primitif. La seule source alimentaire énergétique disponible était le corps d'autres animaux. Il devint un chasseur, et probablement évolua vers la marche en faisant des incursions dans les savanes herbeuses à la recherche de nouveaux gibiers.

Qu'est-ce qui s'avère indispensable à la marche de l'homme? La posture érigée exige une courbe lombaire de la colonne vertébrale pour ramener le tronc au-dessus des jambes. Sinon la torsion de la hanche nécessitée par l'ascension du pied, déséquilibre complètement le tronc et l'homme tombe la face contre terre. Biologiquement le pied humain est une chose extravagante et hautement improbable, comme l'avait déjà remarqué Anaxagoras, le philosophe grec qui enseigna Socrate.

Le pied est le secret du succès de l'hominien. Il fut réalisé avant le développement du cerveau et se trouve être une des causes de la création des armes et de la découverte du feu. Il est à remarquer qu'avec l'aide du talon (nouveauté humaine) le pied, s'appuyant sur la bordure extérieure et l'éminence du métatarse, possède un parfait trépied de sustentation. L'homme peut se tenir en équilibre sur un pied, cela demande simplement un peu d'habitude. (Les habitants du Soudan nilotique se reposent ainsi sur une jambe.) Mais c'est le gros orteil qui est la clef de la marche vraie. Nous savons avec certitude, que l'*Homo habilis* avait une démarche humaine, en effet ses marques fossiles portent la trace d'un gros orteil penché et tordu, détail anatomique qui ne se retrouve que chez l'homme moderne.

Quand nous considérons attentivement la marche humaine, nous nous apercevons que pas à pas le corps bascule toujours à la limite de la catastrophe. Ce n'est que le rythmique mouvement d'avance d'une jambe, et puis de l'autre qui nous empêche de tomber vers l'avant, ce qui n'était pas le cas du trot des australopithèques.

Nous commençons ce bizarre exercice lorsque les muscles du mollet relâchent la tension demandée par la station immobile, le corps d'abord oscille automatiquement vers l'avant, cédant à la pesanteur. Ce balancement déplace notre centre de gravité vers l'avant et une jambe doit alors se déplacer pour élargir le piédestal de sustentation. L'ampleur de la torsion de la hanche décide de la longueur du pas effectué. Nous ne nous tirons pas vers l'avant, c'est la jambe arrière toujours qui nous propulse. Elle repousse d'abord le sol au niveau du métatarse, puis, l'important gros orteil donne l'ultime élan. Dès que le pied de support a quitté le sol nous entrons dans la phase de balancement. En partant vers l'avant, si l'œil le juge nécessaire, la jambe peut déblayer le terrain, elle est en position de force, la cheville, le genou et la hanche étant contractés. En même temps que la hanche se stabilise sur la jambe avant, qui vient de toucher le sol, elle se soulève du côté opposé où elle se trouve sans support. Cette légère rotation augmente la longueur des pas.

Durant une marche normale la phase d'appui demande 60 % du cycle et la phase de balancement en avant 40 %. Toutes les marches ne suivent pas l'ordre de la marche vraie, dont la caractéristique est l'attaque du talon au départ de la phase d'appui, et la poussée du gros orteil à sa fin. Sur une surface glissante, telle que la glace, on emploie des pas courts où la poussée du talon est supprimée, si elle ne l'est pas c'est l'inévitable chute.

Abordons à présent la question cruciale : pourquoi l'australopithèque a-t-il *voulu* marcher sur deux pieds ? La réponse est probablement liée à la chasse. La marche est la meilleure manière de parcourir une grande distance en économisant son énergie. Le bipède dispose ainsi de ses mains pour transporter la nourriture dont il devra se nourrir plus tard. Le développement des puissants muscles des cuisses, spécifiquement humains, ne fut pas nécessaire dans les plates savanes de l'Afrique. De tels muscles sont nécessaires pour la course, ou grimper des sentiers escarpés. Ils ont dû apparaître plus tard et furent moins importants que les innovations « vedette » de l'évolution, la cambrure lombaire et le pied.

Comme nous l'avons déjà dit, la marche vraie des quadrupèdes est un modèle de locomotion que nous retrouvons partout où il existe des mammifères non humains. Mais la vie de ces mammifères exige aussi un certain nombre de courses et de sauts. Les animaux ayant l'habitude de déplacements continuels, comme le loup et le renard, ont le sort le plus pitoyable lorsqu'ils sont encagés dans un zoo. Le coyote peut atteindre soixante-cinq kilomètres à l'heure en ligne droite, ce qui pour la rapidité le place presque en compétition avec le lévrier. Le loup ne peut dépasser trente kilomètres à l'heure mais il peut conserver cette allure plusieurs heures et éventuellement rattraper les cerfs les plus rapides. Coyotes et loups en courant en relais, sont à même de rejoindre les stupéfiantes antilopes ; ils peuvent maintenir une vitesse de quatre-vingt-dix kilomètres à l'heure pendant plusieurs kilomètres.

La plupart des animaux à sabots ont quatre doigts par pied mais l'antilope n'en a que deux. Elle a même perdu l'ergot, le vestige osseux du doigt latéral de ses ancêtres. L'antilope n'est pas seulement rapide, elle est aussi incomparablement agile. Elle peut bondir à travers un espace de trente centimètres, séparant le sol du fil de fer inférieur d'une clôture. Le cheval marche élégamment sur l'angle de ses deux doigts centraux.

L'animal le plus rapide des régions forestières est le lièvre, qui court à cinquante kilomètres à l'heure et peut faire des sauts de trois mètres cinquante. En accélérant sa course, ses pattes de derrière se posent vers l'avant pour augmenter sa foulée, et au maximum de sa vitesse, elles touchent le sol bien en avant de ses pattes antérieures. A un degré moindre, cette pratique est commune à tous les quadrupèdes durant la course. Le lapin vivant dans les plaines est même plus rapide encore. Quand il fuit, pourchassé par un renard, il atteint soixante-cinq kilomètres à l'heure et peut effectuer des sauts de quatre mètres cinquante à six mètres de long. Il ne peut être rattrapé que par le lévrier, plus rapide que lui. Certains animaux comme les chèvres des neiges prisent davantage l'agilité que la vitesse. Le dessous de leur sabot fourchu est creux et sa bordure coupante, ce qui permet à cet animal de se fixer sur les rochers comme s'il était muni de ventouses. Ce qui le menace est d'ailleurs moins les prédateurs, relativement rares dans son habitat de montagnes, que les avalanches. Les chutes de neige tuent plus de chèvres des neiges qu'aucun autre phénomène naturel.

Certains quadrupèdes ne marchent jamais. Les pattes du cobaye par exemple ne sont adaptées qu'à la course. La période active est toujours nocturne et ses ancêtres sauvages trouvaient sans doute leur sauvegarde à courir dans l'obscurité.

Bien que l'opossum marche (et avec une distraction surprenante : Un jour dans un bois, un opossum a continué sa marche vers moi et m'est passé entre les jambes sans paraître avoir remarqué que je n'étais pas un arbre), son mode de locomotion favori est l'escalade. Ses pieds postérieurs sont même des mains plus efficaces que ses pieds antérieurs parce qu'ils possèdent un doigt long et flexible. Comme le pouce humain, ce doigt est opposable à tous les autres. Ainsi l'opossum peut se saisir de n'importe quel objet par ses pattes de derrière, de la manière dont nous pourrions le serrer dans notre main. L'extraordinaire agilité de cette créature ancienne semble prouver que la possession de main et d'un pouce opposable, n'est pas suffisante pour émerger des abysses animaux. Il est probablement nécessaire, comme dans le cas de l'homme, de combiner les mains et les pieds à talons et gros orteils.

Certains mammifères préfèrent la nage à la marche. Tout d'abord, pourquoi tant d'hommes se noient n'ayant pas appris à nager quand tous les chiens nagent d'instinct? Le chien n'aime pas tellement l'eau en général, mais quand il tombe dans l'élément liquide, que fait-il? Il pédale d'abord furieusement des quatre pattes en aspirant de l'air aussi vite qu'il lui est possible. Puis il se détend, parce qu'il a *avalé* suffisamment d'air pour gonfler ses intestins. Il a transformé ses boyaux en une bouée de sauvetage qui le fait flotter, et il peut donc sans panique se propulser vers le rivage. Je ne sais si une telle technique peut être appliquée aux êtres humains mais la facilité avec laquelle même les bébés apprennent à nager, démontre que l'homme peut facilement s'adapter à un nouveau milieu.

Les mammifères marins, tel que le phoque, qui décidèrent de retourner vers la mer bien plus tard que les cétacés (marsouins, baleines) eurent à effectuer quelques réajustements dans leur système circulatoire. Quand un phoque plonge, certaines artères de son corps automatiquement se contractent. Ceci bloque la distribution de sang vers les tissus extérieurs et réserve la provision d'oxygène aux organes en ayant continuellement besoin, comme le cœur et le cerveau. L'air inspiré dans les poumons avant la plongée ne doit être employé qu'avec parcimonie, et la circulation sanguine irriguant les muscles, la peau, les reins, le foie et la rate demeure interrompue pendant tout le temps de la plongée, en faveur du cœur et du cerveau. Si vous administrez de l'atropine à un phoque, ce qui empêche la vasoconstriction des artères, il se noie au bout de quatre minutes à peu près.

D'autres mammifères terrestres ont choisi de retourner vers l'océan dans un but commercial bien précis : la pêche des perles. Les plongeuses célèbres de Corée et du Japon ont permis des études intéressantes sur les phénomènes de plongée. C'est un art très ancien qui était déjà pratiqué en Corée avant le IVe siècle. Jusqu'au XVIIe siècle les hommes plongeaient également, mais à présent il est uniquement pratiqué par trente mille femmes. Pour des raisons physiologiques, la femme résiste mieux à l'eau froide que l'homme. Ses tissus sont plus riches en graisse subcutanée. Ces femmes (appelées ama) plongent quelquefois jusqu'à vingt-cinq mètres de profondeur, retenant leur souffle pendant deux minutes. Les femmes enceintes continuent leur travail jusqu'au moment de leur délivrance.

Un des problèmes est la nécessité de porter des lunettes, l'œil humain n'accommodant pas bien sous l'eau. Mais à vingt-cinq mètres de profondeur les lunettes constituent un danger. La pression sanguine augmente beaucoup plus que la pression de l'air dans les lunettes, au point que les vaisseaux sanguins de l'œil peuvent éclater. Pour pallier ce danger les plongeuses emploient un masque recouvrant le nez. Ainsi l'air des poumons peut équilibrer la pression sanguine de l'œil, et tout danger est écarté.

Il est traditionnel de froncer les lèvres et de siffler durant la période d'hyperventilation précédant toujours la plongée. Cette hyperventilation élimine une grande partie du bioxyde de carbone sanguin. Quand la plongeuse arrive à douze mètres de profondeur la concentration d'oxygène de ses poumons est réduite parce que le sang s'est déjà revigoré, mais cette diminution est compensée par la pression de l'eau qui a réduit les poumons de moitié. La pression d'oxygène est donc plus grande qu'avant le plongeon. Pour la même raison le sang absorbe aussi le bioxyde de carbone pendant la plongée. La compression des poumons provoque une compression de ce gaz, plus élevée que celle existant dans les veines. Quand la plongeuse remonte à la surface, le bioxyde de carbone se retire du sang mais à ce même moment la dépressurisation fait tomber la concentration d'oxygène dans les poumons et le sang peut, à ce point, *perdre* de l'oxygène au lieu d'en gagner. C'est un moment très dangereux. Pour cette raison de nombreux sportifs impatients souffrent de syncopes pouvant être mortelles après de longues plongées. Ce dangereux syndrome n'a rien à voir avec les troubles fréquents chez les pêcheurs de perles de l'archipel des îles Touamotou. Ces plongeurs vont pêcher en eaux très profondes, jusqu'à trente-cinq mètres et plus. Ces fortes pressions provoquent une accumulation d'azote dans le sang qui, lors de la remontée, se dégage en bulles provoquant de graves accidents vasculaires.

Quelles sont les transformations physiologiques engendrées par trente ou quarante ans de plongée quotidienne, ou presque, dans l'eau froide? Le corps des plongeuses ne possède pas, comme le phoque, de mécanisme permettant une irrigation préférentielle du cœur et du cerveau. (Cela ne serait d'ailleurs pas souhaitable. Que faire de deux mains exsangues?) L'acquisition la plus importante est une capacité vitale plus grande, la plongeuse peut en une seule inspiration emmagasiner une quantité d'air plus importante. Le cœur également est différent. Durant l'hyperventilation précédant la plongée il bat à cent pulsations à la minute. Vingt secondes après la plongée il est descendu à soixante-dix et après trente secondes à soixante pulsations. La température du corps descend à trente-cinq degrés, quelquefois moins. La perte de chaleur est de mille kilocalories par jour en moyenne. Pour compenser cette perte énorme, les pêcheuses mangent 50 % de plus de nourriture riche en protéines que ne le fait la moyenne des Coréennes. Ces femmes étonnantes affrontent tous les jours un refroidissement qui n'est connu d'aucun autre groupe d'êtres humains, pas même des Esquimaux. Il est possible que cette exposition continuelle au froid stimule la glande thyroïde qui accélère le fonctionnement de la machine humaine.

Par le simple fait d'être femme, les plongeuses ont une déperdition de chaleur moindre que si leur graisse était transformée en muscle (qui est deux fois plus conducteur que la graisse). Les plongeuses perdent leur chaleur plus lentement que des femmes non-plongeuses possédant la même quantité de graisse. Il existe évidemment une adaptation vasculaire qui restreint la déperdition de chaleur des vaisseaux sanguins de la peau, spécialement aux bras et aux jambes. Durant l'hiver, son régime alimentaire devant être insuffisant, la plongeuse perd la moitié de sa graisse. Un phénomène intéressant ; elle ne frissonne jamais. Le frisson a pour but de hérisser les poils que devaient posséder abondamment nos ancêtres des cavernes et de former un plus grand nombre d'isolantes poches d'air. C'est un désavantage pour un corps dépourvu de poils, le frisson augmente la surface de la peau et donc augmente la perte calorique. Le déclenchement devrait être inversé et se manifester par grande chaleur. La domination du frisson est une victoire de l'adaptabilité humaine nous laissant espérer qu'un grand nombre de mauvaises habitudes de nos lointains ancêtres pourront être ainsi éliminées.

Dès qu'il est question de se mieux déplacer dans l'eau nous nous référons au dauphin plutôt qu'au poisson. Tout d'abord parce qu'il s'agit d'un mammifère comme nous, et ensuite qu'il est à peu près de notre corpulence et possède un cerveau et une gamme d'émotions proches des nôtres. Il comprend très bien les encouragements de l'homme. Par exemple au signal d'un sifflet sous-marin, il s'élance sur une piste et parcourt un trajet défini, en récompense il reçoit trois poissons, mais si le trajet a été parcouru à grande vitesse il en reçoit six. Détail qu'il n'oubliera jamais.

Certains supporters du dauphin prétendent qu'il peut atteindre une vitesse de trente nœuds. Il n'en est rien, la vitesse maximum enregistrée a été de seize nœuds. Pendant une course rapide, le dauphin *Tursiops gilli* nage à moins d'un mètre de la surface des eaux, la queue ne dépasse jamais la surface, se déplaçant au rythme de deux battements et demi par seconde. Quand il est accompagné par un bateau, le dauphin aime jouer à la course, apparemment comme un chien courant derrière une automobile. Il peut demeurer un grand moment dans le remous d'un canot à moteur ou dans le sillage d'un bateau-glisseur. Il doit probablement obtenir une poussée artificielle du champ de pression créé par les mouvements de l'hélice.

Les dauphins plus petits, comme *Stenella attenuata* atteignent une vitesse de vingt nœuds en un délai de sept secondes seulement. De savants calculs ont démontré que la résistance de l'eau était plusieurs fois plus faible ou l'arrivée d'énergie plusieurs fois plus grande que celle enregistrée sur une torpille de mêmes dimensions et de même puissance. La conclusion semble être que le dauphin est mieux à même de provoquer de fortes décharges d'énergie, ce qui constitue une des réponses au « Paradoxe de Gray » (le fait inexpliqué de la grande vélocité des poissons et des cétacés comparée à la lenteur des véhicules aquatiques de mêmes proportions créés par l'homme). Il existe aussi une différence avec les dauphins océaniques, plus rapides que leurs parents des côtes.

Le déclenchement d'activité très intense et très brève est, chez tous les animaux, généralement due à la consommation intense d'oxygène par les tissus musculaires. Ils consomment plus qu'ils ne peuvent recevoir. C'est le processus de « dette d'oxygène » devenu bien connu depuis les Jeux Olympiques de 1968 à Mexico. Un athlète peut dégager une force de six chevaux en un seul mouvement. Au bout de six secondes d'effort la force potentielle décroît à 0,32 chevaux et 0,03 chevaux pour la journée.

Au même moment où le « Paradoxe de Gray » devient moins paradoxal, les études concernant l'activité fonctionnelle s'étendent. Le marsouin *Phocoenoides*, atteignant une vitesse de vingt et un nœuds, possède trois fois plus de sucre dans le sang que le dauphin de Floride. Malgré tout, la vitesse maximale de ces deux espèces est la même. Pendant une période d'au moins une seconde et demie, la puissance énergétique d'un dauphin peut être deux fois et demie plus grande qu'un athlète de même poids. Le dauphin bénéficie d'un poids de muscles plus important que l'homme, ces muscles sont de plus mieux distribués et le sang plus riche en oxygène. On ne trouve aucune trace d'une moindre résistance de l'eau quand le dauphin nage en pleine mer que lorsqu'il longe les côtes, ou qu'elle soit moindre qu'un corps équivalent et rigide.

Malgré ces chiffres décevants, il est certain que les dauphins, et d'ailleurs tous les cétacés, possèdent un plan d'une structure très particulière. Certains ingénieurs sont arrivés à créer des torpilles beaucoup plus rapides en imitant cette structure cutanée. Leur peau est un diaphragme sensible à la pression recouvrant trois couches de cuir remplies de liquide. Une telle peau donne ses meilleurs résultats aux vitesses élevées pour lesquelles les dauphins ont été conçus — vingt-deux nœuds pour certaines espèces — en effet la plus grande caractéristique de cette peau est une très faible résistance à la friction de l'eau. Mais pour réaliser des performances réelles dans ce domaine, il vaudrait mieux s'intéresser aux animaux marins se déplaçant plus vite que les dauphins.

Pour voler les mammifères possèdent un parfait modèle dans la chauve-souris, beaucoup mieux adaptée au vol nocturne que la chouette ; il existe aussi l'écureuil volant ou polatouche. Depuis des milliers de siècles, il s'est efforcé de voler et n'a jamais réussi qu'à planer. Dès qu'il saute d'une branche dans le vide, il écarte ses quatre pattes tendant ainsi la membrane fine, recouverte de fourrure, qui lui permet de s'appuyer sur l'air. En variant la tension de sa membrane (on est tenté de parler de ses ailes), il lui est possible de contrôler l'angle, la vitesse et la direction de sa course. Sa queue lui sert de gouvernail, il peut en pleine course effectuer un virage de quatre-vingt-dix degrés ou même plus. Ces écureuils ont des instincts très grégaires et vivent en groupes.

Si les écureuils volants apprenaient de leurs compagnons nocturnes les chauves-souris à mieux voler, il faudrait créer une nouvelle classe animale. Les grottes de Carlsbad au Nouveau-Mexique constituent la capitale des chauves-souris du Mexique. Chaque soir, deux cent cinquante mille chauves-souris quittent ces cavernes pour se diriger vers leur zone de chasse le long de la rivière Pecos, à soixante-quinze kilomètres de là. La circulation aérienne est tellement difficile qu'il leur est nécessaire de tourner en rond un certain temps avant de trouver un passage libre, malgré cela le sonar évite toute collision. La membrane existant entre les pattes de la chauve-souris — il faudrait dire les mains — joue un rôle essentiel dans la conduite de vol, elle permet de grimper, plonger, tourner et freiner. La membrane de la queue pourrait aussi apporter une grande maniabilité, mais il y a un inconvénient grave. Toute cette peau nue des ailes et de la queue, une fois étendue provoque une perte considérable de chaleur et d'eau. La chauve-souris est très désavantagée comparée à l'oiseau dont les plumes isolantes conservent même à l'excès la chaleur, créant quelquefois le problème opposé. Il va sans dire que les chauves-souris n'ont aucun besoin de sacs aériens, ce serait pour elles un danger de mort, le refroidissement devenant beaucoup trop intense.

Les photos au centième de seconde nous montrent que les chauves-souris ne battent pas des ailes comme le font les oiseaux. Elles gardent leurs ailes à moitié repliées pour contrôler la vélocité de leurs plongeons. Comme chez l'oiseau, le sternum est caréné de façon à soutenir les puissants muscles pectoraux. La ceinture scapulaire ressemble étrangement à celle des singes brachiaux se balançant aux branches, comme les singes vervets. Grâce au radar on a découvert que certaines chauves-souris semi-tropicales peuvent retrouver leur nid, de plus de quinze kilomètres de distance.

A l'occasion de ses déplacements en l'air et au-delà de l'air, l'homme s'est pleinement rendu compte qu'il n'était pas conçu pour demeurer plus de quelques heures éloigné du sol de sa planète. L'horloge organique gouvernant son appétit et son cycle de sommeil, n'a jamais été prévue pour de tels bonds dans l'espace. En s'efforçant de découvrir ce que deviennent les vies terrestres soumises à des accélérations énormes (des hyper-G) semblables à celles du décollage des fusées ou au contraire à la non-pesanteur du voyage spatial, l'homme a fait des expériences sur divers animaux et sur lui-même qui ne manquent pas d'intérêt.

La NASA par exemple, a élevé trois générations de souris dans une centrifugeuse spéciale simulant une gravité trois fois plus forte que celle de la terre. Tous ces rongeurs sont en excellente santé, un peu gras peut-être par manque d'exercice. Bien que les mères souris aient eu de nombreuses portées, elles n'ont rien perdu de leur agilité, par contre leurs petits n'ayant connu depuis leur naissance qu'une pesanteur de deux G ne sont pas aussi vifs que les souriceaux soumis aux influences terrestres normales. Des poulets ont également été élevés dans des centrifugeuses similaires. Ce volatile est plus proche de l'homme que les souris, il marche sur deux pieds et ses organes sont élaborés en un système vertical, ce qui n'est le cas ni des souris ni des cobayes. Une des transformations les plus marquantes est le nanisme. Le cœur devenu plus petit, et le délai précédant la maturité sexuelle plus grand. Mais le signe le plus encourageant est que le poulet développe une résistance à cette pesanteur très élevée, et que cette résistance est *héréditairement transmissible.*

Les savants soviétiques ont concentré leurs études sur un animal de laboratoire fort inattendu : la girafe. Le cœur de la girafe est extrêmement puissant, il le faut pour que tout là-haut, au bout de ce cou interminable, son cerveau soit convenablement irrigué. Ce cœur oppose une remarquable tolérance aux accélérations les plus fortes. Les Soviétiques pensent que des études plus poussées pourront leur permettre de sélectionner des astronautes aux cœurs plus vigoureux, ou d'éduquer le cœur humain à supporter avec moins de peine les brutales accélérations inhérentes au vol dans l'espace.

Les problèmes de la non-pesanteur ont été étudiés avec encore plus de soins et bien entendu le champ d'expérience le plus précieux a été les sensations des astronautes eux-mêmes. Malgré cela nous ignorons les conséquences de l'apesanteur au cours d'un long voyage, car un trajet terre-lune de deux semaines ne représente qu'une sorte d'astronautique suburbaine. Les plantes satisfaites depuis des éternités des conditions entourant leur développement sur notre terre, donnent des signes de panique lorsqu'elles se trouvent sur des fusées. Un pied de poivron, par exemple, semble avoir été pris de vertige. Il ne semble plus trouver la position verticale et sa tige se noue en contorsions étranges. Les cellules végétales en non-pesanteur subissent une mitose (division cellulaire) anormale. Il est évident que la plante se trouve perturbée dans ses fonctions les plus fondamentales.

Peu de recherches (principalement russes) ont été effectuées sur les insectes, mais malgré tout on sait que de curieux accidents génétiques se produisent lorsqu'ils se reproduisent en non-pesanteur. La mouche née dans l'espace a tendance à être plus petite, et une aile se trouve beaucoup moins innervée que l'autre. Une moitié du thorax peut manquer et un œil peut être plus rudimentaire (probablement inutilisable). Bien que la parturition humaine dans l'espace soit pour l'instant loin de constituer un problème, on s'inquiète malgré tout de ses possibles résultats. Des expériences sont actuellement en train sur les opossums. L'ovule atteint en effet un état embryonnaire seulement douze jours après sa fécondation. Ce mammifère pourra probablement nous révéler beaucoup de choses passionnantes.

En ce qui concerne l'homme, il démontre son étonnante peut-être même déplorable adaptabilité. Le problème n'étant pas que l'homme éprouve des difficultés à s'habituer à la non-pesanteur mais qu'il s'y habitue trop bien. Il est facile de simuler les voyages dans l'espace, il suffit de s'immerger dans l'eau. Après des jours et des semaines, se lever et se déplacer exige un très grand effort de volonté. La distribution du calcium dans l'organisme résulte de la station debout luttant contre la gravité. Sans ce stimulus, les os ne peuvent recevoir le calcium qui, comme dans les cas des amino-acides, est alors éliminé par les urines. Aussi non seulement 5 à 7 % du contenu des os est perdu après sept ou huit semaines de non-pesanteur, mais il y a de fortes chances pour que des calculs se forment dans les reins. Il faudrait que pendant la traversée de la Terre à Mars, soient prévus des exercices où les muscles s'exercent à vaincre l'inertie.

Ces exercices malgré tout devraient être modérés, un des effets les plus inquiétants de la non-pesanteur étant une perte de globules rouges et de plasma sanguin. Les exercices de friction ou d'isométrie peuvent même causer une augmentation de la perte d'hémoglobine, la fonction régénératrice de la moelle des os étant réduite par le peu d'exigences du système vasculaire.

Les facteurs psychiatriques de l'espace ont sans aucun doute été exagérés, l'esprit d'un homme est ce qu'il a de plus résistant. Même dans les conditions les plus difficiles, l'homme est la créature vivante la mieux apte à résister à la folie.

6. LES SENS INCONNUS ET OUBLIÉS

Le retour aux sources.

Au cours de ce chapitre nous allons considérer différentes sortes de comportements animaux échappant à l'analyse et dans certains cas, même à toute classification. Pour l'homme de science « pratique », une telle confrontation est aussi traumatique que d'apercevoir un fantôme. En dehors du risque de dépression nerveuse, il existe un autre danger. C'est que s'il reconnaît la réalité d'un fait qu'il ne peut expliquer, et qu'il s'y intéresse, il n'est pas dit que le reste du monde scientifique en fasse autant. Les recherches éludant systématiquement les conclusions des manuels, ne constituent pas un bon sujet de thèse de doctorat!

Cette sorte de travail n'exige pourtant pas d'expérimentation nouvelle. Il suffit d'appliquer les méthodes statistiques au grand nombre de données scientifiques accumulées par différents biologistes. C'est ainsi que le sens de l'orientation des oiseaux et autres animaux après avoir été un champ d'étude ayant enthousiasmé les chercheurs, est soudain tombé dans l'oubli. On ne trouve pas les réponses au problème posé — ou du moins on ne trouve pas de réponses à l'intérieur du domaine des principes scientifiques établis — aussi les biologistes jeunes et vieux s'empressèrent-ils de fuir cette zone pestiférée.

Il n'existe pas de peste, simplement des signaux inconnus. C'est comme si un naturaliste du XVIIIe siècle avait pu un jour tenir dans la main un poste de radio transistorisé et avait pu entendre la conversation sonore des ondes électromagnétiques. Et encore ma comparaison n'est-elle pas juste, Newton avait déjà formulé son concept des « forces agissant à distance ». En explorant les événements inexpliqués, il faut tout d'abord tracer une ligne nette séparant les explications supernaturelles, de celles qui sont simplement *surhumaines*.

Les premières expériences concernant le « soleil-boussole » des fourmis ont prouvé qu'elles peuvent continuellement maintenir leur corps dans la direction du nid, même enfermées dans une boîte permettant la vue du ciel, mais pas du soleil. Les esprits « rationnels » avancèrent que les fourmis devaient être à même de percevoir les étoiles durant le jour et qu'elles se basaient sur elles pour s'orienter. Il s'agit d'une explication *supernaturelle* et d'ailleurs ridicule. Rien ne permet à un œil d'éviter les interférences de la lumière du ciel, il est impossible d'apercevoir les étoiles même s'il n'y a pas de nuages. Une explication *surhumaine* serait que la fourmi possède une mémoire directionnelle complètement assimilée, étrangère à l'homme, mais qui constituerait l'héritage naturel d'un grand nombre d'animaux installés dans cet univers depuis beaucoup plus longtemps que nous. Autrement dit, que ces animaux possèdent des capacités neurologiques qui chez l'homme sont enfouies sous le poids d'un cerveau plus préoccupé de signaux *symboliques* que de signaux *naturels*.

Dans ce livre, je tiens à mettre en relief l'utilité pragmatique de la métaphysique, spécialement en ce qui concerne les animaux possédant une faible complexité corticale. Supposer l'existence d'une mémoire transcendentale est une des façons les plus pratiques d'expliquer ce qui demeure autrement inexplicable. Par exemple, la notion incroyable qu'un oiseau est à même de décider en quelques secondes les changements de direction à apporter à son vol. Comme s'il utilisait un sextant invisible pour étudier ses changements de longitude et de latitude et rectifiait ces données au fur et à mesure de son déplacement. Dans le cas des tortues marines, nous n'avons aucune sorte de réponse, néanmoins certains naturalistes s'acharnent et peut-être le saurons-nous un jour.

Le pragmatisme de l'approche métaphysique de l'animal, et même du végétal, enlève au naturaliste ce penchant presque rituel de tout expliquer à la façon mécanique d'un ordinateur. Quand il sera possible de rendre un ordinateur aussi subtil qu'un pigeon retrouvant son chemin vers son nid, ou qu'une tortue marine entamant un long voyage pour aller pondre ses œufs sur l'île de l'Ascension, le cerveau humain se sera transformé de telle façon qu'il ne sera plus logique de l'appeler humain. Nous devons bien comprendre que la vie infrahumaine a des secrets qui ne peuvent être compris que du surhumain. En attendant ce jour, contemplant la familiarité avec laquelle les espèces les moins évoluées s'accommodent des difficultés de notre planète, nous poursuivons nos rites séculaires et aussi prévisibles que les autres avatars de la vie humaine.

Certains de ces rituels sont gravés dans notre esprit et nous conditionnent. Tous les lecteurs de romans policiers ou de romans d'espionnage ont accepté dès longtemps les règles de ce jeu intellectuel et ne se rendent pas compte de l'invraisemblance ou de la complexité artificielle de ces histoires. Même en science-fiction, on accepte aisément des impossibilités notoires comme le fait de voyager plus vite que la lumière.

Ainsi donc, ne pouvant exercer notre saine logique de cause à effet, nous rejetons bien vite les problèmes des pigeons et des tortues pour porter notre esprit sur des recherches plus tangibles, comme par exemple la compréhension de la complexe molécule de l'A. D. N. (1). Pourtant ici aussi nous butons contre des comportements chimiques inexplicables car il n'existe pas de problèmes secondaires dans le merveilleux ensemble d'activités que représente la vie. Il existe des questions ultimes — le sens d'orientation, le sens du danger qui fait prévoir aux poissons et céphalopodes l'approche d'un tremblement de terre — que l'on peut croire inabordables, mais nous nous trouvons confrontés à des mystères encore plus insondables dans la molécule de l'A. D. N. *Qui* lui commande de faire *quoi*, à un moment *donné* ?

Le « sens du nid » est l'apanage des organisations primitives. Eugène Marais affirme que l'influence directionnelle exercée par le roi et la reine des termites sur les classes de travailleurs ou les soldats n'est pas totalement expliquée par les signaux chimiques, particulièrement en ce qui concerne la reine qui peut contrôler ses sujets comme si un fil invisible les reliait toujours à leur mère. Un termite placé dans une boîte d'acier chimiquement neutre, en compagnie d'une nourriture succulente et enterré dans le sol à bonne

(1) Acide désoxyribonucléique, constituant de base du noyau de la cellule.

distance de la chambre royale, continue à réagir à cette influence invisible lui commandant de rentrer chez lui. Il s'efforcera de percer les murs de sa prison dans la direction de la chambre royale. Que ressent-il? Si la reine est tuée, il tombe dans une brusque apathie. On peut dire « il s'agit d'un phénomène PSI, les termites sont sensibles aux perceptions extra-sensorielles ». Une telle affirmation est gratuite. Quand nous disons « extra-sensoriel » nous devrions plutôt dire que les termites ont des sens que nous ignorons, car nous ne possédons rien d'équivalent. Et sans autres informations à ce sujet, il nous vaudrait mieux affirmer que les signaux échangés entre reines termites et travailleurs est un *mode de communication surhumain.*

Comme nous l'avons dit plus haut, les fourmis, les abeilles et tous les hyménoptères coloniaux ont, non seulement un sens profond du gîte et de la manière d'y revenir, mais également, quand il y a de la nourriture à ramener au nid, une organisation remarquable pour que le travail soit effectué dans les délais les plus brefs et avec une remarquable économie de moyens. Une fourmi effectuant un tour de reconnaissance loin du nid peut rencontrer une libellule en train de mourir. Il s'agit pour une fourmi d'une créature énorme, à peu près de la taille d'une baleine par rapport à l'homme ; mais il s'agit aussi d'une nourriture succulente. Que fait la fourmi? Elle rentre au nid par la route le plus directe et revient accompagnée de camarades. Elles commencent à découper l'insecte comme le ferait un boucher. Rien n'est gâché. Les pattes, ailes, tête et thorax, sont coupés en morceaux pouvant être transportés, chaque fourmi portant un maximum de charge et le tout s'achemine vers le garde-manger de la fourmilière. Il se sera déplacé le nombre exact de fourmis exigé par le transport de la libellule. La communication a été aussi précise que le langage des abeilles.

Dans le chapitre 1 et 2, nous avons parlé du langage des abeilles mais pas de l'instinct visuel des faux-bourdons concernant l'accouplement. La femelle de la colonie s'accouple toujours à la même place, éloignée de la ruche. Comment ce rendez-vous peut-il demeurer identique, les reines n'étant fécondées qu'une seule fois et les faux-bourdons ne vivant de toute façon que quelques mois?

Un entomologiste allemand a découvert que l'emplacement réservé à l'accouplement se trouve être toujours en droite ligne de la ruche, le point le plus bas de l'horizon. Le mâle est né en possession de l'instinct lui permettant de découvrir cette ligne de vol. L'essentiel de sa vie (la seule réelle utilité de ses yeux) consiste à découvrir rapidement cette précieuse direction et ensuite, après avoir atteint son but, de découvrir la reine, femelle impatiente et affairée au milieu de sa nuée de prétendants.

Au chapitre 3, nous avons parlé des saumons du Pacifique retrouvant leur ruisseau natal « au flair », ou au goût de ses eaux. Mais avant il s'est passé le processus inverse. Le saumon d'un an doit trouver la rivière, puis le fleuve menant à l'océan. Cet instinct est lui aussi mystérieux. Des expériences ont été faites en Colombie Britannique sur les saumons des lacs. Tous les saumons commencent à émigrer en même temps. Pas la moindre hésitation ou exploration préalable. Ils prennent tous la bonne direction en rangs disciplinés. Ni le vent, ni les courants thermiques ne leur causent le moindre trouble. Tous ces saumons quittent pour la première fois leurs eaux natales, il est évident qu'une particularité spécifique de cette espèce leur permet de se diriger et d'aboutir éventuellement à l'océan Pacifique. Bien sûr un lac n'est pas immuable. Certains se dessèchent, sont traversés par des routes, ou coupés de leur déversoir. Malgré tout, cet instinct persiste chez de nombreuses espèces dont l'habitat a été coupé de la mer depuis des générations. Le saumon des lacs continue comme la truite à frayer dans les ruisseaux où il a vu le jour. Le lac simplement a pris la place de la mer.

Le professeur Groot, zoologiste ayant effectué des études sur la migration des petits saumons, a la conviction que le voyage de la région de naissance à la mer est gouverné par plusieurs systèmes sensoriels différents. Par temps clair les poissons peuvent utiliser le soleil et peut-être la lumière polarisée du ciel, ce qui est assez fréquent dans la gent aquatique. La diffusion de différentes configurations de lumière polarisée dans le ciel, indique avec précision où se trouve le soleil même lorsqu'il n'est pas visible.

Ceci peut être important, les saumons commencent en effet leur migration au crépuscule, mais c'est lorsque le soleil a déjà disparu derrière l'horizon que les formations polarisées sont les plus importantes. Groot n'a pas découvert de sens de « bicoordination » chez les saumons (possibilité de se localiser soi-même par latitude et aussi par longitude) mais cela ne leur est pas utile tant qu'ils n'ont pas atteint l'océan. Tout ce qu'il leur faut est choisir la rivière adéquate. Lorsque plusieurs années plus tard ils vont rebrousser chemin pour frayer, ils auront besoin d'un système de navigation beaucoup plus complet. Autrement dit le saumon du Pacifique suit son instinct qui enrichit le pêcheur, sachant empiriquement quand et où trouver du poisson, mais les vraies raisons de tout cela nous demeurent cachées.

La coopération internationale n'a rien apporté, en ce domaine, de nouveau. Le Canada, le Japon et les États-Unis ont pourtant pendant dix ans marqué des dizaines de milliers de saumons, noté leurs déplacements et confronté ensuite leurs découvertes, sans arriver à découvrir leur méthode de navigation. C'est un cas parfait (plus précis que celui du pigeon voyageur) d'animal ancien connaissant d'instinct beaucoup mieux le monde que nous, et donc sachant utiliser toutes ses modalités.

Quand les saumons arrivent à la mer il leur faut tout d'abord adopter un nouveau programme de nourriture. Ils n'ont jusque là connu que les eaux douces et les insectes terrestres, il leur faut s'habituer au plancton, quand ils arrivent aux estuaires. Leurs mâchoires deviennent peu à peu plus puissantes et ils commencent à s'attaquer aux crustacés, puis aux petits poissons, anchois, pilchards, harengs. Les jeunes saumons d'Amérique commencent alors à parcourir un gigantesque cercle, dans le sens opposé aux aiguilles d'une montre, non en tant que vrai banc de poisson, mais plutôt en tant que bande d'adolescents allant retrouver d'autres camarades. Ils se dirigent vers l'Alaska, puis tournent vers le sud et ensuite à nouveau vers le nord-ouest. Les différentes bandes peuvent à ce moment-là former un banc de plus d'un million d'individus.

Il s'agit à ce moment-là de bancs internationaux. Une même espèce de saumons peut simultanément compter des éléments nés dans les rivières de l'Asie et suivant, par le Kamtchatka, un périple du Pacifique analogue à celui des saumons américains. Ils se rencontrent et fraternisent le plus paisiblement du monde (ce qui n'est pas le cas des pêcheurs qui les recherchent) mais quand retentit le signal biologique, les bandes asiatiques et américaines commencent leur retour au pays à une vitesse prodigieuse et avec une incroyable précision. Aucun saumon rose du Kamtchatka ne s'égare jamais dans une rivière d'Amérique du Nord. Ces saumons de deux continents, accomplissent un circuit elliptique de trois mille kilomètres durant leur vie en eau salée, et certaines espèces, au séjour plus long dans la mer, effectuent ce circuit deux ou trois fois parcourant quinze mille kilomètres avant de retrouver leur pays natal.

La controverse scientifique sur la manière dont s'accomplit cette navigation vers les rivières, au rythme forcené, est beaucoup plus importante que la question de savoir comment, une fois arrivés en eau douce, ils retrouvent le ruisseau précis de leur enfance. La théorie du soleil servant de boussole ne tient pas, confrontée aux réalités météorologiques. Durant le long trajet du Pacifique, il doit y avoir quelques claires journées, mais au niveau des îles Aléoutiennes le ciel est toujours nuageux, il y a des vents continuels et des tempêtes. Même durant les périodes d'été les plus calmes, le soleil est toujours caché par les nuages ou le brouillard. Si les saumons voyagent « au soleil », ils possèdent une technique particulière ignorée de tous les marins.

Une solution ingénieuse, mais non étayée de preuves, a été proposée par le professeur Royce. Selon lui les saumons traversent l'océan à l'aide d'un voltage infinitésimal généré par les courants marins traversant le champ magnétique terrestre. En fait la somme de toutes nos connaissances sur les saumons nous oblige à conclure que nous n'en avons aucune. Si nous connaissions le secret de cette navigation, nous bénéficierions d'une connaissance sans prix, non seulement sur la vie, mais peut-être même sur la nature de la terre.

La fin de cette brillante épopée est assez pathétique et, peut-être, savons-nous le pourquoi de ce besoin de retour plus impérieux que la vie. Les géologues ont souligné que cette remontée des rivières si exténuante pour les saumons a commencé bien avant la retraite des glaces du pléistocène. La différence de parcours entre différentes espèces représente la différence en réserves d'énergie des poissons eux-mêmes lorsqu'ils quittaient les eaux salées. Les espèces possédant les plus grandes réserves poussant de plus en plus haut au fur et à mesure du recul des glaces.

Autrement dit, ce frai coïncidant avec la mort des saumons, pourrait n'être que le résultat d'une mémoire géologique opiniâtre. Chaque femelle, sitôt arrivée pousse le mâle (qui peut être son frère) de côté, et commence à creuser le nid. La ponte terminée et après que le mâle a inondé les œufs de laitance pour les féconder, la femelle continue à creuser dans les graviers, ses mouvements devenant de plus en plus faibles jusqu'au moment de sa mort. Le nid est fait, les œufs fécondés, le mâle mort, et néanmoins cette activité peut se poursuivre pendant dix jours. Activité stérile, injustifiée, inefficace. Ce besoin irrépressible, précipitant sa fin, semble indiquer que le cycle entier est une erreur de temps géologique. Le saumon se souvient des cycles révolus et se soumet au comportement de ses plus lointains ancêtres.

Considérons ce splendide animal émergeant à l'estuaire du fleuve, en commençant sa vie d'adulte. Il est tellement imprégné d'huile qu'il flotte au début, dans l'eau salée. A son retour quelques années plus tard, sa chair desséchée ne peut contenter que les ours ou les loutres affamés. Si le saumon ne possède pas les moyens de briser ce cycle traditionnel d'exténuants voyages, il possède une connaissance profonde des ruisseaux, des rivières, des mers, de l'univers en fait. L'homme malgré ses succès en physique et en mathématiques, n'a jamais été à même de ressentir rien de semblable. Il a toujours été dans la mauvaise voie dans ses efforts pour percer les mystères de la vie (1).

Il existe deux sortes de poissons migrateurs. Ceux qui *quittent* la mer pour frayer (saumon, alose) et ceux au contraire qui *descendent* vers la mer pour frayer (anguilles, gobies). Sur l'avis du Conseil International pour l'étude de la Mer, le gouvernement danois appointa Johann Schmidt pour l'étude des anguilles, ce qu'il fit pendant le reste de sa vie, de 1905 à 1933.

Toutes les anguilles vivant dans les rivières des pays touchant à l'océan Atlantique, sont nées dans la mer des Sargasses. Les larves ou leptocéphales ne se trouvent pas au-delà de quarante-cinq mètres de profondeur dans les eaux du Gulf Stream. Elles ne semblent avoir aucun souci de direction à prendre et se laissent dériver en dévorant du plancton. Il existe malgré tout une direction générale. L'anguille d'Europe serait bien embarrassée de se trouver soudainement au milieu de ses cousines d'Amérique. La différence entre elles consiste principalement dans le nombre de vertèbres. Cent sept

(1) L'intuition la plus remarquable des quatre-vingts dernières années en ce domaine semble avoir été celle de H. G. Wells qui dans « La Guerre des Mondes » nous décrit ses martiens, d'une supériorité technique considérable, mais n'ayant jamais utilisé le principe de la roue. Cela n'a rien d'incroyable, la roue est une notion très primaire. Bien qu'elle soit à la base de notre civilisation, l'évolution ne l'a jamais utilisée dans aucune forme vivante.

pour les américaines et cent quinze pour les européennes. Mais elles sont toutes nées au sein de ce mystérieux aimant biologique : la mer des Sargasses.

A l'automne de leur troisième année d'existence, les voraces et indolents leptocéphales deviennent « civelles » et sont à même de nager. Les civelles d'Europe se dirigent vers les eaux douces de leurs pays respectifs et là, les sexes se séparent pour une longue période. Les mâles demeurent près des embouchures et des estuaires tandis que les femelles remontent les rivières à contre-courant. Les deux mangent voracement, mais c'est la femelle qui devient la plus grosse. Ils poursuivent cette vie chaste de cinq à vingt ans, peut-être plus (il existe à l'aquarium de Sciences Naturelles à Paris, une anguille femelle de trente-sept ans). Quand ils commencent à ressentir le besoin de procréer, les deux sexes se dirigent vers la mer des Sargasses où ils vont au printemps frayer et mourir. Sur quoi peuvent-ils se guider pour être exacts à ce rendez-vous de masse, nous l'ignorons. L'anguille est une créature très ancienne, plus encore que la tortue marine (qui sait également trouver son chemin à travers les eaux pour atteindre l'île de l'Ascension). Elle a eu des millénaires pour se familiariser avec les mers, leurs courants, leur faune et flore et tous les signaux aquatiques de notre planète.

Il n'existe curieusement pas d'anguilles dans les rivières d'Amérique du Nord ou du Sud, se déversant dans le Pacifique, tandis qu'il en existe de nombreuses espèces dans le Pacifique Ouest et l'océan Indien. Le professeur Herre a assisté à un « congrès d'anguilles » (migration sexuelle réunissant des millions d'individus) dans la rivière Sepik en Nouvelle-Guinée. Ces anguilles du Pacifique ne vont pas frayer dans la mer des Sargasses. On ignore pratiquement tout des mœurs de cette espèce, où elle va frayer, combien de temps demande l'évolution des larves en civelles, et le comportement de celles-ci. Même le problème de la navigation vers les Sargasses demeure un mystère. Personne ne possède de piste nouvelle ou d'idée permettant une recherche originale à ce sujet. C'est une question pratiquement abandonnée, l'attitude des milieux scientifiques étant : « Voilà comment se comportent les anguilles. Ne nous en demandez pas davantage! »

Nous savons que les gobies, poissons beaucoup plus récents, effectuent des déplacements similaires vers les eaux douces pour se développer et profiter de la vie, puis vers les eaux salées pour frayer et mourir. En dehors de cela, nous ne savons presque rien sur leurs techniques de navigation. Nous nous trouvons dans le cas de Newton qui se décrivait, d'une manière exagérée d'ailleurs, comme un chercheur ignorant, jouant avec quelques graviers sur les bords de l'océan illimité des vérités à découvrir.

Un mollusque aussi banal que la patelle reconnaît toujours le chemin de son logis. Les patelles aux coquilles marquées reviennent toujours à la même place à marée basse. Elles arrivent même à s'identifier à leur habitat. Au fur et à mesure de la croissance de leurs coquilles, elles prennent la forme du rocher où elles ont l'habitude de se fixer.

L'air étant un élément beaucoup plus familier à l'homme que l'eau, il est normal que les oiseaux migrateurs l'ait toujours fasciné. Les migrations saisonnières ont permis aux oiseaux de prospérer et devraient constituer un modèle pour l'homme à notre époque de surpopulation et de famine. En exploitant alternativement deux différents habitats, les oiseaux ont eu une vie beaucoup plus facile. (Tant que l'homme vivait sans se fixer il possédait le même avantage. Il est à présent proposé de transporter le plus gros de la masse humaine dans les régions arctiques ou antarctiques et d'utiliser les régions tempérées et les océans à la production de nourriture.)

Les techniques de déplacement des oiseaux varient. Dans les « migrations de mues » certains canards quittent les régions fraîches d'accouplement d'été pour des marais isolés où ils perdent leurs plumes ; quand les plumes nouvelles ont poussé, ils se dirigent vers leurs quartiers d'hiver. L'urgence migratoire n'est pas la même sur toute l'étendue de notre planète. Les oiseaux de l'hémisphère sud sont pourrait-on dire, des oiseaux migrateurs amateurs. En Afrique du sud une vingtaine d'espèces vont ainsi passer l'hiver sous l'équateur, mais aucune ne s'aventure même vers l'Europe.

Il existe des raisons topographiques à la différence de migrations existant entre les oiseaux du vieux et du nouveau monde. En Amérique les grandes barrières montagneuses se dirigent du nord au sud, tandis qu'en Europe elles se dirigent de l'est vers l'ouest. Pour les oiseaux de l'Eurasie les terres du sud, idéales pour hiverner, sont partagées entre l'ouest (l'Afrique) et l'est (les Indes et l'Australie). Les cigognes et autres gros oiseaux sont obligés de demeurer au-dessus du sol le plus longtemps possible pour profiter des courants thermiques facilitant les longs vols.

Certains parcours d'oiseaux migrateurs comportent d'étranges méandres sans aucune raison particulière, et sont pourtant fidèlement suivis chaque année dans tous leurs détours. Il ne s'agit pas de pulsion biologique mais de tradition. Les oiseaux sont esclaves de la tradition. Probablement les transformations climatiques apportées par la disparition des glaciers ont-elles transformé le relief des parcours d'oiseaux d'ancien lignage. (L'étrange et absurde manœuvre accomplie par les vols de papillons migrateurs monarques, passant au-dessus du Lac Supéιieur dans leur course vers le sud, doit avoir une explication similaire. A un point situé au milieu du lac, les papillons tournent vers l'est pour un moment, avant de reprendre la direction du sud. Chaque vol répète ce mouvement, régulièrement chaque année.)

La fauvette arctique prend ses quartiers d'hiver en Chine, Indonésie, Philippines et Malaisie. On pourrait supposer que la fauvette de l'Alaska vole plutôt sud, vers l'Amérique centrale, mais elle préfère la difficulté et se dirige vers l'est, traverse le détroit de Behring puis rejoint les vols d'oiseaux sibériens émigrant vers le sud. Les fauvettes de Norvège et Finlande parcourent cinq mille kilomètres vers l'est à travers la Sibérie, puis pointent vers le sud pour retrouver leurs congénères.

Il ne faut pas oublier que les migrations commencent bien avant la fin de l'été, époque où les nourritures tendent à diminuer. Les oiseaux sont généralement gras au moment de commencer leurs migrations, il leur faut emporter avec eux leurs réserves de carburant. Dans certaines espèces il existe même un régime opposé à celui des sportifs. Le traquet, par exemple, a besoin d'une semaine pendant laquelle il se goinfre matin et soir pour parvenir à suffisamment s'engraisser après la mue qui est une période austère.

Il existe des faits demeurant inexpliqués. Dans l'hémisphère nord, les migrations printanières vers le nord s'effectuent toujours avec beaucoup plus de hâte que les migrations de l'automne vers le sud. Ce phénomène est peut-être en rapport avec la vie sexuelle des oiseaux. Quelquefois, le mâle et la femelle volent vers le nord séparément. Cela peut reculer la maturité des organes sexuels de la femelle, lui permettant un vol plus aisé et une lune de miel plus stable, lorsque se déclenchent les rites du printemps.

En plus de l' « auto-gavage », ayant pour but d'augmenter la quantité de graisse nécessaire à leur longue course, les oiseaux dans les quelques jours précédant l'envol ont le sommeil très agité. Ce malaise est observé facilement chez les oiseaux migrateurs vivant en captivité, spécialement durant les nuits chaudes de printemps et les nuits froides d'automne.

Le retour des oiseaux migrateurs, annonciateurs de temps plus clément, est partout considéré avec plaisir et associé à des légendes. Les hirondelles sont supposées revenir toujours dans certains villages le jour de la Saint-Joseph ou à d'autres dates immuables. Ce voyage n'est pas uniquement un retour collectif au bercail. Les hirondelles par exemple envoient des éclaireurs pour savoir comment les choses se présentent avant que la massive migration n'arrive. Les martinets envoient également des agents pour relever l'état des logis et revenir renseigner le reste du vol à un arrêt à mi-chemin du retour.

Les expériences effectuées sur le moineau migrateur de Californie ont révélé son étrange maîtrise de la géographie. Transporté par avion dans le Maryland à une distance de cinq mille kilomètres au-dessus d'une région qui lui était inconnue, il revint rapidement vers sa Californie natale. Ceci constitue une performance beaucoup plus étonnante que de voler le long d'un parcours traditionnel au milieu de ses congénères. Le puffin, oiseau de mer, s'est montré capable d'un exploit similaire. Il a été transporté en avion, d'Angleterre à Boston où on l'a relâché. Il décida instantanément de quitter ces lieux barbares et douze jours plus tard fut retrouvé sur sa petite île du Pays de Galles après avoir parcouru sept mille cinq cents kilomètres.

Les vols transocéaniques (vers l'ouest ou vers l'est) sont tout à fait inhabituels, même pour les oiseaux marins et se produisent seulement par accident, en général à la suite des tempêtes. A cause des vents constants, il est plus difficile aux oiseaux terrestres de se diriger vers l'ouest au-dessus de l'Atlantique nord, que de voler vers l'est. Moins de douze espèces d'oiseaux européens traversent l'Atlantique pour atteindre les États-Unis, tandis que quarante-huit espèces américaines se retrouvent en Europe. L'aigrette et la litorne sont les deux seules espèces européennes historiquement connues, s'étant spontanément établies sur le continent américain. L'aigrette — autrefois originaire d'Europe mais plus commune à présent en Afrique du Sud — a étendu ses activités (qui sont de débarrasser le bétail de sa vermine) jusqu'à l'Australie.

A la grande consternation des amateurs d'oiseaux, ou plus simplement de ceux sachant apprécier le calme des jardins, le sansonnet et le faisan de Chine ont été implantés en Amérique par invitation forcée. La présence de ces indésirables est due à la vague de sensiblerie stupide qui a déferlé sur les États-Unis au XIXe siècle. Une secte n'alla-t-elle pas jusqu'à exiger l'importation de tous les oiseaux mentionnés dans l'œuvre de Shakespeare! Il existait aussi des « sociétés d'acclimatation » ayant pour but d'introduire des variétés d'oiseaux exotiques sur le sol américain. Heureusement la plupart moururent. Aux Iles Hawaï, plus de cinquante espèces d'oiseaux se sont acclimatées, mais au dépend des deux tiers des oiseaux autochtones. L'homme a ainsi réussi à exterminer des espèces animales, non plus de sa manière habituelle en s'occupant d'abord de lui-même, mais même en étant rempli de bons sentiments et de mansuétude. Le magnifique et aimable geai bleu par exemple, a été tourmenté presque jusqu'à extinction par le querelleur et bruyant sansonnet.

Ne minimisons pas, malgré tout, la grande aide que l'intérêt pour les oiseaux a procurée à la science. Le programme de baguage accompli en 1920 a permis de passer des bagues d'aluminium à quinze millions d'oiseaux, rien qu'en Amérique du Nord, et a permis la découverte de faits très importants. Le cou-jaune par exemple peut accomplir en six jours une migration de deux mille huit cents kilomètres. Le sterne arctique est un véritable champion. Il fait son nid dans le Grand Nord puis traverse l'Atlantique et le Pacifique pour un second été polaire dans l'Antarctique! Le circuit complet représente trente-cinq mille kilomètres. En baguant des oiseaux aussi secrets que le martinet noir, dont on ignorait le lieu d'hivernage, problème longtemps exaspérant pour les ornithologues, on réussit à découvrir, grâce à des Indiens péruviens ayant rapporté treize bagues aux autorités, qu'ils passaient l'hiver dans la Haute Amazonie.

Chez les oiseaux marins possédant une très vaste zone de nourriture comme l'albatros, l'instinct du logis au moment de la nidification est très fort. L'albatros est apparié à vie et le couple refait invariablement son nid, non seulement sur la même île mais aussi à un mètre du nid de l'année précédente. Sur l'île de Guam cette insistance a causé bien des problèmes aux équipes cantonnées sur l'île pendant la dernière guerre. La nécessité de créer de nouveaux terrains d'atterrissage a nécessité le déplacement de cent nids contenant des petits. Ce fut fait avec un maximum de précautions et presque de tendresse et les nids furent délicatement déposés cent mètres plus loin. Mais quand les parents revinrent, ils laissèrent tomber leur poisson sur la terre nue là où *devaient* être leurs nids. Tous les petits sont morts de faim à côté de leurs parents, incapables de les reconnaître en dehors du lieu traditionnel.

Le stercoraire se marie également pour la vie et retourne faire son nid à l'endroit où il est né. C'est en général à proximité d'une colonie de pingouins pour qui il éprouve un féroce appétit, ou près d'une colonie de phoques. Le stercoraire a en effet développé un appétit pervers pour le placenta de phoque. Il fait également partie des quelques espèces cannibales non humaines. L'instinct de navigation du stercoraire est remarquable. Libéré d'un avion au pôle Sud, il se dirigera immédiatement vers son nid et traversera sans hésitation un continent qui lui est aussi peu familier que les montagnes de la lune.

On peut conclure que les connaissances géographiques des oiseaux, marins et terrestres, paraissent déjà fixées dans leurs gènes. Mais n'oublions pas leur vue exceptionnelle. Leur rétine comporte des pigments que nous ne possédons pas leur permettant d'apercevoir des objets pour nous invisibles. Comme nous l'avons exposé dans le premier chapitre, un oiseau peut reconnaître même à une altitude élevée la physionomie terrestre aussi facilement que nous reconnaissons quelqu'un dans la rue.

Revenons au pingouin cet oiseau curieux, incapable de voler mais nageant de façon splendide. Les pingouins de la terre Adélie forment des sociétés migratrices. Chaque printemps et chaque automne ils parcourent des centaines de kilomètres pour aller rejoindre leur colonie, des glaces de l'Antarctique aux côtes du continent. Ils jeûnent en général pendant toute la période de nidification. Comme ils longent les côtes, ils ignorent tout de ces régions désertiques. Pour étudier leur sens de l'orientation on les a placés dans des trous creusés par l'homme, très à l'intérieur des terres, et relâchés un à un de façon qu'ils ne puissent pas se suivre. La saison de cette expérience était l'été polaire, au cours duquel le soleil ne se cache jamais, se déplaçant simplement au-dessus de l'horizon. Ses mouvements sont azimutaux. Voyager avec une boussole se comportant d'une telle façon n'est pas une chose aisée. Il est beaucoup plus facile de se baser sur un soleil se trouvant au zénith au milieu de la journée et se couchant tous les soirs. Il fut évident néanmoins, dès que les pingouins furent relâchés, que c'est grâce au soleil qu'ils se dirigent vers le nord. Sitôt libéré, l'oiseau commence à trotter avec excitation dans plusieurs directions, puis s'arrête pour étudier de loin les hommes, et finalement aperçoit le soleil. A ce moment il s'éloigne invariablement vers le nord. Par temps clair, la trace de ses glissades peut être une ligne absolument droite. Quand le soleil est voilé, la direction des pingouins est plus incertaine et quand il est caché par de gros nuages, ils errent lamentablement en zigzag.

D'un point de vue technique, conserver une allure régulière en se servant du soleil demande une connaissance constante du temps écoulé. Il faut posséder une horloge interne très précise. Pourtant, les pingouins ne parurent pas s'inquiéter du moment de la journée où on les libérait de leur trou. Et toujours ils se tournèrent vers le nord. Ce qui signifie que le matin ils se dirigeaient quatre-vingt-dix degrés à gauche du soleil, à midi droit sur le soleil et l'après-midi quatre-vingt-dix degrés à droite du soleil.

Tous les oiseaux du Cap Crozier (il y en a trois cent mille qui y font leur nid chaque année) soumis à la même expérience se sont dirigés vers le nord, quelle que soit la direction effective de leur colonie. Il est bien évident que leur première réaction est de *s'échapper* vers les eaux froides et d'éviter ainsi les déserts neigeux et les massives murailles de glace. Les oiseaux capturés à Mirnyy en Russie, ont eu le même comportement que ceux du Cap Crozier. Il est à remarquer que cela demande un réajustement de leur horloge interne, Mirnyy est quatre-vingt-huit degrés à l'est du Cap Crozier, ce qui équivaut aux six heures de différence existant entre le temps de Londres et celui de Chicago.

Tous les pingouins qu'ils soient du Cap Crozier ou de Mirnyy, sitôt arrivés à l'océan Antarctique changent de direction. Ainsi donc, pour pouvoir retrouver leurs colonies respectives, les pingouins ont accompli deux actions distinctes. Se diriger vers le nord pour retrouver la mer, et nous avons vu que leur horloge interne dut être adaptée à la zone de temps où évoluait l'animal, puis retrouver sa colonie, et la technique additionnelle employée nous demeure inconnue.

Depuis la dernière guerre, Gustave Kramer a effectué en Allemagne une série d'étude sur le sens directionnel des oiseaux. Il a observé principalement l'étourneau et le pigeon, mais il affirme que la plupart des oiseaux transportés en un lieu inconnu, peuvent, durant le jour, s'orienter en quelque secondes vers la place exacte de leur nid. Kramer reconnaît l'importance de l'angle du soleil, combiné à une horloge interne exacte, dans l'estimation directionnelle. Mais il demeure stupéfait par cette presque instantanée faculté de choisir dès le départ la *bonne* direction.

Il est supposé que l'oiseau détermine la localisation géographique d'un endroit nouveau en mesurant l'arc du parcours du soleil. L'oiseau utilise un sextant inné. Mais remarquez le nombre d'opérations minutieuses que l'oiseau transcende en un instant. Un marin pour faire le point et trouver sa latitude agit ainsi : il attend très précisément midi quand le soleil est au zénith. Puis avec un sextant, il mesure l'angle formé par le soleil et l'horizon. Il compare alors cet angle en utilisant des tables imprimées, avec celui d'une latitude connue, celle du lieu où il veut se diriger, et les tables lui font connaître sa latitude exacte.

L'oiseau, lui, est capable d'estimer la position du zénith sans attendre midi, en consultant le soleil pendant *quelques minutes*. En mesurant l'arc minuscule parcouru en ce court laps de temps, la position *future* du soleil est prévue avec exactitude. L'oiseau compare cette estimation avec celle du zénith du lieu où est son nid et sait, à ce moment-là, s'il lui faut se diriger vers le nord ou le sud. La hauteur du soleil peut être aussi utilisée à déduire la longitude.

Ce processus paraît incroyable. En effet, certains pigeons n'ont pas besoin de plus de quelques secondes pour piquer avec détermination dans la bonne direction. Le soleil s'est à peine déplacé, même observé par un télescope. Il a pu même être prouvé que tout ce travail complexe, rectification de l'heure de l'horloge interne, mesure du déplacement solaire, etc... se fait instantanément. On peut se refuser à le croire et invoquer une autre manière de naviguer. Est-ce possible ? On a proposé la navigation basée sur le champ magnétique terrestre. Des aimants ont été placés sur les ailes des pigeons sans autre résultat que d'alourdir l'oiseau et gêner ses mouvements. Kramer a effectué de nombreuses expériences sur des colonies d'étourneaux situés près d'une station de la mer Baltique entourée de dépôts de fer magnétique déréglant tous les appareils. Le rapport de Kramer mentionne : « Les boussoles sont folles, les étourneaux ne le sont pas. »

Le champ magnétique semble ne pas avoir d'influence spéciale sur la plupart des animaux. Mais son absence (le champ magnétique terrestre est de 0,5 Gauss) comme sur la lune et probablement sur Mars, risque d'avoir des conséquences graves. C'est du moins ce que craignent les experts d'astronautique. Des souris ont été maintenues pendant un an dans un environnement antimagnétique. Elles se sont comportées, nourries et reproduites normalement, mais il y eut un nombre important de morts prématurées et d'alopécie (perte de poil). Les poils sont tombés aussi bien chez les souris grises que chez les souris blanches. Le follicule pileux est obstrué par une croissance maligne des tissus cutanés, causant la chute du poil. Les organes internes révèlent une multiplication anormale des cellules, pas réellement cancéreuses, mais à la limite de l'être.

Expérimentée sur l'homme, l'absence de magnétisme semble ne pas avoir d'effet particulier. On a seulement relevé certains troubles de la vision, diminution de l'acuité dans la pénombre et perturbation de la discrimination des brillances. Les végétaux par contre semblent bénéficier d'une stimulation remarquable, des graines de trèfle et de blé ont germé beaucoup plus rapidement et les racines du blé étaient beaucoup plus robustes.

Les expériences poursuivies à Brême par Franz Sauer démontrent que les oiseaux volant la nuit peuvent substituer au soleil les constellations pour guider leur navigation. Il plaça une fauvette *Sylvia corucca* dans un petit planétarium permettant à l'oiseau d'effectuer un voyage en Afrique sans quitter sa cage. Quand une réplique du ciel d'automne de l'Allemagne fut projetée sur le dôme, l'oiseau se plaça face au sud, direction de la migration. La position des étoiles fut constamment modifiée comme si l'oiseau progressait dans l'espace. Quand le ciel fut celui de l'Afrique du Nord l'oiseau tourna exactement sud, comme si c'était la fin de la migration. On joua même un mauvais tour à la pauvre fauvette. A l'époque de la migration on substitua au ciel d'Allemagne le ciel de la Sibérie. L'oiseau fut visiblement désemparé en face d'un tel bouleversement de longitude, puis il se tourna courageusement vers l'ouest (sa cage en Allemagne), résolu à retrouver son vrai point de départ.

Lorsque tous les exemples de navigation nocturne ont été réunis, on trouve toujours des exceptions contredisant toutes les théories cohérentes. Sauer lui-même a signalé l'intuition très extraordinaire d'un vol de guillemots qui, évoluant dans un brouillard épais, décida de se poser sur un navire, naviguant à la carte et au compas, se rendant au même endroit qu'eux, une petite île de la mer de Behring. Un martinet femelle transporté à cinq cent trente kilomètres de son nid, contenant des petits, fut libéré à vingt-deux heures quarante. A sept heures vingt-huit le lendemain matin, il était de retour à son nid, portant des mouches à ses petits. Le voyage s'est effectué par une nuit très sombre, le ciel étant recouvert d'une double couche de nuages.

Cet instinct d'orientation est la plupart du temps plus puissant et profond que les réflexes échafaudés par l'expérience. Dès que l'oiseau est assez grand pour voler, il est prêt à accomplir les performances d'orientation les plus spectaculaires, souvent plus extraordinaires que celles d'oiseaux plus âgés de la même espèce. L'expérience semble rendre plus confus ce don inné plutôt que l'exalter. Les jeunes oies dépendent pendant la migration des oies plus âgées. Mais des jeunes corbeaux libérés au Canada bien après que leurs parents se sont envolés vers leurs quartiers d'hiver du Kansas ou de l'Oklahoma, les rejoignent en droite ligne en traversant les grandes prairies pour la première fois. Le coucou de Nouvelle-Zélande, bien qu'élevé par des oiseaux étrangers à sa race, possède en lui un instinct suffisamment fort pour lui faire accomplir sa migration un mois après celle de ses parents. Ainsi les jeunes coucous parcourent-ils près de trois mille kilomètres jusqu'aux îles Salomon et Bismarck où ils retrouvent des parents qu'ils n'ont jamais vus de leur vie. Chez le coucou, l'horloge et la boussole génétiques sont beaucoup plus puissantes que l'influence de ses parents adoptifs, quelle que puisse être leur espèce.

Le navigateur le plus intrépide semble être malgré tout la grande tortue marine que le professeur Archie Carr a étudiée avec tant de dévotion. Nous avons affaire, ici, à un animal beaucoup plus ancien que les oiseaux.

Tous les deux ou trois ans les chélonées femelles nagent des côtes du Brésil jusqu'à l'île de l'Ascension — un voyage de plus de deux mille kilomètres à travers l'Atlantique sud — pour aller pondre leurs œufs. Comme nous l'avons relaté au premier chapitre, sitôt sorties de l'œuf les petites tortues titubantes commencent une course effrénée en direction de la mer, pourtant cachée par les dunes. Mais ces nouveau-nés ont alors à accomplir le voyage de retour vers les côtes du Brésil, soit plus de deux mille kilomètres. Bien que l'instinct originel les faisant courir vers la mer n'ait probablement rien à voir avec le sens de l'orientation, les deux sont peut-être liés. En tout cas, dès qu'ils ont atteint les flots, leur boussole interne les dirige vers l'Amérique du Sud. Tâche plus simple que celle remplie par leur mère, le continent étant plus facile à trouver que le minuscule point de leur île natale.

Même les navigateurs se basant sur la position du soleil et des étoiles n'ont jamais pu, avant la mise au point de chronomètre précis au XVIIIe siècle, calculer exactement leurs positions. Notre exposé sur les oiseaux migrateurs a supposé la présence d'un sens du temps (horloge interne), d'un sens de l'espace (géographie interne) et d'un sens de la mesure (boussole interne). Or dans beaucoup de cas (peut-être *tous*) ils se sont révélés impuissants à expliquer leur comportement. En pleine mer, dans des conditions de terreur et de solitude, il existe forcément une forme de guidage supérieur à la boussole interne. Les tortues marines ont continuellement à corriger leur cap, les courants et les vents provoquant une dérive importante. Le goût ou l'odorat peuvent jouer un rôle, mais certainement pas pendant deux mille kilomètres.

Peut-être que les tortues emploient la méthode utilisée par les vieux navigateurs avant qu'ils n'aient la possibilité de calculer la longitude avec précision. Connaissant la *latitude* de sa destination, le bateau navigue nord ou sud jusqu'à ce que la position du soleil de midi prouve qu'il a atteint la latitude désirée. Là, il faut tirer à pile ou face afin de décider s'il faut virer vers l'est ou vers l'ouest pour découvrir l'île de destination.

Peut-être que d'une manière analogue, la tortue navigue nord ou sud le long des côtes du Brésil jusqu'à proximité de l'endroit où elle a touché terre à son premier voyage. Si c'est également la latitude de l'île de l'Ascension, la tortue n'a simplement plus qu'à nager face à l'est.

Il n'est pas simple en fait de conserver le cap à l'est en dépit des courants. (La tortue doit remonter le courant équatorial pendant au moins mille huit cents kilomètres. Il existe une montagne de neuf cents mètres sur l'île de l'Ascension et souvent les nuages s'empilent bien au-dessus de ce pic. Il ne peut pourtant pas constituer un point de repère pour un petit animal barbotant dans le creux des vagues.) Pendant la dernière guerre, Ascension était une escale pour le « Transport Command » se dirigeant vers la Birmanie. Les avions ayant quitté Recife sur la côte du Brésil, devaient faire arrêt à Ascension ou pousser mille cinq cents kilomètres plus loin jusqu'à Dakar. Un grand nombre d'avions allaient jusqu'à Dakar ne réussissant pas à repérer la petite île. (Le sterne fuligineux y atterrit pourtant sans difficulté. Archie Carr a fait remarquer l'étrange affinité qui semble exister entre la chélonée et cet oiseau marin. Sur toutes les îles où les tortues pondent leurs œufs se trouvent des nids de sterne.)

Il est possible que la dérive d'ouest occasionnée par le courant équatorial soit plus un avantage qu'un inconvénient. La ligne de contact entre deux sortes d'eau est ressentie par les poissons migrateurs possédant de délicats organes latéraux susceptibles de mesurer certaines qualités (il ne s'agit ici ni de goût, ni d'odorat) de l'eau que, faute d'un terme meilleur nous allons appeler « dynamique ». Peut-être les reptiles possèdent-ils la même faculté que les poissons. Une faculté leur permettant de se dire : « Cette eau dérive de là où je veux aller. Je vais suivre cette voie et découvrir mon île secrète. »

Les différentes vitesses des successifs parallèles de latitude peuvent constituer des jalons ainsi que les lignes de force du champ magnétique terrestre. En utilisant les deux, la tortue peut arriver à se constituer une sorte de carte. Il existe aussi une faible possibilité que la tortue puisse réagir à la force de Coriolis (la force due à la rotation de la sphère terrestre change selon la distance de l'équateur), mais il s'agit d'un phénomène infime. Les neurologues n'ont jamais découvert la présence anatomique chez la tortue de quoi que ce soit pouvant réagir au magnétisme terrestre ou à la force de Coriolis. Mais les neurologues ne sont pas infaillibles, il existe de nombreuses créatures chez qui ils ont découvert des organes destinés à l'évidence à réagir à une certaine sorte de stimuli, mais sans avoir jamais été capables de découvrir lesquels.

Une autre capacité nerveuse, très développée chez les fourmis, peut fonctionner sur le principe des systèmes modernes de conduite par inertie, comme dans les missiles. Il est certainement beaucoup plus subtil chez les animaux, car dans l'appareillage humain un important gyroscope et un ordinateur sont nécessaires. Réduit à ses termes les plus simples, un système de conduite de cette sorte peut enregistrer avec une grande précision le parcours du missile. Chez un animal, le sens de l'inertie implanterait indélébilement dans le système nerveux tous les changements de vitesse et de direction effectués au cours d'un parcours, aussi tortueux, rapide et complexe qu'il ait pu être.

Nous pouvons remarquer une lucidité similaire chez les gens possédant un bon sens de l'orientation. Même la nuit, où lorsqu'une série de virages fait dévier la direction de leur course. Ce don résulte probablement d'un travail d'équipe entre les canaux semi-circulaires de l'oreille interne et le cervelet (le cervelet est forcément inclu dans le processus de développement des mouvements directionnels. Le cervelet des pigeons migrateurs et non migrateurs examiné après un séjour dans une centrifugeuse, a révélé chez les migrateurs une activité électrique normale, absente chez les non-migrateurs). Chez les oiseaux, les fourmis et les tortues, ce sens de l'inertie a pu se développer à un point que nous ne pouvons imaginer.

En relatant la migration des jeunes saumons et leur faculté de se diriger en se basant sur la lumière polarisée du soleil, nous n'avons pas mentionné une autre expérience de Groot, très révélatrice. Il plaça des saumons prêts à quitter le lac dans un grand réservoir circulaire recouvert d'une plaque opaque. Même dans ces conditions, les poissons se plaçaient en position de départ, orientés correctement dans la direction menant à la mer. Groot a appelé « l'orientation X » ce comportement qu'il ne put expliquer. S'agirait-il d'un phénomène d'inertie ? Les petits saumons auraient-ils mémorisé les tours et détours du chemin les menant du lac au réservoir ? Pour s'en assurer il anesthésia les saumons avant de les retirer du lac. Quand ils se réveillèrent dans le réservoir obscur, ils firent face à la même direction. C'est sans doute un des écueils les plus sensibles de la théorie voulant expliquer le sens directionnel des animaux migrateurs.

Pour des raisons semblables à celle-ci, l'idée de conduite liée à l'inertie est tombée en défaveur. L'hypothèse du champ magnétique et de la force de Coriolis est basée sur des réactions si minimes que la plupart ne les considèrent pas comme possibles, du moins tant que des organes sensoriels adéquats ne seront pas découverts. Il nous reste l'orientation par le soleil et les étoiles, mais si les oiseaux emploient cette méthode de navigation, c'est d'une manière tellement rapide et subtile qu'elle dépasse notre compréhension.

Archie Carr considère comme impossible que la tortue, dont l'horizon se balance continuellement devant les yeux dépassant à peine de l'eau, ou glissant aux creux des vagues, puisse s'orienter d'une telle façon. Carr possède la conviction que la tortue possède une méthode beaucoup plus simple, c'est de conserver la même latitude de Recife à Ascension. Mais pour le prouver il lui faut pouvoir connaître l'itinéraire exact des voyageuses. Fixer un appareil émettant des signaux de radio sur le dos de la tortue est insuffisant, la réception d'ondes émises au ras de l'eau étant très mauvaise à cause de la polarisation des ondes et de la courbe de la surface terrestre. Il a l'intention, avec l'aide de la NASA, de suivre le déplacement de ces pesantes femelles par satellite. Espérons qu'il y réussisse. Carr demeure l'un des seuls à déplorer le manque d'intérêt général envers le problème de l'orientation des animaux et spécialement des oiseaux. Le travail commencé à Brême par Sauer devrait être répété, et étendu à tous les oiseaux migrateurs.

Il existe une caractéristique géologique qu'il peut être intéressant d'associer à l'histoire des tortues de l'île de l'Ascension. Les tortues sont des animaux plus anciens que les oiseaux, et les poissons sont plus anciens encore. Il est possible que beaucoup de ces habitudes migratrices remontent à une époque où les continents n'étaient pas du tout là où ils sont aujourd'hui. L'océan Atlantique est né lorsque l'Amérique du Sud et l'Afrique se sont lentement écartées l'une de l'autre, en laissant peut-être les îles de l'Ascension entre elles. Peut-être que le déplacement entre un primitif Brésil et l'Afrique n'était autrefois qu'un bref voyage. Cette course était donc originellement moins difficile et moins fatigante. Les millénaires passant, l'évolution enseigna aux tortues, d'une manière qui nous demeure incompréhensible, comment remplir leur devoir migrateur, devenu une opération complexe et épuisante.

Étudions à présent les mœurs des animaux plus proches de nous que les oiseaux et les reptiles. Le phoque à fourrure de l'Alaska a été étudié par Karl Kenyon. Ce mammifère possède non seulement le souvenir de son territoire natal, mais aussi un sens de l'orientation infaillible lui permettant de parcourir des milliers de kilomètres. Rien ne peut détourner un phoque femelle de sa détermination de mettre bas à l'endroit où elle-même est née. Une étude scrupuleuse de la colonie de phoques Polovina sur l'île Saint-Paul en 1954, a prouvé que les aménagements et transformations effectuées par l'homme six ans plus tôt avaient changé la topographie à un tel point qu'aucun harem ne s'était reformé sur la plage dévastée. Les phoques sont aussi entêtés que les albatros de l'île de Guam.

La vie maritime des phoques à fourrure est une existence aventureuse.

En captivité ils vivent plus longtemps qu'un cheval, dans la nature 50 % de phoques mâles et 40 % de femelles meurent avant l'âge de trois ans. Cette énorme différence tient peut-être au fait que les sexes se séparent pour hiverner. Les femelles vont vers la Californie, et la manière dont elles remontent ensuite vers le nord pour atteindre les îles Pribilof est un des nombreux exemples à ajouter à la liste des exploits incroyables accomplis par les mammifères migrateurs. Les vieux mâles demeurent dans le nord hivernant un peu au sud des Aléoutiennes où se trouvent d'abondants bancs de poissons leur permettant de faire provision d'énergie en vue de leur activité sexuelle de l'été. Les jeunes mâles sont un peu plus au sud. Ces mâles s'ébattent dans le territoire du terrible épaulard, ce qui est une façon risquée de prendre des vacances.

Le veau marin n'a pas appris comme le phoque à fourrure à faire des trous dans la glace lui permettant de respirer. Aussi la horde complète, mâles et femelles, descend vers le sud pour l'hiver. Sur les côtes nord-est de l'Amérique, le phoque capucin se lie d'amitié avec eux et se joint à leur troupe.

Personne ne connaît les habitudes migratoires du dauphin. On les trouve dans toutes les mers et ceux s'intéressant aux hommes semblent seulement posséder un cycle particulier de déplacement vers les terres, puis vers la haute mer. Certains pêcheurs sur la côte du Pacifique ont remarqué que les dauphins quittent les côtes au crépuscule pour y revenir à l'aurore. On considère sérieusement que cela puisse indiquer leur intérêt grandissant envers l'espèce humaine. Les dauphins se dirigent la nuit vers la pleine mer pour se nourrir, dormir et pouvoir être libres pendant le jour de s'amuser avec les occupants des plages, enfants et adultes.

Ne négligeons pas les petits animaux. La souris d'Amérique *Peromyscus* bien que son territoire ne dépasse pas cinquante mètres de diamètre, revient très rapidement à son terrier après avoir été déplacée dans un boîte close à quinze cents mètres de là. Certaines espèces au territoire encore plus limité arrivent à retourner à leur nid de trois kilomètres de distance.

Il existe de nombreuses histoires de chiens et chats revenus presque miraculeusement au logis, la plupart d'entre eux étant tendrement aimés par leurs maîtres. Les spécialistes de parapsychologie sont prêts à inclure ces cas dans leurs dossiers, ils prouvent, assurent-ils, qu'il existe un champ mental reliant l'esprit de l'animal à celui de son maître. Ce qui se passe en général est que le chien abandonné au lieu de rentrer au logis rejoint une meute d'autres chiens abandonnés. Apparemment il importe beaucoup de savoir si le chien a été jeté de la portière d'une auto dans un lieu désert, ou s'il a été égaré par accident aux grands regrets de ses maîtres. Dans ce dernier cas, il existe des exemples bien authentifiés de retours extraordinaires.

Un chien nommé Bobbie a mis six mois pour rentrer, de l'Indiana où il avait été perdu, à Silverston, Oregon. (Trois mille kilomètres). Tony a suivi la trace de l'automobile de ses maîtres de Aurora dans l'Illinois à Lansing dans le Michigan (quatre cents kilomètres) en un temps très court. Dans la terminologie de la parapsychologie, cela s'appelle des phénomènes « psi » Nous poserons plus loin l'embarrassante question de savoir pourquoi les phénomènes « psi » paraissent plus étranges que la théorie attribuant à une tortue marine la faculté de se guider à l'aide de la force de Coriolis.

Il serait bon de clore cette question sur des spécimens de notre espèce. Comment les Vikings ont-ils pu au IXe siècle accomplir leurs fabuleuses traversées vers différents pays dont l'Amérique du Nord, *avant que la boussole n'ait été inventée.* (Ne parlons même pas des montres). Ils voyagèrent à l'aide du soleil et des étoiles, mais ils bénéficièrent, on le sait depuis peu, d'une aide appréciable. Même par temps nuageux, il leur était possible de localiser le soleil grâce aux « pierres magiques du soleil ». En 1967, l'archéologue danois Thorkild Ramskou découvrit qu'un minéral scandinave possède des molécules arrangées en lignes parallèles, exactement comme dans les cristaux cohérents des filtres Polaroïd. Un minéral en particulier, la Cordiérite, vire du jaune à un bleu foncé quand son axe naturel est maintenu à angle droit du plan de la lumière polarisée du soleil. Ainsi en employant la « pierre magique » à laquelle se réfèrent les inscriptions runiques, un chef viking pouvait trouver la position du soleil même lorsqu'il était caché par les nuages, en tournant l'éclat de cordiérite jusqu'à ce qu'il change de couleur. Ramskou fit la preuve des qualités de la cordiérite durant un vol vers le Groenland. Le pilote utilisait le compas et lui la « pierre magique ». Ses observations sur le soleil furent toujours exactes à deux degrés près et, comme tout ce qui réagit à la lumière polarisée, elles ont eu l'avantage de pouvoir se prolonger même lorsque le soleil s'est enfoncé de sept degrés derrière l'horizon. L'homme, même à l'aurore de la civilisation, commençait déjà à employer des outils propres à remplacer les sens qu'il avait sacrifiés en devenant humain.

Machines temporelles.

En effectuant l'étude des animaux capables de retrouver le chemin de leur gîte, souvent avec une précision et une rapidité exemplaire, nous avons fréquemment parlé d'horloge interne. Il est bien évident que cette notion d'horloge ou de montre biologique est essentielle. En fait, toute cellule vivante est soumise à un rythme horaire et même les substances chimiques nécessaires à la vie de ces cellules. Un cycle régulier peut même être observé chez les enzymes du foie des mammifères, ces enzymes étant nécessaires à la digestion des acides aminés. L'énorme question est de savoir si de tels rythmes sont associés aux rythmes qui les entourent (la rotation de la terre par exemple et le changement périodique de son champ magnétique) ou bien si les cellules vivantes sont sensibles à la dimension du temps comme elles le sont à la température et aux radiations. (Les seules exceptions étant les algues bleues, les bactéries et peut-être les virus. Ces trois sortes d'unicellulaires sont, détail significatif, dépourvus de membrane délimitant le noyau).

Deux écoles s'affrontent sur ce sujet et frôlent la métaphysique, si les implications de leurs arguments sont poursuivies jusqu'aux zones où le concept du temps sombre dans l'ambiguïté. Le premier groupe pense que la notion du temps est la caractéristique héréditaire d'une espèce, tout comme un rein, une coloration, ou un système respiratoire. L'anguille a hérité de l'horloge biologique qu'ont possédée toutes les anguilles avant elle. Cette horloge ne règle pas seulement les activités quotidiennes — nourriture et sommeil — mais également le besoin irrésistible d'aller soudain vers la mer des Sargasses pour se reproduire. Ce groupe est convaincu que cette horloge est réglée une fois pour toute à la naissance, ou peut-être même dès la conception, et qu'elle est immuable bien que certaines soient remises à l'heure chaque jour dans certains organismes.

Le second groupe, le plus important, en tête duquel se tient l'éminent biologiste Frank Brown, pense que toutes ces vivantes horloges mesurent simplement le rythme de ce qui les entoure. Brown compare le fonctionnement de ce sens biologique à celui d'une horloge électrique, qui en fait ne mesure pas le temps mais simplement les oscillations d'un courant électrique qu'elle additionne. Ainsi dans la conception de Brown, un organisme est en prise directe avec son environnement et reçoit un flot continuel d'informations régularisant son activité propre. La nature de cette « prise directe » et des informations reçues peut être d'ailleurs d'une beaucoup plus grande importance que nous ne l'imaginons. Un grand nombre d'expériences ont convaincu Brown que beaucoup d'animaux possèdent des sens surhumains, pouvant détecter des choses que nous ne pouvons imaginer que grâce aux indications des machines ultra-sensibles, et probablement même des choses dont nous n'avons aucunement conscience.

Beaucoup d'animaux sont capables de réagir à des transformations minimes advenant dans le monde, bien que se trouvant dans une boîte scellée, à l'intérieur de laquelle il est impossible de constater aucun changement de lumière, température, humidité ou son. Brown enferma un rat dans un « laboratoire-tombe » de cette sorte et découvrit que son dynamisme était trois fois plus développé lorsque la lune était sous l'horizon que lorsqu'elle était dans le ciel. Quel est ce « sens de la lune » ? Le métabolisme du rat est-il affecté par l'attraction lunaire produisant les marées ? Si c'est le cas, le rat possède un sens aussi ancien que celui des huîtres. Sur la côte atlantique de la Nouvelle Angleterre, les huîtres s'ouvrent deux fois par jour quand l'attraction lunaire est à son apogée. Brown expédia ces huîtres dans l'Oregon sur la côte Pacifique. Après une courte période d'acclimatation elles s'adaptèrent à ce changement de longitude et ouvrirent deux fois par jour leurs écailles quand la gravité lunaire locale se faisait sentir et non plus à l'heure où elle s'exerçait dans leur habitat atlantique précédent.

Brown a également prouvé que certaines créatures peu évoluées, comme les escargots, sont à même de ressentir les changements rythmiques subtils du champ magnétique terrestre causé par le flux et le reflux de l'ionosphère. (Votre transistor réagit également à la baisse globale de l'ionosphère durant la nuit. C'est pour cela que vous obtenez davantage de stations plusieurs heures après le coucher du soleil). Durant des milliers d'expériences, Brown a relâché des escargots le long d'un sillon et a noté dans quelle direction ils se tournaient. A certain moment du jour ou de la nuit, ils choisissaient une direction, douze heures plus tard une autre. Ce résultat n'était pas suffisant, Brown utilisa un aimant suffisamment faible pour correspondre aux subtils changements du champ magnétique terrestre, et il réussit à faire tourner les escargots contrairement à leurs habitudes.

Il existe un certain nombre d'hommes scientifiques contestant le fait que l'inversion des pôles magnétiques de la terre, qui s'est produite plusieurs fois, puisse avoir libéré des radiations suffisamment fortes pour déclencher un éclatement de mutations biologiques. Les paléontologistes ont pourtant enregistré la trace d'une discontinuité de la flore et de la faune, coïncidant précisément avec ces inversions des pôles. Plus les radiologues insistent en affirmant que ces transformations de polarisation ne peuvent en aucun cas agir sur les radiations, plus ils font ressortir l'étrangeté de ce que l'influence de ces changements purement magnétiques ont pu intrinséquement affecter la vie sur terre.

Brown est convaincu que certains organismes peuvent ressentir des changements incroyablement légers du champ électrostatique et même des changements de fréquence radio. Ces transformations se produisent sur terre toutes les vingt-quatre heures. Quand la lune tourne autour de la terre elle ne produit pas seulement des marées dans les océans, mais aussi dans l'atmosphère. Ces marées aériennes croissent et décroissent très légèrement non seulement au rythme de rotation de la lune, mais également au rythme de la phase de la lune qui se surimpose au premier. Ces marées causent à leur tour de faibles mais mesurables changements périodiques du champ électrostatique de la terre.

La minuscule puce de sable *Talitrus* se déplace non seulement le jour, en se basant sur le soleil, mais également la nuit en se servant de la lune. Il lui est possible de se réajuster continuellement au passage irrégulier de la lune dans le ciel. Un ordinateur capable des même corrections pèserait au moins trois kilos.

Je ne trouve aucune différence essentielle entre les deux écoles que nous venons de mentionner. Après tout le temps est seulement *ce qui arrive*. La raison pour laquelle les rythmes circadiens (de vingt-quatre heures) sont si communs est que la terre a tourné sur son axe depuis le début de son existence, que son satellite la lune a tourné autour d'elle et la terre autour du soleil, depuis avant l'apparition de la première cellule vivante. Le seul changement critique du rythme de vie ne pourrait se produire que si une race d'organismes était lancée dans l'espace pour un voyage dans le système solaire suffisamment long pour que les rythmes hérités de la terre soient graduellement effacés (ce qui demanderait probablement un millier de générations) et remplacés soit par un nouveau rythme complexe, et qu'il nous est impossible d'imaginer, soit par une absence totale de rythme. Une possibilité d'évolution intéressante à contempler.

Frank Brown s'est aperçu qu'il n'y a pas que les animaux pour percevoir les changements les plus ténus survenant dans le monde. Il scelle des pommes de terre dans des boîtes qui demeurent dans des conditions constantes de température et d'éclairage. Le taux de « respiration » de la pomme de terre dépend du flux aérien dont nous avons parlé plus haut. Mais l'attraction du soleil se révèle plus agissante que celle de la lune. Comme la chaleur solaire n'agit chaque « jour » que sur un seul côté de la terre, le cycle aérien causé par le soleil est forcément circadien et peut être enregistré par un baromètre sensible. Ce flux commence le matin, est à son maximum vers dix heures, et baisse rapidement dans l'après-midi. Les germes de pomme de terre réagissent à ces variations de flux et ont un comportement de baromètre vivant, absorbant plus d'oxygène quand la pression barométrique augmente. A un certain moment du processus de respiration, la pomme de terre se transforme même en prophète météorologique, prédisant les changements barométriques deux jours à l'avance. (Nous allons voir que le sens du temps, en tant que sens des événements en train de se dérouler, peut chez beaucoup d'êtres vivants, devenir une extrapolation de *ce qui va se passer*).

Une des conséquences importantes des travaux du professeur Brown est de faire comprendre aux biologistes que les conditions d'expérimentation en laboratoires ne sont pas toujours « rigoureusement identiques » comme il l'est généralement admis. On ne peut isoler un être vivant des changements survenant dans l'univers qui l'entoure. De nombreux organismes possèdent des modalités sensorielles que nous ne pouvons même pas imaginer.

De tous les stimuli circadiens *normaux*, le plus simple et le mieux prévisible est bien sûr la lumière du soleil. Répandue probablement dans le monde entier la migration *verticale* quotidienne des minuscules animaux marins (zooplancton) est certainement un des éléments les plus importants de la vie de notre planète. L'effet de la lumière dans des conditions artificielles change, ou ne change pas, le rythme auquel ces petits crustacés montent ou descendent dans les eaux salées. Le comportement le plus commun est que lorsque le soleil brille, cette vaste population descende vers les eaux plus profondes et remonte à nouveau pour la nuit. Malgré tout certaines espèces de zooplancton font exactement l'opposé, elles s'agglomèrent à la surface durant le jour et s'enfoncent durant la nuit. Certaines espèces, elles, tiennent à monter et descendre à un rythme qui leur est propre en ne s'inquiétant aucunement de la lumière.

L'action de la lumière sur le rythme sexuel des moineaux a été démontré par des chercheurs de l'université du Texas. L'action physiologique du cycle lumière-obscurité (par exemple l'augmentation de poids des testicules du mâle) dépend d'un rythme sous-jacent, la lumière n'a d'action déterminante que lorsqu'elle peut agir à certaines phases de ce rythme. Autrement dit, c'est la sensibilité à la lumière du processus glandulaire *de base* qui est rythmique. Ainsi donc, la réaction d'un oiseau à une longue journée de lumière peut être très augmentée par de courtes expositions à la lumière durant la nuit aux moments adéquats, c'est-à-dire aux périodes positives du rythme de base de l'oiseau. Ce rythme intérieur est sans aucun doute l'héritage d'un modèle de comportement dont la longue journée était le stimulus naturel.

Chez les oiseaux, la faible lumière ne provoque aucune excitation des hormones androgènes et la lumière verte est beaucoup moins stimulante que la blanche ou la rouge. La lumière faible ou l'obscurité régularise la phase et la période du rythme de photosensibilité. Les moineaux soumis à un cycle de quatorze heures de faible lumière verte et dix heures d'obscurité ne sont pas stimulés davantage que ceux demeurant dans une continuelle obscurité. L'ajout de la lumière blanche au moment de la transition entre l'obscurité et la lumière verte, ou douze heures plus tard au moment du retour de l'obscurité, ne produit aucune différence. Mais à tout autre moment, la photosensibilité glandulaire à la lumière blanche est suffisante pour que soixante-quinze minutes d'exposition corresponde pour la maturation des testicules, à une longue journée de lumière du jour. La caille du Japon est un oiseau tout indiqué pour ce genre d'expérience. Lorsqu'il est stimulé par les hormones androgènes, la glande cloacale mâle forme une protubérance très visible. Il n'est pas nécessaire de tuer l'animal pour peser les testicules, les dimensions de la glande cloacale chez l'oiseau vivant constituant une forme de contrôle plus précise que la pesée.

L'horloge glandulaire interne mue par la longueur des jours est probablement présente chez tous les animaux se nourrissant de la végétation des plantes caduques (qui perdent leurs feuilles en hiver) et vivant dans les zones tempérées. C'est surtout manifeste chez les insectes phytophages comme par exemple l'anthonome du cotonnier. Ces insectes ne se déplacent pas vers le sud durant l'hiver, il leur faut donc prévoir à l'avance une période de sommeil semblable à l'hibernation, appelée chez les insectes diapause. L'horloge interne des insectes est dans ces cas-là d'une précision ahurissante. Le déclenchement de la diapause dans une population donnée (par exemple, le premier insecte s'endormant pour l'hiver) peut se reproduire régulièrement chaque année à la même date à un jour ou deux près. Mais, ce qui est très important, la diapause ne se produit pas chez tous les insectes à la même période.

Durant les longs jours d'été la larve de l'anthonome du cotonnier peut se « dévorer » un passage à travers la balle de coton, tomber sur le sol et se transformer en nymphe (ou plus exactement en « pupe »). Il se formera une nouvelle génération d'insectes ailés qui aura le temps de s'accoupler et de pondre des œufs avant les temps froids. Durant les jours plus courts d'automne la larve préfère demeurer dans la capsule de coton et se filer un lit ou hibernaculum. Toute croissance ou tout développement sont interrompus. La larve entre dans l'état de diapause qui dure jusqu'au printemps.

La transition entre les jours courts et les jours longs se manifeste quand le nombre d'heures de lumière passe de treize à treize un quart. Néanmoins à vingt-sept degrés de température 30 % seulement des anthonomes réagissent à ce changement. Pour que la diapause se manifeste en même temps chez toutes les larves, il faut qu'elles aient connu des jours courts et une température de 20° au moins. Ce retard et cette discontinuité de réaction à l'allongement des jours est d'une grande importance pour ces insectes et un important facteur de sauvegarde. Comme le début et la fin de la diapause sont sous le contrôle de la lumière, le sommeil et le réveil (sous la forme ailée) au printemps, s'étalent sur plusieurs semaines. C'est une sorte d'assurance contre les désastres naturels. S'il se produit une inondation ou un ouragan tous les membres de l'espèce ne sont pas tués.

Que se passe-t-il lorsque, comme chez le moineau, on substitue de courtes périodes d'illumination nocturne à la place de longues journées ? Vous retrouvez le même phénomène. L'éclairement nocturne pour être un efficace inhibiteur de la diapause, doit être effectué pendant la période positive du cycle de photosensibilité. Chez l'anthonome du cotonnier la lumière a son effet optimum huit à dix heures après le crépuscule ou huit à dix heures avant l'aurore. La *durée* du jour n'a, à ce moment-là, plus aucune importance. Apparemment, la lumière inhibitrice de la diapause au début de la nuit agit comme la fin de la journée, (un crépuscule artificiel). L'illumination des dernières heures de la nuit au contraire agit comme un lever de soleil (une aurore artificielle). L'action consiste donc en un « décalage » du crépuscule ou de l'aurore.

Le processus provoquant la diapause peut être déjà déclenché dans l'œuf de l'insecte. L'exposition de l'œuf, pendant l'incubation, à douze heures de lumière et douze heures d'obscurité produit une diapause immédiate dans 50 % des larves nées de ces œufs. Les œufs ont éclos dans un rythme de jours courts. Cette qualité de mémoire lumineuse serait très utile aux anthonomes, la diapause pourrait ainsi être « programmée » par la lumière déjà dans l'œuf, ou au premier stade de la vie larvaire. Une larve plus âgée se nourrissant à l'intérieur d'une capsule de coton, où la lumière se perçoit à peine, serait déjà si sensibilisée à la lumière qu'au moment adéquat, elle stopperait sa mastication et commencerait à filer son lit hivernal.

Le fonctionnement de cette horloge réglée par la lumière comprend une réaction cérébrale nerfs/glandes similaire à la réaction hypophysaire des mammifères. L'identité sexuelle des pucerons peut être déterminée en illuminant la zone centrale du cerveau. La lumière peut également décider de la diapause de la tordeuse des chênes, en agissant sur le cerveau. Quand le cerveau d'une pupe de cet insecte est chirurgicalement transporté vers la queue, la photosensibilité suit ce déplacement. Le cerveau ne peut être stimulé par la lumière, et donc sécréter des hormones, que lorsque la température et l'ensoleillement sont de nature à permettre facilement le développement des larves. L'hormone hypophysaire stimule à son tour les glandes prothoraciques, qui participent à la multiplication et au développement des cellules du corps. Si la lumière n'est pas en synchronisme avec le rythme intérieur de sensibilité de l'insecte les hormones ne sont pas sécrétées et la diapause prend la place du stade de développement de la larve.

La nature hormonale du rythme *quotidien* des activités de l'insecte a pu être démontrée grâce aux blattes. Janet Harker a beaucoup travaillé sur les blattes, elle a réussi à réunir les systèmes circulatoires de deux blattes de telle sorte que l'une paraît chevaucher l'autre. Le rythme interne de la blatte inférieure avait été temporairement stoppé après avoir été soumis à une longue période d'illumination. Lorsque ces frères siamois artificiels ont été placés en perpétuelle lumière du jour, la blatte inférieure se mit à adopter un comportement diurne très défini. Donc les hormones de la blatte supérieure ont déterminé un nouveau cycle dans la blatte inférieure.

L'héritage du rythme particulier à une espèce est puissant et difficile à vaincre. Les abeilles dont les parents ont vécu dans l'obscurité possèdent un cycle normal de vingt-quatre heures. Les lézards confinés dans l'obscurité, dès l'éclosion de leurs œufs continuent à manifester un rythme d'activité circadien. Cinquante générations consécutives de mouches du vinaigre maintenues continuellement en pleine lumière possèdent toujours le rythme ancestral. Lorsqu'un crabe appelant est placé dans un laboratoire obscur, il continue à changer de couleur et à se déplacer aux mêmes heures que ses compagnons demeurés sur la plage.

Chez certains mammifères, un changement régulier se produit dans le cycle circadien quand l'animal se trouve longtemps éloigné du rythme naturel de jour et nuit. Des écureuils volants ont été aussi isolés dans l'obscurité de cages rotatives que l'activité des écureuils pouvait faire tourner sur elles-mêmes. Les écureuils en liberté se déplacent, se dépensent et vont ensuite dormir dans les arbres. Les écureuils captifs dans leur cage obscure font également alterner activité et repos, mais dans un cycle de vingt-trois à un peu plus de vingt-quatre heures. Les écureuils ayant adopté le cycle anormal de vingt-trois heures commençaient à s'agiter une heure plus tôt chaque jour.

Les expériences effectuées sur les humains au centre médical de recherches sous-marine de Gronton révèlent un allongement de ce cycle. Les hommes complètement séparés du monde sans lumière et sans montres gagnent de une à deux heures sur le cycle de vie normal. Un homme se couchant habituellement à une heure du matin, se couche une heure ou deux plus tard.

Après neuf jours au lieu de s'endormir vers une heure du matin il s'endort vers quatre heures de l'après-midi.

Le rythme circadien du corps humain est sujet à de grandes dislocations depuis que les avions à réaction accélèrent leurs vitesses. Ces distorsions peuvent même être si sérieuses, qu'il existe un règlement du ministère des Affaires étrangères des États-Unis, interdisant aux diplomates d'entreprendre des négociations moins de douze heures après avoir franchi un fuseau horaire. Beaucoup de malades d'hôpitaux semblent éprouver des malaises revenant avec régularité. Après avoir étudié cinq cents cas de cette sorte, le docteur Curt Richter a développé une théorie sur les indispositions cycliques (par exemple la migraine). Il est convaincu que chaque unité fonctionnelle de l'organisme a un rythme individuel inné. Dans un organisme normal et en bonne santé, ces unités fonctionnent indépendamment (la santé est arythmique). Les chocs ou les blessures peuvent accidentellement synchroniser ces différents cycles produisant une maladie. La guérison est obtenue lorsque chaque cycle s'est libéré et poursuit son travail selon son rythme propre.

Les animaux n'ont pas seulement développé le sens de l'orientation en arrivant à assimiler certains rythmes naturels, ils ont également développé l'efficacité de leur chasse. Le héron d'Australie, résidant dans l'intérieur des terres, à peu près à cinquante kilomètres des côtes, arrive quotidiennement sur la grève à l'heure *exacte* de la marée basse bien que cette heure se décale tous les jours de cinquante minutes.

Le frai du *Leuresthes tenuis*, petit poisson de la Californie du Sud, démontre un synchronisme total avec la marée. Le *Leuresthes* attend la pleine ou la nouvelle lune avant de frayer. A ce moment, les marées de l'équinoxe de printemps étant à leur apogée, la femelle se laisse porter par les vagues et va pondre ses œufs sur la plage, toujours à quelques minutes du point culminant de la marée. L'évolution a accordé au *Leuresthes* une faveur peu courante. C'est que l'incubation de ses œufs correspond au cycle des marées. Deux semaines après l'équinoxe se produisent à nouveau de fortes marées. La première n'a aucun effet, mais la nuit suivante, la marée encore plus haute balaye de ses vagues l'emplacement de la ponte. Les œufs ainsi délogés du sable, éclosent instantanément et la même vague ayant libéré les œufs remporte les alevins dans la mer.

Les coyotes et les chiens sauvages, friands des œufs de tortues, ont développé un sens d'anticipation, du lieu et de la date d'arrivée des tortues, absolument incroyable. La tortue ovidley des Caraïbes (*Lépidochelys kempii*) est apparemment le seul reptile aimant à pondre ses œufs en troupe. D'immenses convois de tortues ridley appelés « Arribadas » (ils peuvent atteindre quarante mille individus) atteignent les plages de Tamaulipas au Mexique à des périodes imprévisibles pour l'homme. Mais les coyotes sont déjà là, arrivés de tous les coins de l'arrière-pays en meute et bandes innombrables. Ce sont les coyotes des prairies qui ne fréquentent jamais les bords de mer excepté au moment où débarquent les tortues. Qu'ils puissent décider à l'avance du lieu et du moment de leur arrivée est stupéfiant. Archie Carr l'a bien souligné, ces agglomérations de pondeuses peuvent surgir à n'importe quel point des cent quarante kilomètres de côte, cent jours chaque année.

Certains animaux peuvent sans aucun doute prévoir le temps, et pas seulement l'approche d'une tempête mais aussi les rigueurs de l'hiver. Il n'existe que certains cas limités où nous puissions comprendre comment les animaux peuvent devenir prévisions météorologiques. Quand les oiseaux s'alignent au printemps ou en été sur les fils téléphoniques sans raison apparente, c'est qu'un orage approche, mais la même chose pourrait être prévue en consultant un baromètre. Les oiseaux se perchent sur les fils parce que la pression de l'air est si basse qu'ils trouvent fatigant de voler. Les ornithologues néanmoins constatent que les oiseaux migrateurs paraissent connaître douze heures à l'avance le temps qu'il fera à leur point d'arrivée et que c'est grâce à cette faculté que les migrations s'effectuent avec tant d'aisance. Les légendes locales sont des variations plus ou moins fantaisistes sur ce thème. Lorsque les perdrix ont des plumes poussant entre leurs pattes l'hiver sera rude et accompagné de beaucoup de neige, affirme-t-on en Nouvelle-Angleterre. Ailleurs l'hiver sera long ou court selon la manière dont les tamias (sorte de petits écureuils) portent leur queue en automne. La date de migration des cigognes et également la corpulence de l'ours brun permettent toutes sortes de spéculations.

Chez les oiseaux, il semble même exister une corrélation entre les dimensions de la couvée et la nourriture future. Chez certaines espèces, un grand nombre d'œufs est pondu à une période où on ignore la quantité de nourriture qui sera disponible. Une étude sur la mésange qui a duré sept ans, révèle que les couvées sont plus importantes les années où il y a beaucoup de chenilles et aussi que les jeunes mésanges éclosent juste au moment où les chenilles font leur apparition. Ces deux événements peuvent d'une année à l'autre varier d'un mois, mais ils sont toujours synchrones. Malgré tout certaines espèces font des erreurs. Le martinet noir d'Europe pond trois œufs au début de l'été, mais si le temps est pluvieux et froid, donc diminuant grandement le nombre d'insectes volants, les martinets font tomber du nid, deux ou même les trois œufs.

Certains poissons sont extrêmement sensibles aux changements de pression de l'air et de l'eau et leur comportement a été étudié en rapport avec les prévisions du temps au Japon.

Les savants soviétiques pensent avoir trouvé l'explication du comportement curieux des mouettes, dauphins et méduses qui se cherchent un refuge bien avant l'arrivée d'une tempête. Ils réagiraient tout simplement au *son* de la tempête. La friction résultant du mouvement des vagues contre les basses couches d'air donne une fréquence (de huit à treize cycles par seconde) perçue par les oiseaux, mais en dessous de ce que peut détecter l'oreille humaine. Des étudiants moscovites ont dans cet esprit créé un instrument imitant les appareils de perception des animaux et susceptibles de prévoir une tempête maritime douze à quinze heures à l'avance.

Il existe d'autres raisons plus urgentes d'étudier les récepteurs d'infrasons (en dessous du seuil d'écoute de l'oreille humaine). Les Japonais ont découvert que certains poissons et céphalopodes étaient à même de prévoir les tremblements de terre. (Selon les anciennes légendes, les tremblements de terre presque quotidiens de l'archipel japonais seraient causés par les mouvements d'un gigantesque poisson-chat.) Des seiches de grandes dimensions, que l'on ne trouve généralement que dans les profondeurs, ont été remarquées près des côtes, deux jours avant la grande secousse du 15 mai 1968. On a enregistré cent vingt-sept cas de comportements étranges de poissons et céphalopodes précédant un tremblement de terre. Par exemple, une espèce peu répandue de morue des profondeurs s'est échouée à Hayama peu de jours avant le terrible tremblement de terre de 1923 qui tua cent quarante mille personnes à Tokyo et Yokohama. Il est possible qu'avant les glissements de terrains responsables des chocs mécaniques, des sons de haute fréquence soient émis par les couches profondes de la lithosphère. Le gémissement de la terre avant que ses vastes épaules ne soient secouées de frissons dévastateurs.

Nous ne pouvons pas percevoir ces gémissements des profondeurs, mais il est possible que dans les eaux on puisse. Certains céphalopodes ont sur la peau des structures singulières, des sortes d'organes dont l'usage nous est inconnu. Ils sont très pigmentés, bien innervés et entourés de cellules transparentes ressemblant à de petits yeux. On a supposé que ces structures étaient sensibles aux changements de température et on les a appelées « yeux thermoscopiques ». Ils pourraient en fait être plutôt sensibles aux infrasons. Les pieuvres, seiches et calmars ne peuvent pas entendre nos sons mais il leur est peut-être possible d'entendre les notes qui préludent aux ouragans et aux tremblements de terre.

Dans le champ de recherche des infrasons, le travail le plus complet a été effectué, comme on devait s'y attendre, sur les sons meurtriers pouvant constituer des armes offensives. Nous avons évoqué la découverte accidentelle de Vladimir Gavreau et l'appareil qu'il a construit, capable de générer des ondes sonores de moins de dix cycles par seconde ou dix hertz (un hertz est un cycle par seconde, l'oreille humaine perçoit des sons de seize à vingt mille hertz). Les vibrations très rapides, soit traversent les solides ou rebondissent sur eux. (La base du sonar ultrasonique de la chauve-souris.) Mais les vibrations très lentes, d'intensité suffisante, arrivent à créer une sorte d'action de balancier se réverbérant dans les solides et arrivant rapidement à une intensité destructrice.

Gavreau construisit un sifflet géant branché sur un compresseur pneumatique. Quand on mit le sifflet en marche, aucun son audible ne fut perçu, mais les expérimentateurs faillirent y laisser leur vie — il fallut rapidement arrêter le sifflet, tous leurs organes, estomac, cœur, poumons, vibraient follement et ils furent malades de longues heures. Les occupants du même bâtiment furent également malades. Gavreau a l'intention de créer une arme militaire capable de tuer à huit kilomètres de distance. L'appareil a la forme d'un sifflet d'agent de police de cinq mètres quarante de long, il peut être monté sur un camion et alimenté par un énorme ventilateur mû par un moteur d'avion. Un problème subsiste encore. Cette arme tuera son opérateur en même temps que ses ennemis. L'idée la plus prometteuse est de diffuser simultanément des infrasons complémentaires vers l'arrière, ces ondes se neutralisant entre elles permettraient à l'équipage de garder la vie sauve.

L'univers des sens et des armes électriques.

En quittant les eaux mères océaniques, nous nous sommes séparés de l'univers sensoriel des champs électrostatiques. Ce que peut être un tel univers, nous ne pouvons pas l'imaginer mais lorsque l'évolution crée un animal adapté à ce milieu, il est précis et violent, possédant des organes d'une grande complexité. En général lorsqu'un animal possède des sens qui ne sont pas attribués aux autres, il en devient un spécialiste et les sens plus communs ont tendance à disparaître.

C'est parmi les poissons que les sens électriques et les armes électriques se sont développés. Mais c'est la plus archaïque de toutes les créatures, une sorte de bactérie, qui use de la technique développée par les technologues modernes les plus expérimentés — la cellule combustible — pour étendre son processus vital. Dans une cellule combustible, le matériau nutritif pouvant en brûlant apporter de l'énergie (disons l'hydrocarbure du pétrole) passe par l'électrode d'une batterie et *sans combustion* est dépouillé de son hydrogène, produisant au cours du processus, de l'électricité. La transformation s'achève en rejetant du bioxyde de carbone et de l'eau, mais sans présence d'air.

Si ces cellules combustibles bactériologiques étaient mises en valeur (et nous sommes malheureusement ici dans un domaine imaginaire), elles ne constitueraient pas seulement une source efficace et gigantesque de courant électrique, mais elles pourraient simultanément devenir méthode d'assainissement pour les rivières et océans pollués. Un grand nombre de bactéries anaérobies emploient les ordures et les rebuts comme source d'hydrocarbures plutôt que les combustibles. L'astuce serait donc de placer l'électrode et la membrane semi-perméable de la bactérie dans les eaux polluées, et de lui laisser faire le travail.

Comme l'étude des sens électriques des poissons est devenue le domaine privé de H. Lissmann de l'Université de Cambridge, c'est à travers ses études sur le poisson d'eau douce d'Égypte, *Gymnarchus nilotica* que nous allons découvrir ce domaine inconnu. Ce poisson ne tue pas, mais chasse à l'électricité. Il ne nage pas en battant de la queue comme les autres poissons, il garde ses vertèbres absolument rectilignes et c'est une nageoire dorsale longue et ondulante qui le propulse en avant et en arrière. Observer le *Gymnarchus* en train de tourner, le dos toujours rigide, est une convaincante démonstration d'hydrodynamique. Quand il se précipite vers un petit poisson pour le manger, il ne se heurte jamais contre les parois des aquariums, mais évite les obstacles avec grâce. Pourtant ses yeux ont totalement dégénéré et sont à peine capables de distinguer le jour de la nuit et il ne possède pas comme la chauve-souris ou le dauphin un équipement d'écholocation par ultrasons.

Une part de son secret est caché dans sa queue et fut découvert dès 1847 par Michael Erdl à Munich. Le *Gymnarchus* (dont le nom grec signifie « queue dénudée ») est un « drôle de corps »! Dans sa queue, Erdl découvrit des tissus ressemblant à ceux de l'organe électrique du gymnote d'Amérique du Sud, il s'agit de quatre fuseaux remontant jusqu'au milieu du corps du poisson. Comme tous les organes électriques, on pense que ces tissus étaient autrefois musculaires. L'évolution en leur octroyant des propriétés électriques leur a supprimé leur pouvoir de contraction. Il existe des poissons paralysant leurs proies par de violentes décharges mais chez les *Gymnarchus*, les décharges sont faibles. Il a été possible d'enregistrer l'électricité émise, il s'agit d'un flux de décharges électriques d'une fréquence continue de trois cents périodes à la seconde, croissant et décroissant selon la position du poisson par rapport à l'électrode fixe recevant le courant. Même lorsque le *Gymnarchus* dort, ou tout au moins demeure immobile, la production et la fréquence de l'électricité demeurent identiques.

Lissmann a découvert d'autres poissons pouvant émettre un courant continu d'électricité, un parent du *Gymnarchus* et en Amérique du Sud le gymnote ou anguille électrique. La nature et la fonction de ces décharges électriques sont controversées. Certains pensent qu'il s'agit d'ondes électromagnétiques permettant aux poissons de localiser ce qui les entoure comme le fait un radar. Lissmann semble triompher en formulant une théorie répondant à tous les faits observés. A chaque décharge, la queue du *Gymnarchus* devient électriquement négative par rapport à sa tête. Le poisson devient un « bi-pôle ». On peut donc imaginer un courant électrique se répandant dans l'eau en dessinant un ensemble de lignes correspondant au « champ bipolaire ». La configuration exacte de ce champ dépend de la conductibilité de l'eau et de la distorsion apportée au champ par les objets (rochers ou autres poissons) d'une conductibilité différente. Pour employer un langage plus précis et plus technique, l' « impédance » est changée. Dans les grands espaces liquides dépourvus de poissons, le champ est symétrique. Quand il existe d'autres objets, les lignes du courant électrique vont converger vers les meilleurs conducteurs et diverger de ceux qui ne le sont pas. Ces objets donc altèrent la diffusion du potentiel électrique sur la surface du poisson émetteur, et ce changement, quelquefois infinitésimal mais suffisant, permet au *Gymnarchus* de se procurer sa nourriture et de se déplacer en évitant les collisions.

Lissmann a découvert que le poisson réagit violemment quand un isolateur électrique (tel un peigne dont vient de se servir une personne aux cheveux secs) est déplacé dans son aquarium, or l'effet électrique ne doit pas dépasser un millionième de volt par centimètre. *Gymnarchus* peut parfaitement ressentir la différence entre un pot contenant de l'eau et un autre contenant de la cire. La cire étant très isolante, cela paraît facile. Mais il peut également distinguer les différences entre divers mélanges d'eau ordinaire et d'eau distillée. (Cette dernière étant d'une conductibilité inférieure.) Il peut également déceler la présence d'une tige de verre de deux millimètres de diamètre enfoncée dans un pot de fleur.

Puisque le champ électrique se propage à partir de la queue dénudée du poisson, par où exactement revient-il à la tête ? Qu'est exactement l'autre extrémité du bipôle ? On sait que les tissus et les fluides internes des poissons d'eau douce sont bons conducteurs de l'électricité et qu'ils sont entourés d'une peau isolante. La peau des *Gymnarchus* et des autres mormyridés est très épaisse, elle est formée de couches de cellules plates, quelquefois d'une forme hexagonale, plus isolantes que le caoutchouc.

Mais à certains endroits, principalement autour et sur la tête, la peau est perforée. Ces pores conduisent à des petits tubes remplis d'une substance gélatineuse. Comme cette substance est d'une grande conductibilité, il est certain que les lignes électriques de l'eau convergent vers ces pores. Chaque tube s'élargit à sa base en une capsule ronde contenant des groupes de cellules appelées glandes multicellulaires ou « mormyromastes ». C'est ici que l'un des sens les plus délicats de tout le royaume animal appréhende les signaux à fournir au cerveau. Anatomiquement les capsules se prolongent en fibres nerveuses qui se réunissent et forment le nerf plus important se rattachant au cerveau. Les centres cérébraux concernés par ce nerf sont très étendus et complexes. Chez le *Gymnarchus* et chez certains mormyridés, ils recouvrent toute une partie du cerveau.

Les raies possèdent également de faibles organes électriques dans la queue. Il ne s'agit plus ici de poissons osseux comme les mormyridés, les raies sont aussi éloignées des *Gymnarchus* comme degré d'évolution, que l'escargot l'est d'une pieuvre. Les raies vivent dans l'eau salée de l'océan qui est bien meilleure conductrice de l'électricité que l'eau douce, et possèdent en plus un organe appelé « ampoule de Lorenzino » qui est un long tube rempli de gelée ouvert à l'eau d'un côté et comportant un bulbe sensoriel de l'autre. Les raies sont des poissons peu coopératifs et Lissmann ne put rien découvrir d'intéressant à leur sujet.

Remarquons malgré tout la caractéristique commune de tous ces poissons. Tous se déplacent en conservant l'épine dorsale absolument rigide. Ils se déplacent en agitant leurs nageoires ventrales, dorsales ou pectorales. Ceci est essentiel si la théorie de Lissmann est correcte. C'est en effet la graduation des différences de potentiel électrique sur la surface du poisson qui est à l'origine du signal. Pour que cela fonctionne, l'électrode, ou plus justement le vivant bipôle, doit se maintenir en alignement géométriquement exact.

Nous nous trouvons avec *Gymnarchus*, comme avec toutes les espèces vivantes percevant l'univers extérieur, au centre d'un mystère. Nous connaissons la sensibilité étonnante que peuvent atteindre les sens. Un quantum de lumière peut affecter un œil sain, une vibration de dimension subatomique peut être perçue par une bonne oreille, une unique molécule peut stimuler un odorat subtil. Ce que nous ignorons est comment des signaux aussi *minuscules* peuvent être perçus et extraits du désordre et du bruit des cellules actives. Chaque cellule a un travail particulier à accomplir. Dans le cas des poissons, le problème de l'élimination du bruit est grandement compliqué par la haute fréquence des décharges de l'organe électrique. Généralement le stimulus sensoriel croît en même temps que la fréquence nerveuse. Un léger parfum se transforme en puanteur épouvantable lorsque le stimulus pousse le nerf à émettre des messages d'une fréquence de plus en plus grande. La limite de fréquence peut varier d'un organe sensoriel à un autre mais cinq cents impulsions nerveuses à la seconde sont une limite supérieure moyenne bien que des pointes de onze cents impulsions aient déjà été observées.

Gymnarchus peut réagir à un courant électrique direct de un dix millionième de volt par centimètre. C'est la sensibilité nécessaire à la détection de la tige de verre de deux millimètres dont nous avons déjà parlé. La différence, presque mythique, du courant que cela représente est de : 0 000 000 000 000 003 ampère. Ce poisson doit pouvoir être à même de percevoir le bruissement des bactéries, mais il ne représente pour lui qu'un son subjectif dépourvu de signification. Il est directement conscient d'un univers que nous ne pouvons approcher que pourvu de l'équipement scientifique le plus coûteux, mais seule une fraction de cet univers est signifiante pour lui et lui permet de réagir.

Si nous pouvions comprendre le fonctionnement de ce sens électrique, il nous serait possible de créer un univers électrique artificiel aussi parfaitement mis au point que le sien. La structure de ses organes électriques diffère d'une espèce à l'autre, et même d'un poisson à l'autre. L'évolution a enregistré un succès technique mais ne paraît pas trop savoir qu'en faire.

Lissmann a découvert que chez certains poissons, la fréquence des émissions électriques change selon leur humeur. Dans ce cas il ne peut pas exister de procédé établissant une moyenne sensorielle. Il semble que comme chez l'homme, pourvu de sens nombreux, c'est le cerveau qui doit remplir cet office. Ces deux sortes de poissons : à émissions de fréquence constante et de fréquence variable, ont évolué indépendamment en deux familles distinctes de poissons de rivières, une en Afrique et l'autre en Amérique du Sud. (Il n'est pas exclu de penser qu'au moment de cette évolution, l'Afrique et l'Amérique du Sud ne formaient qu'un seul continent.)

Certains gymnotes peuvent réagir aux vibrations électriques proches des leurs, en transformant leur fréquence de manière à la différencier de cette source étrangère. Autrement dit deux poissons peuvent chacun réagir à la présence de l'autre. Cela peut être important pour la période du frai. Comment reconnaître sa femelle? Peut-être que dans ce cas, la résistivité électrique se transforme et qu'un autre sens (probablement l'odorat) devient temporairement dominant.

On a découvert très récemment que les pulsions électriques de quatorze espèces de mormyridés étaient susceptibles d'être conditionnées. La fréquence peut être augmentée en conditionnant le stimulus des chocs électriques par des lumières. Ces résultats sont nouveaux en psychologie animale puisque aucune sécrétion (telle que la salivation pour les chiens de Pavlov) ni mouvements ne sont concernés par ce conditionnement. Si l'on se souvient que l'organe producteur d'électricité fut un muscle dans un lointain passé, ce phénomène devient moins surprenant.

Une autre sorte d'organes électriques a été découverte chez certains poissons osseux. Ces organes fonctionnent sur le principe de la piézo-électricité, une électricité créée par l'action de forces mécaniques sur des cristaux. Certains otolithes (concrétions de carbonate de chaux se trouvant dans l'oreille interne) manifestent des caractéristiques piézo-électriques. Les otolithes semblent constituer des mécanismes de perception des profondeurs ou d'analyse de fréquence infrasonore.

L'évolution normale d'un organe de perception électrique dérivé d'un muscle est de devenir un organe non plus capable seulement de localiser une proie, mais de la paralyser ou de la tuer. Le gymnote, appelé aussi anguille électrique à cause de sa ressemblance avec cet animal, mais étant de la même famille que la carpe, peut produire des chocs électriques d'une puissance sans autre équivalent dans le monde animal. Ces chocs sont capables de tuer une mule. L'électricité est produite dans des « glandes » (muscles profondément évolués) commençant derrière la tête et s'étendant sur toute la longueur du corps. Le courant circule de la queue vers la tête, mais l'isolation du gymnote lui permet de ne pas avoir à en souffrir.

Le gymnote moyen, mesurant de un mètre à deux mètres cinquante, peut délivrer des décharges de cinq cents volts. La décharge traverse son corps à une rapidité de douze cents mètres à la seconde, ce qui est douze fois plus que la vitesse atteinte par les impulsions nerveuses les plus rapides du corps humain. La puissance est habituellement de quarante-six watts mais les mille watts peuvent être apparemment atteints sans effort particulier.

Le mécanisme de la décharge électrique du gymnote n'est pas bien connu. Les cellules productrices d'électricité (appelées électro-plaques) ont pu être identifiées mais leur extraordinaire efficacité demeure surprenante. Les gymnotes « emmagasinent » leur électricité cent fois mieux que les piles électriques courantes (0,11 comparé à 0,001 watt par gramme dans les piles).

Dans un zoo de Pittsburgh, en 1967, un gymnote a été présenté dans un grand réservoir. Celui-ci était relié à des fils pour que l'électricité générée par le poisson puisse être utilisée. Chaque décharge éclairait un voltmètre et déclenchait un flash permettant de prendre une photographie du poisson.

Le gymnote peut administrer plusieurs décharges avant d'avoir besoin de repos. Un homme placé dans l'eau à sept cent cinquante mètres du gymnote peut, même à cette distance, être tué par sa décharge.

Les décharges électriques sont également employées, mais pour la défense et non plus pour l'attaque, par des poissons de mer, les *Uranoscopus* et par un poisson d'eau douce de la famille du silure, le *Malapterurus*.

Les raies de certaines espèces, en Floride et aux Antilles, emploient des organes électriques non plus seulement pour la détection, mais pour se défendre et chasser. Elles ont la même forme que les raies venimeuses (pastenague) mais l'aiguillon venimeux est devenu électrique. Beaucoup de raies mettent au monde des petits vivants qui lorsqu'ils sont touchés sont à même de produire de légers chocs.

La torpille est moins dangereuse que le gymnote, ses décharges sont de cinquante à soixante-dix volts. Cela a permis une étude approfondie de son anatomie. De chaque côté de la tête se trouve un organe électrique, masse gélatineuse, ayant la forme d'un haricot et constitué de prismes hexagonaux de deux à trois centimètres de haut. Chacun de ces prismes est lui-même constitué d'une pile de disques électriques d'un dixième de millimètre d'épaisseur, réunis par des nerfs spéciaux branchés sur la surface extérieure. Une torpille possède quatre cent mille disques de cette sorte. La ressemblance avec la pile de Volta est évidente. Tous les organes électriques, en fait, fonctionnent comme des piles. Chez la torpille la ressemblance de ces organes avec les muscles striés est très grande et prouve une fois de plus que l'évolution peut faire d'un muscle n'importe quoi, peut-être même une nouvelle sorte de cerveau.

Comment voir la chaleur et faire la lumière.

Les serpents sont des animaux lents et presque pathétiquement inadaptés à la locomotion. C'est peut-être pour cette raison que l'évolution leur a octroyé un univers sur commande probablement plus difficile à concevoir que celui du *Gymnarchus*. Les vipéridés, comprenant le crotale et le trigonocéphale, possèdent de chaque côté de la tête une petite fosse qui leur permet de distinguer les différences de température les plus infimes de ce qui les entoure.

Il leur est donc possible de déceler la présence d'animaux au sang chaud à d'assez grandes distances. Ce sens est peut-être la revanche des reptiles sur les premiers mammifères ayant dévoré les œufs de leurs gigantesques ancêtres.

Cette « fossette » se trouve sur les côtés de la tête entre l'œil et la narine, mais plus bas. Il s'agit d'un organe sensoriel complexe, constitué de deux cavités séparées par une mince membrane ressemblant presque à un tympan. Le crotale peut détecter une différence de température de moins d'un millième de degré. Le trigonocéphale rampe silencieusement à travers les buissons pour attaquer un nid qu'il n'a pas encore aperçu, mais qu'il trouve infailliblement en suivant les rayons infrarouges émis par les oisillons. Sa sensibilité est beaucoup plus grande que celle des appareils photographiques à infrarouges. Quand deux balles de même dimension, mais différentes d'une fraction de degré, sont présentées à un crotale, il frappera invariablement la balle la plus chaude.

Beaucoup de gens aimeraient savoir comment ces serpents arrivent à une telle acuité thermique. Spécialement les militaires. Les missiles aériens « air-air » utilisés aux États-Unis atteignent leur objectif en suivant les radiations de chaleur. Mais dans certains cas, ces missiles sont entrés dans le réacteur de l'avion à atteindre avant d'exploser. Ces missiles peuvent ainsi être éliminés par des leurres atteignant la même température que les fusées ou les réacteurs, et libérés par les avions menacés. Il serait bien sûr impossible d'égarer de cette manière un cobra volant.

On a découvert récemment que non seulement les vipéridés mais aussi les boas et les pythons possèdent entre les écailles de la tête une dépression jouant le rôle d'œil « thermoscopique ». Ces fosses varient en nombre et en profondeur selon les espèces. Chez le python australien *Morelia spilotes* elles fonctionnent parfaitement bien. Si l'on enregistre l'activité électrique du nerf se trouvant au fond de la fosse on remarque qu'il existe une émission continue de décharges, soit régulières soit de rythmes variés. Quand un objet légèrement plus chaud que ce qui l'entoure est approché, la fréquence nerveuse augmente immédiatement. On obtient une réaction distincte en agitant la main à un mètre de la tête du serpent même s'il a les yeux bandés. Si la radiation est filtrée par de l'eau, la fréquence des décharges baisse brutalement, prouvant que les rayons infrarouges, absorbés par l'eau, sont bien ce qui agit sur le serpent.

Si l'on renverse l'équilibre des radiations (lorsqu'un objet plus froid que le serpent est placé près de lui) la fréquence des décharges devient très réduite. Si un objet plus froid que de la glace est approché du python toute décharge est supprimée. Il ne reste même plus un arrière-plan d'activité nerveuse. Bien que ce silence inhabituel puisse constituer un message il est plus probable que le serpent, n'ayant jamais eu connaissance du phénomène glace, ne possède aucun code correspondant à cette improbable température.

Nous ignorons complètement comment l'énergie thermique se transforme en énergie nerveuse, (nous ignorons même comment fonctionne notre très fruste sens cutané de température). Nous savons seulement que la structure microscopique des terminaisons nerveuses est, dans le crotale et le python, entièrement différente. Il est probable que l'évolution a trouvé deux manières distinctes d'apporter aux reptiles une compensation à leur vue faible et leur déplacement difficile.

Dans le premier chapitre nous avons amassé une masse considérable de détails concernant la vue, mais nous n'avons pas parlé des créatures se donnant beaucoup de mal pour *être vues*. Il leur est possible de créer une lumière froide par une réaction chimique, un procédé d'illumination beaucoup plus efficace que les ampoules électriques créées par l'homme. La luciférine (pigment organique) réagit à l'oxygène en présence de l'enzyme luciférase, pour être ensuite régénérée par la substance énergétique importante qu'est le triphosphate d'adénosine. Techniquement, le miracle consiste en ce que la *totalité* de l'énergie (100 %) obtenue par l'oxydation de la luciférine soit transformée en lumière. Si nous pouvions réaliser une telle prouesse nous économiserions 70 % de nos dépenses d'électricité. En effet, 70 % de la lumière électrique des lampes est transformée en chaleur, non seulement inutile, mais nuisible à la durée des ampoules.

La luminescence se manifeste dans la plupart des formes de vie primitives, sans oublier les moisissures et les bactéries. Elle est surtout répandue dans les formes marines : éponges, coraux, poissons et calmars.

Chez les animaux possédant un système nerveux on aimerait connaître la manière dont le processus lumineux est contrôlé. Trois cent mille lucioles ont été employées par certains laboratoires pour obtenir des quantités de luciférine permettant l'expérimentation. La luciole *Plotinus pyralis* possède sa lanterne à l'arrière, sous le ventre. La peau est à ce niveau transparente, procurant un hublot à la couche de cellules lumineuses se trouvant en dessous et recouvrant elle-même une couche de cellules réflectrices.

Il a fallu plusieurs dizaines d'années pour que les biochimistes découvrent la réaction permettant l'émission lumineuse. Pourtant dès 1887, un physiologiste français Raphaël Dubois, avait remarqué que l'on pouvait obtenir de la lumière d'une substance demeurant dans l'eau ayant servi à laver certains bivalves fouisseurs, comme les coques et les palourdes. Durant la dernière guerre, les soldats japonais obtenaient une poudre en pilant ces coquillages. Quand la nuit, ils ne voulaient pas révéler leur position en employant une torche électrique, ils ajoutaient de l'eau à cette poudre qui devenait phosphorescente et permettait facilement la lecture d'un texte ou d'une carte.

Pratiquement tous les poissons de grande profondeur sont lumineux, spécialement ceux vivant à plus de cinq cents mètres. Les organes lumineux (photophores) varient extraordinairement. Les plus courants sont composés de cellules glandulaires placées dans la peau. Elles sont en général aussi complexes qu'un œil, comportant une sorte de lentille et un réflecteur placé sous contrôle de la volonté grâce à un mécanisme qui nous échappe totalement. Les stomatidés possèdent deux rangées latérales de photophores le long du bas du corps. Les myotophidés ou poissons lanternes sont tachetés de rangées de points brillants. Un poisson de l'océan Indien l'*Anomalops* possède un organe lumineux unique placé sous les yeux et attaché à une tige mobile, en dessous se trouve une fente. Quand *Anomalops* veut passer inaperçu, il enfonce sa lanterne dans sa poche.

A quoi servent ces lampadaires ? Certains sont des signaux sexuels comme dans le cas des lucioles et des vers luisants. D'autres des pièges. Certaines baudroies des grandes profondeurs possèdent des tentacules lumineux leur pendant au menton. D'autres ont leur éclairage au bout de leur canne à pêche. Ces leurres jaunâtres ont pour but d'attirer les poissons devant leur servir de nourriture, comme certains pêcheurs humains plaçant des hameçons sur des mouches ou cuillères pour faire bonne pêche.

Les lumières peuvent être colorées et ces couleurs varier. En Amérique du Sud et Amérique Centrale un ver dispose de deux couleurs. Une lumière frontale rouge et des points lumineux verts latéraux. La nuit la tête rouge brille exactement comme une cigarette allumée. Lorsque le ver est dérangé, il allume ses lumières latérales. Ces feux verts et rouges l'ont fait appeler « ver chemin de fer ». Chez ce ver, et bien d'autres, le but de ce système lumineux demeure inconnu. En effet, ces insectes ne sont pas vénéneux comme la plupart des créatures violemment bariolées. Ils semblent simplement vouloir affirmer leur identité. Prétention très dangereuse quand cette identité ne constitue pas une menace suffisante. A moins que le fait même de pouvoir émettre ces gracieuses lueurs ne constitue un privilège terrifiant pour les membres rampants de cet univers.

Les vers luisants des grottes de Nouvelle-Zélande provoquent l'admiration lorsqu'on sait de quoi il s'agit, car l'étranger pénétrant par hasard dans une de ces grottes risque l'infarctus au premier coup d'œil. Ces vers juchés sur les parois possèdent de minces filaments lumineux, pendant comme des franges. L'effet général est prodigieux et évoque les contes des Mille et une Nuits. Si vous poussez un cri d'admiration (ou d'effroi) ou si vous parlez à voix haute, les vers « s'éteignent » instantanément, pour se « rallumer » graduellement quand le silence s'est rétabli.

Ivan Sanderson, explorateur et naturaliste, a découvert dans une grotte de l'île de Trinidad probablement le premier vertébré terrestre lumineux. Il s'agit d'un petit lézard. Ce reptile peut allumer pendant quelques secondes une série de points lumineux sur ses flancs, ressemblant aux rangées de hublots d'un paquebot la nuit. Comme ce talent n'est possédé que par les mâles, il est évident qu'il s'agit d'une parade sexuelle, comme lorsque les paons font la roue en étalant les splendides couleurs de leurs plumes.

La « luciole marine » du Japon est tout simplement un crustacé (une sorte de crevette à coquille). Elle émet de riches étincelles de lumière lorsqu'elle est dérangée. Il s'agit peut-être d'une menace, son système de luciférine étant très important. Quelques-uns de ces crustacés secoués dans un tube d'eau donnent suffisamment de lumière pour que la lecture soit possible. Si l'alcool est substitué à l'eau, la lumière persiste pendant quinze minutes. Une part des tissus de ce crustacé pour un billion de part d'eau, suffit à produire une lueur visible. Une douzaine d'espèces d'ostacodes de cette famille produisent de la lumière dont la couleur varie du bleu au vert et au jaune. Chez les crustacés plus évolués les organes lumineux deviennent d'une structure si complexe qu'ils ont été longtemps considérés comme des yeux. En fait l'évolution semble ici conserver une option. Tout comme elle peut transformer un muscle en un détecteur ou un émetteur de chocs électriques meurtriers, elle peut aussi transformer un œil en phare ou vice-versa. La crevette *Sergestes challenger* possède quatre cent cinquante points lumineux. Pour une raison demeurée inconnue, aucun crabe lumineux n'a encore été découvert.

L'amphipode *Talitrus* ou puce de mer, dont nous avons déja parlé, est souvent infecté de bactéries lumineuses, ce qui lui est aussi fatal que la peste bubonique pour les rats ou les humains. Pourtant, ces mêmes bactéries sont *cultivées* pour leurs qualités lumineuses par certains poissons et céphalopodes possédant des organes spéciaux, véritables chambres de culture étanches, leur permettant d'avoir la luminosité sans risques. C'est un remarquable cas de symbiose que l'on peut comparer à la découverte par l'homme du moyen de faire le feu.

Certaines seiches possèdent des organes lumineux très élaborés. Nous savons peu de choses à leur sujet, ces seiches lumineuses vivant dans les grandes profondeurs de l'océan et étant difficiles à attraper. Ces organes lumineux peuvent se trouver dans n'importe quelle partie d'une pieuvre mais la plupart du temps dans les téguments internes des bras, du capuchon des yeux et du manteau.

Il se pourrait que ces illuminations se rapportent aux « cérémonies de triomphes ». Comportement archaïque étudié de nombreuses fois chez le mâle de l'oie grise et que nous retrouvons chez le *Porichthys notatus*, ou Lophie pêcheuse. Normalement c'est un poisson terne et brunâtre. Lorsqu'il est dérangé, il illumine soudain des rangées multiples de lumières. En même temps, il fait entendre une sorte de bourdonnement. On imagine une armée défilant bannières déployées et tambours battant. Puis tout s'éteint, et la Lophie retourne à la garde de son nid et de ses œufs.

Le merveilleux phénomène de phosphorescence appelé « mer brûlante » est le résultat des jeux amoureux de millions de minuscules copépodes, sortes de crevettes primitives. Sept espèces au moins émettent de la lumière, à certains moments de l'année, selon l'état de la mer.

Depuis la fatale bombe d'Hiroshima, de nombreuses études ont été effectuées sur la radioactivité. Bien que notre terre, il y a à peu près un billion d'années, ait été bombardée par de puissants rayons actuellement arrêtés par l'atmosphère, la plupart des cellules végétales et animales ne manifestent aucun souvenir de cette irradiation.

En général, les radiations fortes que l'homme a pu créer et susceptibles de diviser la matière, sont les mieux supportées par les arthropodes (insectes, crustacés, etc...). C'est principalement parce que leur squelette se trouve à l'extérieur. C'est une bonne protection, mais qui s'avère inefficace si les arthropodes mangent ou touchent les matières radioactives. Le sphex peut se servir de « boues chaudes » (contenant des matières radioactives) pour construire son nid, tandis que la guêpe parasite *Trypoxilon albitarsis* les évite. C'est le *seul* exemple connu d'un animal capable de détecter la radioactivité. Il s'agit d'un sens d'une valeur énorme, l'homme lui-même n'étant pas capable de détecter ces rayons sans l'aide des compteurs Geiger.

Un très grand nombre de recherches ont été effectuées sur différentes substances chimiques pouvant protéger l'homme des radiations ionisantes provenant des explosions nucléaires. Habituellement on sacrifie des singes à cette cause. On ne peut pas dire que les résultats soient encourageants, à moins d'être alcoolique. En effet, il apparaît qu'un singe ivre semble posséder de meilleures chances de survie qu'un singe sobre. Les pessimistes s'attendant à tous moments à un holocauste atomique ont donc un espoir d'échapper à la mort : demeurer dans une ébriété constante. Le problème demeurant simplement de savoir si la bombe éclatera avant la cirrhose!

Les formes de vie actuelles ont dû évoluer dans un environnement de quelques dixièmes de roentgen par an (ce qui représente une combinaison de l'arrière-plan de radiations dues aux dépôts géologiques de minéraux radioactifs, et de la pénétration, très rare, de rayons cosmiques « durs » dans l'atmosphère). Étant donné l'augmentation, hélas irréversible, de la radioactivité terrestre, de nombreux radiologues ont étudié l'action de fortes radiations artificielles sur les communautés végétales, plus faciles à étudier que les communautés animales ou humaines. Une importante source de rayons gamma (neuf mille cinq cents curies de césium 137) est suspendue au-dessus du sol de manière à ce que le cône de radiation s'étende sur une large zone. Cela suffit à produire dans un rayon de quelques mètres plusieurs milliers de roentgens par jour, le taux ordinaire se retrouvant à quelque trois cents mètres de là. Ces expériences sont faites dans un jardin abandonné et dans une forêt.

Une énorme différence de sensibilité aux radiations a été remarquée entre les arbres et les plantes. La forêt est beaucoup plus sensible qu'on ne l'avait prévu. Un pin ne peut pas supporter plus de radiations qu'un homme, bien qu'il soit, en fait, de beaucoup le plus vieil organisme du groupe. (Probablement parce que ses chromosomes sont beaucoup plus grands que ceux des autres végétaux.) Dans l'est des États-Unis quand un champ ou jardin est abandonné, une quarantaine de différentes mauvaises herbes se disputent le terrain. La première année est habituellement l'année de la consoude, suivie de l'année de l'érigéron qui plus tard cède le terrain aux genêts et aux asters, suivis encore plus tard par une conversion du jardin en bosquets, puis forêts de pins et forêts de chênes et noyers.

Sous l'action des radiations, cette évolution est brutalement simplifiée. La croissance varie selon la quantité des radiations reçues. Dans la zone de contrôle (pas de radiations) la croissance est de quatre cents grammes par mètre carré. A mille rœntgens par jour la croissance est doublée : huit cents grammes par mètre carré. Mais dans l'espace le plus proche de la source des radiations, la croissance est pratiquement nulle. L'énorme augmentation de croissance enregistrée dans la zone intermédiaire de radiations s'explique lorsqu'on sait que certaines formes primaires de végétation sont particulièrement résistantes. Les plantes ordinaires, elles, ne le sont pas et la végétation résistante profite de cette aubaine. Le chiendent est pratiquement la seule espèce à pouvoir résister à deux cents rœntgens par jour.

Les insectes évoluent selon les quantités de nourriture disponibles. Les insectes se nourrissant de cellules ou de bactéries mortes augmentent d'abord dans les zones centrales des forêts (par exemple les cloportes). La seconde année se produit un envahissement soudain de pucerons sur les chênes exposés à cinq et dix rœntgens par jour. Les pucerons partagent, avec certains cryptogames comme le charbon des céréales, la faculté de se reproduire par parthénogenèse (reproduction sans fécondation sexuelle) ce qui, lorsque la nourriture est abondante, leur assure une multiplication effrénée. Il est probable que cette faible exposition aux radiations communique aux feuilles de chêne une qualification particulière détectable par les pucerons et non par l'homme, même au moyen des analyses les plus élaborées.

La forêt fut beaucoup plus rapidement dévastée que les champs. Les plantes les plus humbles sont plus résistantes que les arbres. Les mousses et les lichens sont les plus résistants de tout le règne végétal. Cela semble indiquer que l'habitude de vivre dans des conditions climatiques difficiles prépare à toutes les difficultés. La sensibilité aux radiations paraît indiquer aussi la sensibilité aux mutations dues à l'environnement en général. Bien que les fortes radiations aient tué les pins, si ces radiations étaient poursuivies pendant quelques milliers d'années on assisterait certainement à l'apparition d'une variété de pins, résistante aux radiations. Les chênes visiblement sont sur le point d'effectuer une mutation fort intéressante pour les pucerons. Il se pourrait que dans un ou deux milliers d'années une mutation supplémentaire apparaisse, transformant en poison ce qui semble actuellement si friand à ces insectes.

Signalisation par ligne directe et ligne groupée.

Nous avons mentionné plus haut combien l'intérêt envers l'instinct ramenant infailliblement certains animaux au logis, semble s'être dissipé dans la mesure même où cet instinct s'est révélé extraordinaire. Néanmoins le rapport de deux experts semble découvrir un terrain nouveau sur les rapports existant entre l'esprit et la matière. Il s'agit du fait que beaucoup d'oiseaux communiquent nécessairement entre eux pour organiser leurs migrations. Il a été constaté que les déplacements de grands vols sont beaucoup mieux orientés que les petites formations ou les oiseaux isolés. La formation en V des vols d'oies semble avoir pour but la mise en commun des informations directionnelles. Les mouettes argentées sont des créatures dont l'ajustement social est si délicat qu'un vol nouvellement arrivé prend des décisions d'humeur et d'activité, comme une unique entité de mouettes. La dépendance de l'oiseau au sein de cette communauté est telle que si par accident une mouette ne peut retourner au printemps dans sa propre colonie, il ne lui est pas possible de s'accoupler.

Les tortues marines sortant de l'œuf et se frayant un passage à travers le sable dont leur mère les a recouvertes, se précipitent en bandes titubantes vers la mer. Leur sauvegarde réside dans le nombre, et il existe un faible, mais assez efficace, esprit de groupe. Un bébé tortue isolé demeurerait plus longtemps en terrain découvert, et aurait donc une beaucoup plus grande chance d'être gobé par les goélands, les mouettes, les hérons et les crabes attendant son passage, ou risquerait même de se dessécher en route sous cet éclatant soleil. Intégrées dans un groupe, les tortues ont moins l'occasion de céder à la lassitude, ce qui arrive souvent aux isolées, et il a été constaté que groupées les tortues marchent plus vite, et en plus droite ligne vers les flots.

Les oiseaux ne volant pas, comme le pingouin de la terre Adélie, accomplissent quotidiennement des prouesses incroyables quand ils font l' « exercice ». Des milliers de pingouins sur le bord de la mer de glace font des demi-tours parfaits tous ensembles et déambulent presque au pas. Eux aussi se comportent comme si leur horde n'était plus qu'un unique organisme.

Considérons aussi les mères vivant en immenses colonies comme les otaries. Elles sont installées sur de grandes plaques de glace qui tournent et dérivent sur la mer. Quand l'otarie revient de la chasse, comment retrouver son territoire et son petit sur des milliers qui errent dans l'attente de leur mère ? Comment nous l'ignorons, mais elles les retrouvent sans hésitation. Il est facile de dire que l'enfant se signale à l'attention de sa mère par son odeur particulière comme dans le cas des insectes et de leurs phéromones. Mais une telle discrimination dépasserait de beaucoup la sensibilité des phalènes qui reconnaissent avec une grande subtilité l'odeur générique d'un sexe, mais non d'un individu particulier, ce qui est le cas de la maman phoque qui ne se satisfait que de la présence de son seul enfant.

Des découvertes récentes du plus haut intérêt ont été faites non par des ornithologues mais par des éleveurs de pigeons voyageurs. Les vols de pigeons voyageurs ont été dévastés par l'action des ondes longues électromagnétiques des émetteurs de télévision. A proximité d'une antenne émettrice, les pigeons se dispersent dans toutes les directions et semblent avoir oublié le chemin du retour. Les colombophiles se plaignent d'avoir déjà perdu des milliers de pigeons de valeur depuis l'avènement des pylônes émetteurs à grande puissance. Ce phénomène ne semble s'expliquer que si l'on s'oriente vers les théories de la parapsychologie. Je tiens à remercier à ce propos le docteur Thelma Moss qui m'a introduit et guidé parmi les chercheurs de cette nouvelle dimension de l'esprit.

Si nous acceptons l'idée d'une « télépathie » existant entre les animaux, il s'agirait du plus ancien des sens, possédé peut-être par toutes les cellules vivantes. Si les expériences poursuivies par Cleve Backster de New York sont confirmées elles constitueront une preuve tellement fantastique de signaux surhumains existant entre les formes de vie primitives, qu'elles révolutionneront non seulement la biologie, mais aussi la psychologie et même la philosophie. Comme Backster n'est pas un homme de science académique, mais un technicien spécialiste de l'utilisation du « polygraph » (détecteur de mensonge), ses conclusions seront l'objet d'une suspicion délibérée de la part des professionnels qui s'efforceront de le ranger aux côtés des astrologues, médiums et radiesthésistes dont les publicités remplissent les magazines sentimentaux. Je considère pour ma part Backster comme un homme loyal et trouve que ses recherches méritent une attention impartiale.

Il a travaillé avec la C. I. A. en tant qu'expert « polygraph », puis s'est occupé d'une école de formation d'utilisateurs de détecteurs de mensonges. En février 1966, assis dans son bureau, il eut l'idée d'employer la technique du « polygraph » à tester un dracaena en pot se trouvant en face de lui. Il souhaitait mesurer la rapidité avec laquelle l'eau monte des racines d'une plante à ses feuilles. Une plante devant aussi bien qu'un humain réagir aux réflexes psychogalvaniques (désignés par : R. P. G.) qui, dans la « polygraphologie » mesurent l'état électrique de la peau souvent modifié par des transpirations émotionnelles, etc.

Backster attacha donc, avec des bracelets de caoutchouc, une paire d'électrodes aux deux extrémités d'une feuille et découvrit, en effet, que le potentiel électrique du végétal faisait partie du champ d'activité auquel réagissait l'appareil et qu'un bras muni d'une plume enregistrait sur une bande de papier. Contrairement à son attente, rien ne se produisit lorsqu'il eut arrosé la plante. L'enregistrement des réactions était faiblement descendant, mais après un moment, la plume traça le profil très reconnaissable d'une stimulation émotive. Intrigué, Backster décida d'employer la vieille technique de la menace pour provoquer l'émotion. Il trempa une autre feuille dans une tasse de café chaud. Pas de réaction. Il pensa alors à brûler la feuille avec une allumette. *A cet instant même il y eut une montée abrupte et prolongée de la plume enregistreuse.* Backster n'avait même pas touché la plante, ni sorti ses allumettes, il avait seulement *pensé* à brûler une feuille.

Backster jeta alors quelques crevettes vivantes dans de l'eau bouillante. La plume du « polygraph » fit un tel saut qu'elle déborda presque de la bande de papier enregistreuse. Est-ce que ce pot contenait un mage transformé en

Dracaena massangeana par quelque enchantement ? Grâce à un équipement plus élaboré (randomizateur électronique, programmateur de circuit et multiples R. P. G. monitors), il découvrit que la réceptivité émotive d'une unité de vie à une autre est universelle. Cela s'applique à toutes les cellules vivantes de tous les organismes quelle que soit leur origine : fruits, légumes, moisissures, levures, fragments de muqueuse buccale, sang, spermatozoïdes. Peut-être que le signal est l'essence même de la vie, et que le persil dans le réfrigérateur réagit au cri d'agonie des globules rouges du steak que vous venez d'acheter, comme le géranium de la fenêtre au meurtre des œufs que vous cassez dans votre poêle à frire !

Backster a essayé d'interrompre ces signaux par une cage de Faraday et même en utilisant des containers de plomb. Mais ces signaux ne font pas partie du spectre des ondes électromagnétiques ; il ne sont pas non plus limités par la distance. Il a pu faire la preuve que ces signaux peuvent parcourir des centaines de kilomètres. Un exemple de l'effet de la distance : Backster vit dans le New Jersey, il pensait à retourner à son bureau de New York distant de quarante kilomètres. A ce moment précis, avec la précision d'un chronomètre, une réaction fut enregistrée sur la plante se trouvant dans son bureau.

Il a été également possible d'enregistrer les réactions des végétaux à des émotions non humaines. Backster possède une minuterie électrique branchée sur une sonnerie puissante se trouvant juste au-dessus du panier de son chien. Le mécanisme de la minuterie produit un tic-tac à peine audible mais le chien quitte régulièrement la pièce au moment où la sonnerie qu'il déteste va se déclencher. Bien qu'étant placé avec sa plante dans une autre partie de son appartement, Backster sait toujours le moment précis où le chien quitte la pièce, le dracaena captant l'anxiété du chien.

Attendons que ces expériences soient fermement confirmées et penchons-nous vers des évidences moins extraordinaires, celles des mystérieux signaux existant entre les animaux, et spécialement entre les animaux et leurs maîtres. Nous connaissons tous des chiens ou des chats allant vers la porte, anticipant le retour de leur maître, au moment où celui-ci se trouve encore trop éloigné pour qu'ils puissent l'entendre ou le sentir. (Il ne s'agit pas d'un sens du temps, ces retours peuvent se produire à des heures inattendues du jour ou de la nuit avec le même résultat.)

Une superstition cesse d'en être une quand les faits peuvent statistiquement se répéter un certain nombre de fois. Ceci semble être le cas des chiens hurlant à la mort quand leur maître rend le dernier soupir, même si cela se produit dans un hôpital éloigné de chez lui. Une femelle cougouar du zoo de Washington était l'amie d'une dame mystérieuse qui, bien que ce soit défendu, venait souvent la caresser à travers les barreaux sous le menton et derrière les oreilles. Cette dame ne venait jamais à des heures régulières, pourtant le cougouar *sentait* toujours son approche. Il sortait de sa prostration habituelle plusieurs minutes avant l'apparition de son amie, et les caresses lui rendaient pendant quelques instants la captivité plus tolérable. Une telle forme d'empathie ne semble possible que lorsque de réels liens d'amour (dans le sens le plus chrétien) ont été noués.

La chienne du professeur Konrad Lorenz sait exactement quels sont les visiteurs qui importunent son maître et à quel moment il commence à perdre patience. Malgré toutes les réprimandes elle s'avance tranquillement et va les mordre. La réaction est la même si la chienne se trouve sous la table, ce n'est donc pas la vue qui peut agir ici. Bien que Lorenz désavoue toute possibilité de télépathie, je ne vois aucune raison d'adopter, face à ces problèmes une attitude d'un dogmatisme conventionnel.

Il est exact que les « animaux calculateurs » sont habituellement des mystifications. Ils ne comptent généralement qu'en présence de leur maître et réagissent à un léger signal, ou d'inconscients mouvements du corps. « Lady » le fameux cheval dressé ne répondait pas lorsque son maître ne connaissait pas lui-même la question. On découvrit que « Lady » suivait le très léger mouvement du corps qu'involontairement son maître faisait vers le bloc ou la lettre constituant la réponse à la question posée.

Le psychologue russe Ivan Bechterev a poursuivi une longue série d'expériences sur des chiens dressés par un professionnel. Bechterev élimina l'entraîneur et renouvela les tests déjà appris par les chiens. Il les fit réagir à des ordres *silencieux*, rapporter un livre sur une table, aboyer à un animal empaillé, ramasser un papier, monter ou descendre d'une chaise, etc. Ses conclusions sont que des phénomènes de télépathie se sont produits dans un nombre statistiquement valide de cas.

Lorenz possède un perroquet gris qui ne sait dire que « Hé bien, bonsoir »; il ne le dit que lorsqu'un invité est réellement sur le point de partir. On ne peut le tromper en effectuant un faux départ. D'un autre côté un psychologue allemand a essayé d'apprendre sans succès à son perroquet à dire « graines » quand il avait faim, et « eau » quand il avait soif. Les perroquets ne peuvent pas « symboliser ». Le « Hé bien, bonsoir » du perroquet de Lorenz n'est qu'un commentaire vocal. Peut-être que le perroquet récalcitrant trouvait incompréhensible que les humains ne puissent percevoir des signaux télépathiques aussi évidents que la faim et la soif.

Les psychologues professionnels sont très rarement disposés à accepter la télépathie ou les autres phénomènes de perception extrasensorielle. Le terme « télépathie » fut créé par l'Anglais Frédéric Myers, avant 1900. Le phénomène fut étudié par la célèbre Société anglaise de Recherche Psychique. Cet objectif raisonnable dégénéra rapidement, et à la télépathie furent associés la médiumnité et le spiritisme. Un autre groupe se passionna pour la clairvoyance, la psychokinésie (puissance mentale permettant de déplacer des objets) la réincarnation et le don de prophétie. La parapsychologie à partir de là devint un terme recouvrant tout ce qui n'était pas accepté par la discipline scientifique officielle. Cette situation heureusement est transformée depuis décembre 1970. En effet, la respectable Association américaine pour le développement de la Science a pour la première fois accepté à cette date que des parapsychologues participent à ses travaux.

Il est utile de passer en revue ce que nous savons sur les champs de force entourant le corps humain. Autant que nous puissions en être conscients, nous sommes dépourvus d'organes tangibles susceptibles d'exercer une force à distance. Mais nous possédons d'infimes champs magnétiques autour du torse et autour du crâne, créés par les courants électriques générés par l'activité du cœur et du cerveau. Les battements du cœur créent un champ magnétique de moins de un millionième de Gauss (unité de mesure des champs magnétiques). Ce champ s'avère très utile aux cardiologues en leur permettant d'établir des électrocardiogrammes, mais il peut difficilement être considéré comme un moyen de signalisation vers le monde extérieur.

Autour de la tête, le champ magnétique est encore plus subtil. Il est produit par les puissants rythmes alpha, facilement reconnaissables dans les électro-encéphalogrammes quand le sujet est en position de repos, yeux fermés, mais éveillé. Ce champ magnétique est beaucoup plus faible que celui du cœur, il est à peu près le billionième de celui de la terre. Il paraît donc évident que si la télépathie est associée aux mouvements du champ magnétique, il serait à la terre beaucoup plus facile de se manifester à nous qu'aucun autre être humain.

Il existe une série d'expériences curieusement ignorées où, si ce n'est le champ magnétique, un « quelque chose » paraît être en relation avec les rythmes alpha du cerveau humain, et se communiquer à d'autres cerveaux. Il a été remarqué que les rythmes alpha du cerveau commençant en « transmission photique » (c'est-à-dire avec de la lumière et les yeux ouverts) sont, non seulement très rares, mais provoquent aussi des malaises. Une équipe de médecins a décidé d'étudier cette anomalie et, ajoutant la rareté à la rareté, de travailler sur des jumeaux identiques (vrais jumeaux issus du même ovule). L'expérience avait lieu de cette façon : un jumeau ayant des rythmes alpha de la manière habituelle, détendu et les yeux clos, était dans une pièce et l'autre, dans une pièce voisine illuminée, les yeux ouverts. L'un des deux, chaque fois, était utilisé comme « contrôle ». Quinze couples de jumeaux furent testés ainsi et deux couples manifestèrent un comportement tout à fait inattendu. Au moment précis où les rythmes alpha (pointes aiguës caractéristiques au milieu d'ondes arrondies) se sont déclenchés quand le premier jumeau a fermé les yeux, ils sont apparus dans l'électroencéphalogramme du second jumeau demeuré les yeux ouverts dans une autre pièce. Les ondes alpha étaient exactement superposables. L'expérience a été refaite et recontrôlée un très grand nombre de fois avec les mêmes résultats pour les deux couples de jumeaux. Rien de semblable ne fut remarqué chez les treize autres ni chez des sujets non apparentés.

Les deux couples de jumeaux pouvant mutuellement s'induire en ondes alpha étaient intelligents, éduqués, de race blanche, sereins, mâles et âgés de vingt-trois et vingt-sept ans. (Le terme « serein » en terminologie médicale n'est pas une nuance poétique, mais signifie simplement qu'il n'existait aucun signe de troubles nerveux.) Les autres treize jumeaux, eux, n'étaient pas sereins. Ils étaient blancs, noirs, de sexes et d'âges variés et manifestaient une grande appréhension, craignant que quelque chose de désagréable et mystérieux puisse leur arriver. Les deux couples élus avaient eux une formation générale de science biologique et furent assez indifférents au déroulement de l'opération.

A ma connaissance cette extraordinaire expérience n'a été suivie d'aucune autre et n'a donné lieu à aucune discussion ou explication, d'aucun psychologue. Ce sujet a été, lui aussi, mis de côté comme le mystérieux sens directionnel des animaux.

Pour les parapsychologues, tout ceci est aussi banal et primaire que si l'on s'émerveillait de pouvoir dresser un chien à s'asseoir et à aboyer. Il faut pourtant souligner que cette unique expérimentation sur des jumeaux constitue le seul test physique effectué dans des conditions scientifiques rigoureuses par une équipe de neurologues conservateurs et faisant la preuve que des signaux d'une nature inconnue pouvaient se transmettre d'un cerveau à un autre.

Il n'existe pas simplement d'un côté les esprits scientifiques et de l'autre les esprits artistiques ou intuitifs. Ne généralisons pas, certains physiciens de grande classe, comme le docteur Moss s'intéressent à la psychologie et poursuivent des expériences critiques, statistiquement contrôlées en n'ignorant pas la difficulté du choix à faire parmi les réactions d'animaux tout aussi compliqués et maladroits que les êtres humains. Nous ne nous sentons pas concernés par une guerre entre la science et la superstition. L'affrontement actuel est semblable à la longue dispute moyenâgeuse entre les platoniciens et les aristotéliciens. C'est une question de point de vue et de la possibilité d'accueillir impartialement des faits inattendus. Les psychologues conservateurs n'admettent que les résultats obtenus d'après l'observation en laboratoire de rats isolés dans des cages. Leur rigueur pourrait pourtant se révéler insuffisante de par la nature même du phénomène de communication. A ce sujet, retournons à nos ondes alpha.

Il faut bien comprendre que cette induction de rythmes alpha est un signal, et non ce que les humains appellent une communication. L'invention du langage a hautement compliqué les signaux humains. Pour transmettre l'idée d'une chose, la description doit être symbolique (effectuée en mots prenant la place des organes des sens). Pour communiquer à plus grande distance nous transformons les signaux et les sons en ondes électromagnétiques qui sont ensuite reconverties en sons et en images. Pour être à même d'utiliser la télépathie, il nous faut également imaginer des symboles, et ces symboles doivent probablement subir la même conversion en ondes et la même reconversion en impressions sensorielles ayant valeur de symboles. Ainsi la télépathie est une tâche beaucoup plus difficile à remplir pour un animal pensant en symboles que pout un oiseau, un chien ou peut-être (si Backster a raison) une plante ou une amibe.

Les parapsychologues professionnels passent rapidement sur ces questions. On prétend qu'ils ne sont « pas sérieux » et les milieux scientifiques les ignorent comme les astrologues et faiseurs d'horoscopes qui infestent la vie moderne.

Pourtant la parapsychologie s'intéresse aussi aux sciences appliquées. Le docteur Henry Puharich, parapsychologue convaincu, a entrepris de vastes recherches tendant à résoudre la surdité totale. Avec raison il souligne l'intrinsèque étrangeté des perceptions sensorielles. L'oreille humaine accueille les vibrations de l'air et les convertit en informations codées que les nerfs transmettent au cerveau où elles sont interprétées. Nous ignorons tout du procédé de codage, du phénomène de l'impulsion nerveuse, et comment à la fin le cerveau transforme ces signaux en concepts associés à la vibration sonore originelle. Il nous est impossible d'expliquer pourquoi certaines personnes trouvent la musique de Mozart particulièrement plaisante au système nerveux (nous ignorons même ce que neurologiquement peut être le plaisir).

En 1961, de nombreux chercheurs ont signalé qu'il était possible de reconnaître des pulsations de basse fréquence, radar, grâce à un système de « clics » acoustiques perçus par l'homme. L'indication que des ondes électromagnétiques bien au-delà du spectre visuel pouvaient être captées par les humains a servi de base aux recherches du docteur Puharich. Est-ce que cette réaction aux ondes est due à une perception acoustique particulière ou est-elle acheminée directement au cerveau (1) ?

Puharich a testé trente-deux personnes atteintes de surdité permanente (le cochlea complètement détruit) en employant des basses fréquences de radio modulées en pulsations comme stimulus acoustique. Les trente-deux sujets ont entendu des voix et de la musique. Puharich a la conviction que cela prouve l'existence d'un réseau modulé récepteur d'énergie quelque part

(1) Quand les chiens sont expérimentalement soumis à de fortes ondes radios ultra-courtes, ils manifestent des anomalies sanguines. Si les émissions d'ondes sont poursuivies, la moelle osseuse est atteinte. Si simultanément les chiens sont soumis à des rayons X, ils meurent. Les techniciens travaillant à proximité de générateurs de très hautes fréquences souffrent généralement d'hypersécrétion de la glande thyroïde

dans le cerveau humain. Il prétend également avoir la possibilité d'utiliser des fréquences radio pour procurer aux aveugles des sensations de formes et de couleurs.

Dans le domaine purement parapsychologique, le docteur Puharich a poursuivi ses expériences. Il place un sujet dans une chambre insonorisée, l'isole des fréquences de transmissions ou de réceptions radios et prétend établir une communication télépathique à une distance de trois cents kilomètres.

Le docteur I. Kogan de Moscou n'est pas aussi modeste... A un récent symposium qui a eu lieu à Los Angeles, il a communiqué le résultat des expériences qu'il a effectuées en 1966-1967. Selon lui les pensées peuvent être converties en ondes électromagnétiques extrêmement larges, ayant des bandes de vingt-quatre à neuf cents kilomètres de long. Par une suite de surprenantes acrobaties mathématiques Kogan calcule que le corps humain produit quatre à cinq fois plus de courant qu'il n'est nécessaire à la réalisation de télépathie à grande distance. En se servant de sujets « émetteurs » et « récepteurs », Kogan affirme obtenir des communications à deux mille sept cents kilomètres de distance. Il n'explique pas comment le corps humain peut se transformer en antenne émettrice ou réceptrice, mais prétend qu'une telle antenne est formée par les bio-courants générés par le réseau neuronique du corps humain.

Au cours d'un test de grande distance effectué entre Moscou et Novossibirsk un « émetteur » s'est efforcé de projeter l'image de six objets. Le « récepteur » en décrivit correctement quatre. A ce même symposium le docteur Moss décrivit une communication réalisée entre un sujet de Los Angeles et un autre établi dans le Sussex en Angleterre, soit à sept mille cinq cents kilomètres de distance. Comme il est impossible, autant que je sache, d'appréhender d'hypothétiques ondes électromagnétiques longues de plusieurs centaines de kilomètres, la théorie de Kogan se trouve préservée de toutes possibilités de démenti scientifique pour quelque temps encore.

En étudiant divers phénomènes mystérieux, nous allons nous apercevoir que la partie la plus archaïque du cerveau humain, destinée à la vision non symbolique (nous en avons parlé dans le premier chapitre) est mieux à même de transmettre les images que le langage. Ce qui paraît confirmer, ce dont je suis personnellement convaincu, que la télépathie est bien un de nos sens oubliés. Nous allons à présent énumérer et commenter une série de faits bruts en essayant plus tard d'en tirer une conclusion.

1) Au cours de ses expériences le docteur Moss s'est aperçu que les *artistes* se sont révélés aptes à recevoir les messages visuels beaucoup mieux que les prétendus « sujets-médiums » professionnels.

2) Dans le groupe télépathique des docteurs Moss, Chang et Levitt, les sujets transmetteurs à Los Angeles se concentrent sur des photographies classées en : sports nautiques, Van Gogh, espace, animaux sauvages, guerre, amour. Des messages de contrôle sont formés de lettres, chiffres et lignes géométriques. Les groupes récepteurs sont divisés entre Los Angeles, New York et le Sussex en Angleterre. Les messages de contrôle ne passèrent pas, mais différentes images furent reçues et décrites avec une précision dépassant de beaucoup la loi des probabilités.

Nous nous trouvons ici en face du problème du « récepteur » qui doit traduire les images en langage. Il doit se servir de son intellect et il faut donc tenir compte des déformations inhérentes à sa personnalité. C'est une tâche délicate. Peut-on par exemple considérer que la réaction d'un « récepteur » à l'image de la série amour (une photographie de la célèbre sculpture « le Baiser » de Rodin) formulée de cette sorte : « Pourvu que la mode des mini-jupes dure longtemps » soit une réponse satisfaisante ?

Dans cette expérience particulière, New York réagit moins bien que le Sussex. Dans une tentative ultérieure, étalée sur six villes dont Edimbourg, les résultats ont été très décevants.

Si nous acceptons la théorie de Kogan affirmant que les ondes électromagnétiques télépathiques sont de très basse fréquence, on peut s'attendre à de telles contradictions. Si ces ondes immenses sont correctement perçues, le succès ne dépend pas seulement de la localisation précise du « récepteur » par rapport au « transmetteur », mais aussi de l'action des interférences atmosphériques. (Il est intéressant à ce sujet de relever que des électroniciens ont récemment détecté dans l'espace des ondes magnétiques de près de *trente millions de kilomètres* de longueur. Leur source est inconnue. Il s'agit peut-être de la voix d'un ange !)

3) Le docteur Moss a découvert, non seulement que les artistes constituaient les meilleurs « récepteurs », mais encore que les plus doués de ces artistes n'arrivaient pas à faire la différence entre la réception de messages et

leur propre imagination. Les sujets confessant en fin de séance que certaines images avaient été forgées de toute pièce, étaient ceux ayant fourni les images exactes les plus précises. Cela semble indiquer que le processus imaginatif poursuivi dans cet état de concentration est un phénomène mental étrange méritant des études plus approfondies.

4) Les Russes ont généralement considéré ces recherches avec beaucoup plus de sérieux que les milieux scientifiques américains. Les Soviétiques sont même prêts à octroyer des crédits perçus sur le budget militaire pour subventionner ces recherches. Eux aussi ont remarqué la priorité des messages *visuels* sur les messages formulés en mots. Par exemple un des messages le plus facilement identifiables était un bonbon enveloppé dans son papier. En effet, ce sont les particularités visuelles qui sont en général perçues et non la signification symbolique de la perception. Ainsi un tournevis est décrit comme « un objet long et noirâtre pourvu d'un manche ». Le sens télépathique est bien évidemment une survivance de l'esprit « visuel » de l'homme préhistorique en opposition à la conceptualisation « symbolique » développée par l'homme moderne.

5) En dehors de l'image, les émotions sont également faciles à transmettre télépathiquement, si du moins l' « émetteur » est authentiquement ému et non pas seulement intellectuellement convaincu de l'être. Ce fait est à l'origine des innombrables récits d'expériences mystérieuses et tragiques qui ont existé en tous temps et dans tous les pays. Un homme est frappé par un sentiment d'horreur et découvre plus tard qu'à ce moment précis sa femme mourait dans un accident. On ne peut appeler cela coïncidence, il en existe trop d'exemples. Souvent l'instant de la mort est le moment du passage de l'inconscience ou du coma à la mort physiologique. Mais il est d'autres cas où la mort devient une expérience émotionnelle d'une densité jamais connue. Si quelqu'un (un parent, un ami proche) se trouve branché sur la même longueur d'onde, il n'est pas surprenant que cette intense vibration émotionnelle se transmette à celui-ci.

6) Les recherches du centre médical Maimonides de Brooklyn portent sur la possibilité d'influencer les rêves. Le sujet éveillé se concentre, par exemple, sur un tableau célèbre, et si la communication est établie, la représentation visuelle de l'émetteur apparaît soudainement dans la suite d'images oniriques se déroulant dans le cerveau du dormeur.

D'autres aspects de la télépathie sont possibles. Par exemple les messages transmis peuvent être des gestes ou des positions du corps. Le rêve d'un dormeur peut également en influencer un autre. Le docteur Van de Castle, de Maimonides, a participé lui-même à cette expérience. Il était endormi, un sujet se concentrant sur une sculpture essayait de lui en imposer la vision à travers son sommeil. Ce sujet se concentra tellement qu'il s'endormit lui-même et rêva d'un officier de la police montée. Le docteur Van de Castle à son réveil fut très surpris de ne conserver aucun souvenir du David de Michel-Ange mais de retrouver, au contraire, les péripéties compliquées d'un raid de la police montée canadienne.

7) Les recherches les plus originales et les plus stimulantes sont celles qui combinent télépathie et hypnose. L'hypnose a eu beaucoup de succès dans la littérature populaire, du comte de Cagliostro à Mandrake le magicien. Elle est toujours considérée comme une tyrannie exercée par un diabolique hypnotiseur sur un sujet sans défense. Les psychiatres affirment qu'il n'en est rien. La relation existant entre l'hypnotiseur et l'hypnotisé est, selon eux : « Une coopération interpersonnelle, basée sur des considérations raisonnables et mutuellement acceptées. » Ce qui signifie, exprimé plus simplement, que l'on ne peut pas vous hypnotiser si vous n'êtes pas au départ consentant. L'hypnose implique une relation dominateur-dominé assez particulière et proche des rapports amoureux. Il est à remarquer que 95 % des hypnotiseurs employés en psychiatrie ou travaillant au music-hall, sont des hommes. Des statistiques ont démontré que les homosexuels passifs sont trois fois plus sensibles à un hypnotiseur mâle que des hétérosexuels.

Toujours au laboratoire de Maimonides, il a été découvert que le sommeil hypnotique est beaucoup plus favorable aux transmissions télépathiques que le sommeil normal. Les statistiques sont impressionnantes mais ne me semblent pas devoir entrer dans le domaine de la télépathie. Il s'agit ici de suggestions et de transe. On ne peut parler véritablement de sommeil. L'état naturel qui se rapproche le plus de la transe est le somnambulisme, anomalie sur laquelle nous savons fort peu de choses d'ailleu rs, si ce n'est que les yeux ne se déplacent pas et que le cerveau n'émet pas les ondes caractéristiques du rêve.

Nous nous trouvons ici à un carrefour crucial des perceptions extrasensorielles (abrégées en E. S. P.).

Le docteur Thelma Moss, authentique esprit scientifique, a trouvé une formule très expressive pour décrire la position actuelle de la parapsychologie : « Dans le travail sur les E. S. P., il faut tout d'abord trouver un volcan, ensuite attendre qu'il explose. » La validité des réactions d'E. S. P. (comprenant les cas historiques de Swedenborg, de saint Jean et du héros biblique Joseph) ne doit pas être automatiquement minimisée et classée dans le domaine des superstitions. Nous sommes sur le seuil d'une science délicate, scintillante et trompeuse, que nous avons peut-être tort d'appeler une science tant que nous n'en savons pas un peu plus sur l'électronique, et sur la vie en elle-même. Le temps où les tests sur l'esprit humain consistaient à tirer un coup de revolver derrière votre dos ou retirer votre chaise au moment de vous asseoir fait définitivement partie du passé.

De mon point de vue, les statuts de la parapsychologie devraient être les suivants :

A) Le surdéveloppement de la partie linguistique symbolique du cerveau de l'homme moderne, lui a fait oublier toute la potentialité E. S. P. qui pouvait faire de lui un véritable médium, de la même manière que d'innombrables animaux médium utilisant un mode de communication que nous ne pouvons pas comprendre. En même temps que cette possibilité, a disparu un « sens de l'univers » que nous ne pouvons qu'amèrement regretter.

B) Malgré tout, l'homme étant phylogénétiquement une espèce animale jeune, ce cycle récent de « pensée-langage » n'a pas encore entièrement éliminé la possibilité de reconquérir les « sens oubliés ». Les perceptions les plus primitives, celles qui demeurent associées aux émotions et aux images, peuvent constituer un lien avec cet univers archaïque qui fut détrôné par le langage.

C) Il semble possible (en dehors des barrières de la psychologie occidentale conventionnelle) de réconcilier la parapsychologie avec la science officielle. Le signe le plus prometteur de ce renouveau est l'ardeur avec laquelle les ingénieurs s'intéressent à des problèmes rejetés par les psychologues. Comme l'auteur anglais Arthur Koestler l'a fort justement souligné, les psychologues américains sont possédés par la « ratologie ». L'étude du comportement des rongeurs de laboratoire, à qui la vie encagée impose l'abrutissement des captifs et dont la seule récréation est d'appuyer sur un levier pour grignoter ou ne pas grignoter un morceau de nourriture.

Même à l'intérieur de cet univers d'écorcheurs de laboratoire, les psychologues seraient à même de faire beaucoup plus de découvertes en travaillant avec des animaux plus brillants. Mais est-ce vraiment le but de leur travail ? Ne seraient-ils pas désagréablement surpris de découvrir que les rongeurs sauvages ne se comportent nullement comme les souches grasses, dégénérées et « garanties » que se procurent les universités dans le monde entier, mais qu'ils peuvent avoir des réactions non conformes aux schémas officiels ? Ils pourraient se révéler beaucoup plus rapides et brillants que leurs congénères captifs, et ne pas réagir aux expériences selon les règles établies.

D) Je considère cette situation d'autant plus invraisemblable qu'une majorité de psychologues nous prédisent une explosion de découvertes scientifiques chez nos adversaires idéologiques, beaucoup plus surprenants que le lancement du premier Spoutnik en 1957. Je me considère comme un homme de science conservateur, ayant trente-cinq ans d'expérience et un esprit curieux, mais je ne tiens pas à assister en 1980 à l'avènement d'un Spoutnik utilisant les ondes cérébrales plus efficacement que les bombes atomiques. Mais retournons une dernière fois à nos parapsychologues.

J.-B. Rhine et ses nombreux étudiants et admirateurs ne s'occupent guère des longueurs d'ondes ou des radiations électromagnétiques. S'il s'était restreint au domaine de la télépathie et avait poursuivi ses expériences sur les cartes symboliques, Rhine aurait atteint la célébrité et une respectabilité complète. L'analyse mathématique de ses résultats était fort bien conçue, et d'ailleurs fut défendue par des mathématiciens professionnels contre les premiers cris d'horreur poussés par les psychologues. Mais il s'est également intéressé à des phénomènes plus spectaculaires, tels que provoquer des cloques par l'hypnose, supprimer les verrues par la psychologie, le cornet à dés psychokinétique et la puissance de l'esprit sur la matière telle qu'elle est pratiquée par les mystiques de l'Inde.

L'unique étude scientifique extensive effectuée sur les tours surprenants des yogis fut réalisée en 1960 par le professeur B. Anand et le docteur G. Chhina, Indiens tous deux. Une de leurs pratiques les plus spectaculaires est de pouvoir à volonté arrêter les mouvements du cœur. On a observé le phénomène à l'aide d'un électrocardiographe et découvert que le cœur au lieu de s'arrêter, accélère au contraire ses battements jusqu'à la fibrillation. Les yogis augmentent la pression de la cavité pulmonaire. Les veines fines transportant le sang vers le cœur s'affaissent. Comme presque plus de sang n'arrive au cœur et donc n'en sort, le pouls et le battement normal sont supprimés. Les valves cardiaques n'ont plus rien à faire. Malgré tout, l'électrocardiogramme révèle une intense accélération des mouvements cardiaques. Cette fibrillation ne peut être maintenue qu'un temps très bref, sinon les cellules cervicales peuvent être irréversiblement endommagées.

Certains se font enterrer vivants. Dans l'expérience pratiquée par Anand et Chhina le yogi fut placé dans une boîte étanche spéciale pouvant mesurer les fonctions biologiques. En état de transe le yogi peut réduire l'exigence du corps en oxygène à 50 % de la normale. Les pulsations du cœur peuvent descendre de soixante-douze à trente par minute. Ceci constitue une réalisation beaucoup plus extraordinaire que l'arrêt du cœur et demanderait des études plus poussées. Elle prouve un contrôle volontaire du système nerveux sympathique que Kogan effectue peut-être télépathiquement à travers le système nerveux central. D'autres yogis disciplinent le système nerveux central au point de ne plus ressentir la douleur, et ils peuvent garder les mains dans de la neige fondue pendant vingt minutes ou marcher sur des braises ardentes. On a découvert que pendant ces périodes d'insensibilité, le cerveau se trouve dans un état avancé de rythmes alpha. Il n'est pas endormi mais non conscient des centres douloureux. (Ce qui ne semble nullement déraisonnable si vous vous souvenez de ce qui a été dit sur la douleur dans le chapitre 4).

Certains yogis, au talent très exceptionnel, peuvent se concentrer avec une telle puissance sur une partie du corps que les nerfs sympathiques qui l'irriguent se trouvent placés directement sous le contrôle cérébral, comme l'était le cœur dans la première expérience. Il existe des ermites tantriques dans l'Himalaya qui peuvent durant leurs méditations préserver volontairement des parties dénudées de leur corps de la température glaciale des grottes où ils demeurent. La transpiration coule à flots de la partie du corps sur laquelle ils se concentrent.

Aller de la reconnaissance de ce contrôle physique remarquable à la clairvoyance, prophétie et psychokinésie de Rhine, est transcender le surhumain et accepter le surnaturel. Rhine relate que *sans* user de télépathie, un sujet « extrasensoriel » peut identifier une carte qu'il ne voit pas (clairvoyance) et prévoir la carte qui sera désignée ensuite (prédiction). De plus il peut par psychokinésie influencer des dés et même agir sur le battage des cartes. (Au point qu'il fallut créer un appareil pour les mélanger afin d'éviter leur classement « psychique » dans un ordre dirigé. Mais pourquoi dans ce cas l' « extra-sensoriel » ne serait-il pas aussi capable de subjuguer la mécanique ?)

Il existe une preuve simple mais accablante infirmant toutes ces extraordinaires démonstrations des pouvoirs psychiques. Elle réside dans le fait que la race humaine est une race de joueurs invétérés. Si quelqu'un était à même de deviner à l'avance le cheval gagnant, s'il pouvait agir sur les dés pour qu'ils lui soient favorables, sur les cartes battues pour que les atouts lui soient attribués, sur la boule de la roulette pour qu'elle tombe sur le nombre joué, même s'il ne lui était possible de réussir qu'un peu plus souvent que ne le déterminent les lois de probabilité, cet homme serait fantastiquement riche. Le seul fait que personne ne fasse régulièrement sauter la banque à Las Vegas ou à Monte-Carlo est en soi suffisant à démontrer que les capacités « psi » sont un mythe. Il n'est pas besoin d'argumentation scientifique élaborée, la réfutation est évidente et indiscutable.

Ce n'est pas le cas de la télépathie. La meilleure hypothèse semble être que la communication directe est possible entre des créatures primitives, comme les oiseaux et les mammifères peu évolués, et que chez l'homme ce mode de communication, quoique grandement handicapé par le développement d'une importante partie du cortex consacrée à la pensée symbolique, peut, dans certaines circonstances favorables, exister et même se manifester au moyen de signaux symboliques circulant dans l'espace sous forme d'ondes demeurant pour l'instant inconnues.

Au stade actuel de l'évolution humaine il est certes souhaitable que nous ne possédions pas cette télépathie universelle. Quiconque communique télépathiquement, ou au moyen de téléphone ou de télévision, devrait, comme le soulignait déjà Thoreau, avoir quelque chose à dire. Ce n'est certainement pas le cas de notre société et elle ne paraît nullement être en train de changer, bien au contraire le monde paraît se standardiser et se vulgariser tous les jours davantage. Nous mourrions tous de crises d'ennui frénétique s'il nous était possible continuellement de connaître les pensées de chacun. Notre but réel est le contraire de la vulgarisation des pensées que Ortega y Gasset avait déjà prédit avant la dernière guerre dans : *La révolte des masses*. Notre but devrait être l'exaltation de la totalité de l'esprit en multipliant les différentes *sortes de pensées* et les différentes *sortes de perceptions*. La masse de l'esprit devrait être plus importante, et non moins comme c'est le cas aujourd'hui, que la somme de ses parts. Cela ne signifie pas un comité colossal dirigeant un monde d'esclaves et de robots mais bien plutôt un organisme unique géant, à multiples facettes. Politiquement ce serait exactement le *contraire* du communisme et dans un autre ouvrage je compte étudier plus en détail cet animal doué de vraie sagesse, ce « superanimal » bien au-delà de l'homme et peut-être même bien au-delà de toute définition acceptable du royaume animal.

BIBLIOGRAPHIE

Périodiques scientifiques et techniques.

Acta Ophthalomologica, Acta Protozoologica, Acta Psychologica, Aerospace Medicine, American Journal of Anatomy, American Journal of Ophthalmology, American Journal of Physiology, American Journal of Psychology, American Journal of Psychosomatic Dentistry and Medicine, American Naturalist, American Scientist, Animal Behavior, Annals of Biochemistry, Annals of the Entomological Society of America, Annals of Entomology and Zoology, Annals of the New York Academy of Science, Annual Review of Psychiatry, Arctic, Ardea, Asia, Auk, Aviation Week, Behavior, Biochemische Zeitschrift, Biological Reviews, Bionica, British Journal of Psychology, Brain, Chemical and Engineering News, Chemical Week, Condor, Copeia, Corrective Psychiatry, Deep Sea Research, Ecology, Economist, Experimental Brain Research, Geo-Marine Technology, International Journal of Neuropsychiatry, International Journal of Parapsychology, International Journal of Psychoanalysis, International Science and Technology, Japanese Journal of Physiology, Journal of Abnormal and Social Psychology, Journal of the Acoustical Society of America, Journal of the American Medical Association, Journal of the American Psychoanalytical Association, Journal of Anatomy, Journal of Animal Behavior, Journal of Aviation Medicine, Journal of Bacteriology, Journal of Biological Chemistry, Journal of Biosocial Sciences, Journal of the British Society of Psychic Research, Journal of Comparative Endocrinology, Journal of Consulting Psychology, Journal of Educational Research, Journal of General Microbiology, Journal of General Physiology, Journal of Insect Physiology, Journal of Neurophysiology, Journal of the Optical Society of America, Journal of Ornithology, Journal of Parapsychology, Journal of Physiology, Journal of Psychology, Journal of Public Health, Journal of Theoretical Biology, Language, Life Sciences, Limnology and Oceanography, Missiles and Rockets, National Wildlife, Natural History, Nature, Naturwissenschaften, Optometrist Weekly, Ostrich, Perceptual and Motive Skills, Physiological Reviews, Primates, Proceedings of the California Academy of Science, Proceedings of the Association of Experimental Biological Medicine, Proceedings of the National Academy of Science of the United States, Proceedings of the Society of Social Experimental Biological Medicine, Proceedings of the Zoological Society of London, Progress in Brain Research,

Psychic, Psychoanalytic Quarterly, Psychological Bulletin, Psychological Review, Psychology Today, Psychophysiology, Quarterly Journal of Experimental Psychology, Quarterly Review of Biology, Science, Science Digest, Scientific American, Smithsonian, Skin Diver, Technology Week, Vision Research, Vision Review, Zeitschrift für Flugwissenschaft, Zeitschrift für Vergleichende Physiologie, Zeitschrift für Tierpsychologie.

Livres.

ANDERSEN, HAROLD T., ed. *Biology of Marine Animals.* New York, Academic Press, 1969.
ASCHOFF, J., ed. *Circadian Rhythms.* Amsterdam, Noord-Hollandsche, 1965.
AUTORI, M., ed. *L'Instinct dans le comportement des animaux.* Paris, Masson, 1956.
BACK, F., and R. T. HARMS, eds. *Universals in Linguistic Theory.* New York, Holt, Rinehart and Winston, 1968.
BARENBOIM, G. N., et al. *Luminescence of Biopolymers and Cells.* New York, Plenum, 1969.
BASSLER, RAY S., et al. *Shelled Invertebrates of the Past and Present.* Washington, D. C., Smithsonian, 1938.
BERANEK, L. L. *Acoustics.* New York, McGraw-Hill, 1954.
BLISS, E. L., ed. *Roots of Behavior.* New York, Harper & Row, 1962.
BROWN, M. E., ed. *Physiology of Fishes.* New York, Academic Press, 1957.
BÜHLER, K. *Sprachtheorie.* Jena, Fischer, 1934.
BULLOCK, T. H., and G. H. HORRIDGE. *Structure and Function in the Nervous Systems of Invertebrates.* San Francisco, Freeman, 1965.
BUNNING, E., *The Physiological Clock.* Berlin, Springer, 1964.
BUSNEL, R. G., ed. *Acoustic Behavior in Animals.* New York, Elsevier, 1964.
CAHALANE, VICTOR H. *Mammals of North America.* New York, Macmillan, 1961.
CAHN, P. H., ed. *Lateral Line Detectors.* Bloomington, Ind., Indiana Univ. Press, 1967.
CAMPBELL, B. A., and R. M. CHURCH, eds. *Punishment and Aversion Behavior.* New York, Appleton-Century-Crofts, 1969.
CARR, ARCHIE. *So Excellent a Fishe-A Natural History of Turtles.* Garden City, N. Y., Natural History Press, 1967.
CARR, DONALD E. *The Deadly Feast of Life.* Garden City, N. Y., Doubleday, 1971.
— *The Eternal Return.* Garden City, N. Y., Doubleday, 1969.
— *The Sexes.* Garden City, N. Y. ; Doubleday, 1970.
CHIBA, T., and KAJIYAMA, M. *The Vowell, Its Nature and Structure.* Tokyo, Phonetic Society of Japan, 1958.
CHOMSKY, N., and M. HALLE. *The Sound Pattern of English.* New York, Harper & Row, 1968.
CLARK, L. L., ed. *Proceedings of the International Congress on Technology and Blindness.* New York, American Foundation for the Blind, 1963.
DAILEY, F. C., and C. H., MILIKAN, eds. *Brain Mechanisms Underlying Speech and Language.* New York, Grune & Stratton, 1967.
DAVID, E. E., Jr., and P. B. DENES, eds. *Human Communication : A Unified View.* New York, McGraw-Hill, 1969.

DEVEREUX, G., ed. *Psychoanalysis and the Occult*. New York, International Univ. Press, 1953.
DORST, J. *The Migrations of Birds*. Boston, Houghton Mifflin, 1967.
EFF, W. D., ed. *Contributions to a Sensory Physiology*. New York, Academic Press, 1969.
EPSTEIN, W. F. *Varieties of Perceptual Learning*. New York ; McGraw-Hill, 1967.
FABRE, J. Henri. *The Life of the Spider*. New York, Dodd, Mead, 1929.
FANT, G. *Acoustic Theory of Speech Production*. The Hague, Mouton, 1960.
FODOR, J. A., and J. J. KATZ, eds. *The Structure of Language*. Englewood Cliffs, N. J., Prentice-Hall, 1964.
FREEDMAN, S. J. *The Neuropsychology of Spatially Oriented Behavior*. Homewood, III., Dorsey, 1968.
FRINGS, H. and M. *Animal Communication*. Boston, Blaisdell, 1964.
GAVAN J., ed. *The Non-Human Primates and Human Evolution*. Detroit, Wayne Univ. Press, 1955.
GAY, W. F., ed. *Methods of Animal Experimentation*. New York, Academic Press, 1968.
GIBERT, P. W., et al., eds. *Sharks, Skates and Rays*. Baltimore, Johns Hopkins Univ. Press, 1967.
GIBSON, Eleanor J. *Principles of Perceptual Learning*. New York, Appleton-Century-Crofts, 1969.
GIBSON, James J. *Perception of the Visual World*. Boston, Houghton Mifflin, 1956.
— *The Senses Considered as Perceptual Systems*. Boston, Houghton Mifflin, 1966.
GIESE, A. C., ed. *Photophysiology*. New York, Academic Press, 1964.
GIESE, A. D. *Cell Physiology*. Philadelphia, Saunders, 1962.
GLASER, G. H., ed. *EEG and Behavior*. New York, Basic Books, 1963.
GRANIT, R. *Sensory Mechanism of the Retina*. London, Oxford Univ. Press, 1945.
GREENEWALT, C. H. *Bird Song, Acoustics and Physiology*. Washington, D. C., Smithsonian, 1968.
GREGORY, R. L. *Eye and Brain, The Psychology of Seeing*. New York, McGraw-Hill, 1966.
GREENBERG, J., ed. *Universals of Language*. Cambridge, Mass., M. I. T. Press, 1966.
GRIFFIN, D. R. *Listening in the Dark*. New Haven, Yale Univ. Press, 1958.
HARKER, J. *The Physiology of Diurnal Rhythms*. Cambridge, Eng., Cambridge Univ. Press, 1964.
HAYES, Cathy H. *The Ape in Our House*. New York, Harper, 1951.
HAYES, S. P. *Facial Vision in the Sense of Obstacles*. Watertown, Md., Perkins, 1935.
HELSON, H. *Adaptation-Level Theory*. New York, Harper & Row, 1964.
HERRICK, C. J. *The Brain of the Tiger Salamander*. Chicago, Univ. of Chicago Press, 1949.
HINDE, R. A., ed. *Bird Vocalization*. London, Cambridge Univ. Press, 1969.
HOWARD, I. P. and W. B. TEMPLETON. *Human Spatial Orientation*. New York, Wiley, 1966.
HULSE, Frederick S. *The Human Species*. New York, Random House, 1963.
HUTCHINS, Ross E. *Insects*. Englewood Cliffs, N. J., Prentice-Hall, 1966.

INNES, W. T. *Exotic Aquarium Fishes.* Philadelphia, Innes, 1966.
JAY, P. C., ed. *Primates, Studies in Adaptation and Variability.* New York, Holt, Rinehart and Winston, 1968.
JOHNSTON, J. W., et al., eds. *Advances in Chemoreception.* New York, Appleton-Century-Crofts, 1969.
KELLOGG, W. N. *Porpoises and Sonar.* Chicago, Univ. of Chicago Press, 1961.
KELLOGG, W. N. and L. A. *The Ape and the Child.* New York, Hafner, 1967.
KERPUT, G. A., ed. *Problems in Biology.* New York, Macmillan, 1963.
KLEEREKOPER, Herman, *Olfaction in Fishes.* Bloomington, Ind., Indiana Univ. Press, 1967.
LANYON, W. E., and W. N. TAVOLGA, eds. *Animal Sounds and Communication.* Washington, D. C., Inst. of Biological Sciences, 1960.
LATIL, Pierre de, *The Underwater Naturalist.* Boston, Houghton Mifflin, 1958.
LENNEBERG, E. H. *Biological Foundations of Language.* New York, Wiley, 1967.
LENNEBERG, E. H., ed. *New Directions in the Study of Languages.* Cambridge, Mass., M. I. T. Press, 1964.
MARTEKA, Vincent. *Bionics.* Philadelphia, Lippincott, 1965.
MENAKER, M., ed. *Biochromometry.* Washington, D. C., Nat. Acad. of Sciences, 1970.
MIDDLETON, W. E. K. *Vision Through the Atmosphere.* Toronto, Univ. of Toronto Press, 1952.
MORRIS, Desmond, ed. *Primate Ethology.* London, Weidenfeld, 1967.
MYERS, F. W. H. *Human Personality and its Survival of Bodily Death.* London, Longmans, Green, 1903.
NASTUK, W. L., ed. *Physical Techniques in Biological Research.* New York, Academic Press, 1964.
NEEDHAM, Joseph. *The Grand Titration, Science and Society in East and West.* London, Allen & Unwin, 1969.
NEFF, W. D., ed. *Contributions to Sensory Physiology.* New York, Academic Press, 1965.
NEGUS, V. E. *The Comparative Anatomy and Physiology of the Larynx.* New York, Hafner, 1949.
OCHS, S. *Elements of Neurophysiology.* New York, Wiley, 1965.
PESTLE, F., and J. G. GREENE. *Learning, Perception and Choice.* Reading, Mass., Addison-Wesley, 1970.
POPE, Clifford H. *The Reptile World.* New York, Knopf, 1960.
POST, WILEY, and Harold GATTY. *Around the World in Eight Days.* London, Hamish Hamilton, 1937.
PRATT, J. G. *Parapsychology, An Insider's View of ESP.* Garden City, N. Y., Doubleday, 1964.
RACKER, E. *Mechanisms in Bioenergetics.* New York, Academic Press, 1965.
RAMSAY, J. A., and V. B. WIGGLES, eds. *The Cell and the Organism.* Cambridge, Eng., Cambridge Univ. Press, 1961.
RASMUSSEN, G. L., and W. F. WINDLE, eds. *Neural Mechanisms of the Auditory and Vestibular System.* Springfield, Ill., Thomas, 1959.
RHINE, J. B. *New World of the Mind.* New York, Sloane, 1953.
RHINE, L. E. *ESP in Life and Laboratory.* New York, Collier Books, 1969.

RHINE, L. E. *Hidden Channels of the Mind.* New York, Sloane, 1961.
ROCK, I. *The Nature of Perceptual Adaptation.* New York, Basic Books, 1966.
ROCKSTEIN, M., ed. *The Physiology of Insects.* New York, Academic Press, 1964.
SCHAEFER, K. E., ed. *Man's Dependence on the Earthly Atmosphere.* New York, Macmillan, 1962.
SCHALLER, G. B. *The Mountain Gorilla.* Chicago, Univ. of Chicago Press, 1963.
SCHNEIDER, G., and R. H. MCCONNELL. *ESP and Personality Patterns.* New Haven, Yale Univ. Press, 1958.
SCHRÖDER, C., ed. *Handbuch der Entomologie.* Jena, Fischer, 1929.
SEBEOK, T. A., et al. *Approaches to Semiotics.* The Hague, Mouton, 1964.
SLEIGH, M. A. *The Biology of Cilia and Flagella.* New York, Macmillan, 1962.
SLIPER, E. J. *Whales.* New York, Basic Books, 1962.
SMITH, K. V. and W. K. *Perception and Motion.* Philadelphia, Saunders, 1969.
SOAL, S. G., and F. BATEMAN. *Modern Experiments in Telepathy.* New Haven, Yale Univ. Press, 1957.
SOLLBERGER, A. *Biological Rhythm Research.* Amsterdam, Elsevier, 1965.
SPENCER, J. L. *The Electrogenetics of Alberto Pirovano.* New York, Hafner, 1965.
STEVENS, S. S., ed. *Handbook of Experimental Psychology.* New York, Wiley, 1952.
STOKOE, W. C., et al. *A Dictionary of American Sign Language.* Washington, D. C., Gallaudet College Press, 1965.
TAVALGA, W. N., ed. *Marine Bio-Acoustics.* Oxford, Eng., Pergamon, 1964.
TAYLOR, J. G. *The Behavioral Basis of Perception.* New Haven, Yale Univ. Press, 1962.
THORPE, W. H. *Bird Song.* Cambridge, Eng., Cambridge Univ. Press, 1967.
— *Learning and Instinct in Animals.* Cambridge, Eng., Cambridge Univ. Press, 1963.
THORPE, W. H., and R. A. LINDE, eds. *Bird Vocalization.* New York, Cambridge Univ. Press, 1969.
TURNER, V. C. *General Endocrinology.* Philadelphia, Saunders, 1966.
VASILIEV, L. *Experiments in Mental Suggestion.* Church Crookham, Hants, Eng., Gally Hall Press, 1964.
WALKER, E. P. *Mammals of the World.* Baltimore, Johns Hopkins Press, 1964.
WELTY, Joel Carl. *Life of Birds.* New York, Knopf, 1963.
WILLEMS, E. P., and H. L. Raush, eds. *Naturalistic Viewpoints in Psychological Research.* New York, Holt, Rinehart and Winston, 1969.
WOLFF, E. *Anatomy of the Eye and Orbit.* London, H. K. Lewis, 1968.
WURTMAN, R. J., et al. *The Pineal.* New York, Academic Press, 1968.
YERKES, R. M. *Chimpanzees.* New Haven, Yale Univ. Press, 1943.
ZUBECK, John P., ed. *Sensory Deprivation.* New York, Appleton-Century-Crofts, 1969.

TABLE DES MATIÈRES

ACHEVÉ D'IMPRIMER LE
22 FÉVRIER 1974 SUR LES
PRESSES DE L'IMPRIMERIE
BUSSIÈRE, SAINT-AMAND (CHER)

— Nº d'édit. 5185. — Nº d'imp. 1634. —
Dépôt légal : 1er trimestre 1974.

Imprimé en France.